연마수학 탄탄한 기본기 체계적 연마

참 쉬운 3점

시험에 잘 나오는 기출 유형 체계적 공략
[2+**3**점짜리] **확률과 통계**

구성과 특징

참 쉬운 3점 수학

특징

이 책은 쉬운 유형의 문제로 기본기를 탄탄하게 다지고 문제 해결 능력을 강화하여 수능 및 학교 시험의 쉬운 문제를 완벽하게 해결할 수 있습니다.

쉬운 기출 유형과 개념 이해로 탄탄한 기본기 강화

- 교과서 핵심 개념 및 기본 공식, 이전에 배운 내용, 핵심 첨삭 등의 부가 설명으로 기초가 부족해도 쉽게 유형을 정복할 수 있습니다.
- 쉬운 기출 유형과 맞춤 해법으로 개념을 확실하게 익힐 수 있습니다.

단계별 Action 전략으로 문제 해결의 원리와 스킬 터득

- 기출 유형의 체계적 정복을 위한 단계적 Action 전략 제시로 2, 3점짜리 문제를 완벽하게 공략합니다.
- 문제 해결의 원리 터득으로 기본기를 강화합니다.

최신 출제 경향에 딱 맞춘 적중 예상 문제로 실전 능력 강화

- 최신 출제 경향에 따른 빈출 문제, 신유형 문제에 대한 실전 능력을 키울 수 있습니다.
- 문제 해결의 원리 터득으로 기본기를 강화합니다.

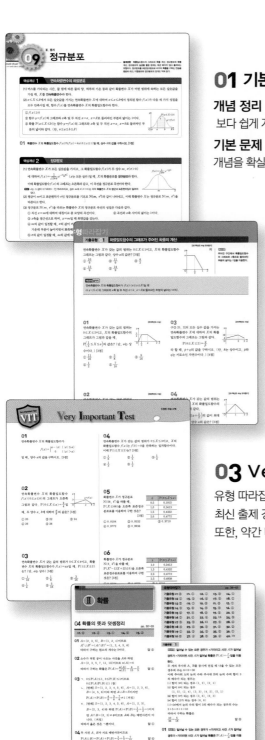

01 기본 학습

개념 정리 문제 해결에 필요한 필수 개념, 이전에 배운 내용, 개념 이해를 돕는 첨삭을 통해
보다 쉽게 개념을 이해할 수 있도록 하였습니다.

기본 문제 개념과 공식을 곧바로 적용해 볼 수 있는 2점짜리 기출문제를 다루어
개념을 확실하게 익힐 수 있도록 하였습니다.

02 유형 따라잡기

수능 및 학력평가에 출제되었던 3점짜리 문제의 핵심 유형을 선정하고, 해당 유형
해결책을 알려 주는 '해결의 실마리'를 제시하였습니다. 또한, 문제 해결 과정에서
적용해야 할 Action 전략을 제시하여, 문제 풀이의 맥락을 쉽게 알 수 있도록 하였습니다.

03 Very Important Test

유형 따라잡기에서 다루었던 기출문제를 토대로,
최신 출제 경향에 맞추어 출제가 예상되는 문제를 중심으로 출제하였습니다.
또한, 약간 다른 형태의 문제도 제시함으로써 실전 적응력을 기를 수 있도록 하였습니다.

04 정답과 해설

풀이를 보고도 이해를 하지 못하는 경우가 없도록 자세히 풀이하였습니다.
알찬 해설이 되도록 문제 해결 과정에서 풀이의 맥락을 알려주는 Action 전략,
특별히 보충해야 할 공식과 설명, 수식 계산의 팁 등으로 구성하였습니다.

참 쉬운 3점 수학

이 책은 쉬운 유형의 문제로 기본기를 탄탄하게 다지고
문제해결 능력을 강화하여 수능 및 학교 시험의
쉬운 문제를 완벽하게 해결할 수 있습니다.

학습방법

필수 개념 익히기

필수 개념, 이전에 배운 내용, 첨삭의 내용을 이해하고 2점짜리 기출 기본 문제를 풀어
개념을 확실히 익힙니다.

기출 유형별 Action 전략 마스터하기

기출 유형으로 제시된 3점짜리 기출 문제와 함께 '해결의 실마리'를 보고 어떻게 문제를 풀 것인지
생각한 후, 단계별 Action 전략을 따라서 풉니다. 동일한 유형의 문제를 통해 앞서 익힌 풀이 전략을
집중 연습하여 문제 해결의 원리를 확실하게 마스터합니다.

최신 출제 경향 문제로 실력 다지기

실전과 같이 해답을 보지 말고 앞에서 익힌 문제 해결의 원리를 적용하여 풀어 봅니다.
틀린 부분이 있다면 유형 따라잡기의 '해결의 실마리' 부분을 다시 한번 복습합니다.

contents 차 례

I. 경우의 수

01 여러 가지 순열

출제경향 기본적인 개념만 알면 풀 수 있는 원순열의 수, 중복순열의 수, 같은 것이 있는 순열의 수, 최단 거리로 이동하는 경우의 수가 출제되었다. 출제 패턴이 정해져 있으므로 실수하지 않고 풀 수 있도록 연습해 두어야 한다.

핵심개념 1   원순열

(1) 원순열

서로 다른 것을 원형으로 배열하는 순열을 원순열이라 한다.

(2) 원순열의 수

서로 다른 n개를 원형으로 배열하는 원순열의 수는

$$\frac{n!}{n} = (n-1)!$$

> 원형으로 배열할 때 회전 방향이 같은 순서의 배열은 같은 것으로 본다. 따라서 순열에서 서로 다른 abc, bca, cab의 3가지 경우가 원순열에서는
>
> 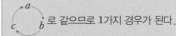 로 같으므로 1가지 경우가 된다.

---

01 4명의 사람이 원형의 탁자에 둘러앉는 경우의 수를 구하시오. [3점]

02 부모를 포함한 4명의 가족이 원형의 탁자에 둘러앉을 때, 부모가 이웃하여 앉는 경우의 수를 구하시오. [3점]

핵심개념 2   중복순열

(1) 중복순열

서로 다른 n개에서 중복을 허용하여 r개를 택하여 일렬로 나열하는 순열을 n개에서 r개를 택하는 중복순열이라 하고, 이러한 중복순열의 수를 기호로 $_n\Pi_r$와 같이 나타낸다.

(2) 중복순열의 수

서로 다른 n개에서 r개를 택하는 중복순열의 수는

$$_n\Pi_r = \underbrace{n \times n \times n \times \cdots \times n}_{r개} = n^r \;\longleftarrow\; r개의\ 자리에\ 올\ 수\ 있는\ 것이\ 각각\ n가지이다.$$

참고 세 개의 숫자 1, 2, 3 중에서 중복을 허용하여 만들 수 있는 두 자리의 자연수의 개수는 오른쪽과 같으므로

$$3 \times 3 = 3^2 = {_3\Pi_2}$$

[2017학년도 교육청]

03 $_5\Pi_2$의 값을 구하시오. [3점]

[2018학년도 교육청]

04 $_4P_2 + {_4\Pi_2}$의 값을 구하시오. [3점]

핵심개념 3 ｜ 같은 것이 있는 순열

n개 중에서 같은 것이 각각 p개, q개, $\cdots$, r개씩 있을 때, 이 n개를 모두 일렬로 나열하는 순열의 수는

$$\frac{n!}{p!\,q!\,\cdots\,r!} \quad (\text{단, } p+q+\cdots+r=n)$$

참고 5개의 문자 a, a, a, b, b를 일렬로 나열하는 경우

3개의 a를 구별하여 a_1, a_2, a_3이라 하고 2개의 b를 구별하여 b_1, b_2라 하자. 이들을 서로 다른 것으로 생각하여 일렬로 나열하는 경우의 수는 $_5\mathrm{P}_5=5!$

그런데 5!가지 중 다음과 같이 3!2!가지의 순열은 번호의 구별이 없으면 모두 $aaabb$와 같다.

3!가지
$$\begin{array}{ll}
a_1\ a_2\ a_3\ b_1\ b_2 & a_1\ a_2\ a_3\ b_2\ b_1 \\
a_1\ a_3\ a_2\ b_1\ b_2 & a_1\ a_3\ a_2\ b_2\ b_1 \\
a_2\ a_1\ a_3\ b_1\ b_2 & a_2\ a_1\ a_3\ b_2\ b_1 \\
a_2\ a_3\ a_1\ b_1\ b_2 & a_2\ a_3\ a_1\ b_2\ b_1 \\
a_3\ a_1\ a_2\ b_1\ b_2 & a_3\ a_1\ a_2\ b_2\ b_1 \\
a_3\ a_2\ a_1\ b_1\ b_2 & a_3\ a_2\ a_1\ b_2\ b_1
\end{array} \rightarrow a\ a\ a\ b\ b$$

2!가지

따라서 a, a, a, b, b를 일렬로 나열하는 경우의 수는 $\dfrac{5!}{3!\,2!}=10$

05 success의 7개의 문자를 일렬로 모두 나열하여 만들 수 있는 경우의 수는? [2점]

① 210 ② 720 ③ 1260 ④ 2520 ⑤ 5040

핵심개념 4 ｜ 최단 거리로 가는 경우의 수

그림과 같이 가로 방향의 칸의 수가 p, 세로 방향의 칸의 수가 q일 때, 이 도로망을 따라 A지점에서 B지점까지 최단 거리로 가는 경우의 수는

$$\frac{(p+q)!}{p!\,q!} \quad \leftarrow \text{같은 것이 } p\text{개, } q\text{개 있는 순열의 수}$$

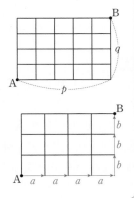

참고 그림에서 가로로 한 칸 가는 것을 a, 세로로 한 칸 가는 것을 b라 하면

A지점에서 B지점까지 최단 거리로 가는 경우는 가로로 4칸, 세로로 3칸을 가면 되므로

그 경우의 수는 a, a, a, a, b, b, b를 일렬로 나열하는 경우의 수와 같다.

따라서 A지점에서 B지점까지 최단 거리로 가는 경우의 수는 $\dfrac{7!}{4!\,3!}=35$

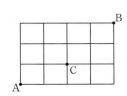

06 그림과 같이 직사각형 모양으로 연결된 도로망이 있다. 이 도로망을 따라 A지점에서 출발하여 C지점을 지나 B지점까지 최단 거리로 가는 경우의 수를 구하시오. [3점]

기출유형 01 원순열의 수

서로 다른 5개의 접시를 원 모양의 식탁에 일정한 간격을 두고 원형으로 놓는 경우의 수는? (단, 회전하여 일치하는 것은 같은 것으로 본다.) [3점]

① 6 　　　　② 12 　　　　③ 18

④ 24 　　　　⑤ 30

[2018학년도 수능 모의평가]

Act ❶
서로 다른 n개를 원형으로 배열하는 원순열의 수는 $(n-1)!$임을 이용한다.

해결의 실마리

(1) 서로 다른 n개를 원형으로 배열하는 원순열의 수 ⇨ $(n-1)!$

(2) n개를 원형으로 배열할 때, 이웃하는 것이 있으면
　 ⇨ 이웃하는 것을 한 묶음으로 생각하여 원순열의 수를 구하고 이웃하는 것끼리 자리를 바꾸는 경우의 수를 곱한다.

01

부모를 포함한 5명의 가족이 원탁에 둘러앉을 때, 부모가 이웃하여 앉는 경우의 수는? [3점]

① 6 　　　　② 12 　　　　③ 18

④ 24 　　　　⑤ 30

03

회장과 부회장을 포함한 동아리 학생 8명이 원탁에 둘러앉을 때, 회장과 부회장이 마주 보고 앉는 경우의 수를 구하시오. [3점]

02

[2012학년도 수능 모의평가]

그림과 같이 최대 6개의 용기를 넣을 수 있는 원형의 실험기구가 있다. 서로 다른 6개의 용기 A, B, C, D, E, F를 이 실험 기구에 모두 넣을 때, A와 B가 이웃하게 되는 경우의 수는? (단, 회전하여 일치하는 것은 같은 것으로 본다.) [3점]

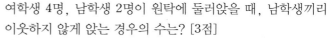

① 36 　　　　② 48 　　　　③ 60

④ 72 　　　　⑤ 84

04

여학생 4명, 남학생 2명이 원탁에 둘러앉을 때, 남학생끼리 이웃하지 않게 앉는 경우의 수는? [3점]

① 36 　　　　② 48 　　　　③ 60

④ 72 　　　　⑤ 84

기출유형 **02** 여러 가지 모양의 탁자에 둘러앉는 경우의 수

그림과 같은 정삼각형 모양의 탁자에 6명의 학생이 둘러앉는 경우의 수는?
(단, 회전하여 일치하는 것은 같은 것으로 본다.) [3점]

① 72   ② 120   ③ 144

④ 240   ⑤ 288

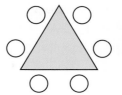

Act ❶
정삼각형 모양의 탁자에 둘러앉는 경우는 원형으로 둘러앉는 한 가지 경우에 대하여 몇 가지의 다른 경우가 있는지 생각해 본다.

해결의 실마리

여러 가지 모양의 탁자에 둘러앉는 경우의 수는
⇨ (원순열의 수) × (회전시켰을 때 겹쳐지지 않는 자리의 수)

05

그림과 같은 직사각형 모양의 탁자에 6명이 둘러앉는 경우의 수는? (단, 회전하여 일치하는 것은 같은 것으로 본다.) [3점]

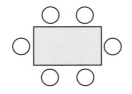

① 240   ② 360

③ 480   ④ 600   ⑤ 720

07

그림과 같은 육각형 모양의 탁자에 8명이 둘러앉는 경우의 수는? (단, 회전하여 일치하는 것은 같은 것으로 본다.) [3점]

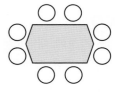

① 5040   ② 10080

③ 20160   ④ 40320   ⑤ 80640

06

그림과 같은 정사각형 모양의 탁자에 8명이 둘러앉는 경우의 수는? (단, 회전하여 일치하는 것은 같은 것으로 본다.) [3점]

① 5040   ② 10080

③ 20160   ④ 40320

⑤ 80640

08

그림과 같은 반원 모양의 탁자에 7명이 둘러앉는 경우의 수는? [3점]

① 2160   ② 2880

③ 3600   ④ 4320

⑤ 5040

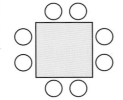

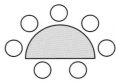

그림과 같이 중심이 같은 두 원 사이를 4등분한 모양의 도형이 있다. 이 도형의 5개의 영역을 서로 다른 5가지 색을 모두 사용하여 칠하는 경우의 수는? (단, 한 영역에는 한 가지 색을 칠하고, 회전하여 일치하는 것은 같은 것으로 본다.) [3점]

① 18   ② 24   ③ 30
④ 36   ⑤ 42

Act ❶
먼저 기준이 되는 영역을 칠하는 경우의 수를 구하고, 원순열을 이용하여 나머지 영역을 칠하는 경우의 수를 구한다.

해결의 실마리

도형에 색칠하는 경우의 수 － 원순열
① 기준이 될 수 있는 영역(가장 많은 영역에 인접한 영역, 입체도형의 밑면 등)에 색을 칠하는 경우의 수를 구한다.
② 원순열을 이용하여 나머지 영역에 색을 칠하는 경우의 수를 구한 후 ①의 경우의 수를 곱한다.

09
[2008학년도 교육청]

정사각형에 내접하는 원을 4등분하여 그림과 같은 도형을 만들었다. 도형의 한 영역에 한 가지 색만 사용하여, 8개의 영역에 서로 다른 8가지 색을 모두 칠하는 방법의 수는? (단, 회전에 의하여 겹쳐지는 것들은 같은 것으로 한다.) [3점]

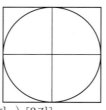

① $\dfrac{8!}{5}$ ② $\dfrac{8!}{4}$ ③ $\dfrac{8!}{3}$

④ $\dfrac{8!}{2}$ ⑤ $8!$

11
[2012학년도 교육청]

빨간색과 파란색을 포함한 서로 다른 6가지의 색을 모두 사용하여, 날개가 6개인 바람개비의 각 날개에 색칠하려고 한다. 빨간색과 파란색을 서로 맞은편의 날개에 칠하는 경우의 수는? (단, 각 날개에는 한 가지 색만 칠하고, 회전하여 일치하는 것은 같은 것으로 본다.) [3점]

① 12   ② 18   ③ 24
④ 30   ⑤ 36

10

그림과 같은 정사각뿔의 각 면을 서로 다른 5가지 색을 모두 사용하여 칠하는 경우의 수를 구하시오. (단, 한 면에는 한 가지의 색을 칠하고, 회전하여 일치하는 것은 같은 것으로 본다.) [3점]

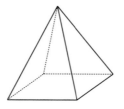

12
[2009학년도 교육청]

8등분된 원판에 A, B, C, D, E, F의 6가지 색을 모두 사용하여 영역을 구분하려고 한다. 그림과 같이 A, B 두 가지 색은 이미 칠해져 있을 때, 칠해져 있지 않은 영역에 칠할 수 있는 방법의 수를 구하시오. (단, 한 영역에는 한 가지 색을 칠하고, 회전하여 같은 경우에는 한 가지 방법으로 한다.) [3점]

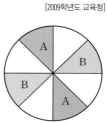

기출유형 04 · 중복순열의 수

[2016학년도 수능 모의평가]

서로 다른 종류의 연필 5자루를 4명의 학생 A, B, C, D에게 남김없이 나누어 주는 경우의 수는?
(단, 연필을 받지 못하는 학생이 있을 수 있다.) [3점]

Act ①
서로 다른 4개에서 중복을 허락하여 5개를 택하여 일렬로 나열하는 중복순열의 수와 같다.

① 1024　　② 1034　　③ 1044　　④ 1054　　⑤ 1064

해결의 실마리

서로 다른 n개에서 중복을 허락하여 r개를 택하는 중복순열의 수는
$$\Rightarrow {}_n\Pi_r = n^r$$

13
[2017학년도 수능]

숫자 1, 2, 3, 4, 5 중에서 중복을 허락하여 네 개를 택해 일렬로 나열하여 만든 네 자리의 자연수가 5의 배수인 경우의 수는? [3점]

① 115　　② 120　　③ 125
④ 130　　⑤ 135

15
[2017학년도 수능]

한 사람이 단 한 명의 후보에게 투표하는 선거에서 6명이 2명의 후보에게 투표하는 경우의 수를 구하시오. (단, 기권하는 경우는 없다.) [3점]

14
[2017학년도 교육청]

숫자 1, 2, 3, 4, 5 중에서 중복을 허락하여 세 개를 택해 일렬로 나열하여 만든 세 자리 자연수가 홀수인 경우의 수는? [3점]

① 45　　② 55　　③ 65
④ 75　　⑤ 85

16

집합 $X = \{1, 2, 3\}$에서 집합 $Y = \{a, b, c, d, e\}$로의 함수의 개수를 m, 일대일함수의 개수를 n이라 할 때, $m-n$의 값은? [3점]

① 55　　② 60　　③ 65
④ 70　　⑤ 75

[2012학년도 수능]

흰색 깃발 5개, 파란색 깃발 5개를 일렬로 모두 나열할 때, 양 끝에 흰색 깃발이 놓이는 경우의 수는?
(단, 같은 색 깃발끼리는 서로 구별하지 않는다.) [3점]

① 56   ② 63   ③ 70   ④ 77   ⑤ 84

Act ❶

n개 중에서 같은 것이 각각 p개, q개씩 있을 때, n개를 모두 일렬로 나열하는 순열의 수는

$$\frac{n!}{p!q!}$$ (단, $p+q=n$)

임을 이용한다.

해결의 실마리

(1) n개 중에서 같은 것이 각각 p개, q개, $\cdots$, r개씩 있을 때, 이 n개를 모두 일렬로 나열하는 순열의 수는

$$\frac{n!}{p!q!\cdots r!}$$ (단, $p+q+\cdots+r=n$)

(2) 양 끝에 오는 것이 정해져 있는 순열은 ⇨ 양 끝에 오는 것을 제외한 나머지를 나열한다.

(3) 서로 다른 n개를 일렬로 나열할 때, 특정한 $r(0<r\leq n)$개의 순서가 정해져 있는 경우에는 ⇨ 순서가 정해진 r개를 같은 것으로 보고 같은 것이 있는 순열의 수를 이용한다.

17

6개의 숫자 2, 2, 3, 4, 5, 6을 일렬로 나열할 때, 4, 5, 6을 크기가 큰 순서대로 나열하는 경우의 수를 구하시오. [3점]

18   [2014학년도 수능 모의평가]

1부터 6까지의 자연수가 하나씩 적혀 있는 6장의 카드가 있다. 이 카드를 모두 한 번씩 사용하여 일렬로 나열할 때, 2가 적혀 있는 카드는 4가 적혀 있는 카드보다 왼쪽에 나열하고 홀수가 적혀 있는 카드는 작은 수부터 크기 순서로 왼쪽부터 나열하는 경우의 수는? [3점]

① 56   ② 60   ③ 64
④ 68   ⑤ 72

19   [2007학년도 교육청]

일곱 개의 문자 A, A, A, B, C, D, E 중에서 3개의 문자를 뽑아 일렬로 나열할 수 있는 모든 경우의 수를 구하시오. [3점]

20   [2009학년도 교육청]

숫자 1, 2, 2, 3, 3, 3을 일렬로 배열할 때, 짝수는 반드시 앞에서부터 짝수 번째 자리에 오는 경우의 수는? [3점]

① 8   ② 9   ③ 10
④ 11   ⑤ 12

기출유형 06　최단 거리로 이동하는 경우의 수

그림과 같이 마름모 모양으로 연결된 도로망이 있다.
이 도로망을 따라 A지점에서 출발하여 B지점까지
최단 거리로 가는 경우의 수는? [3점]

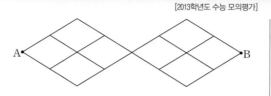

Act ❶
반드시 지나야 하는 지점을 경계로 나누어 생각한다.

① 24　　　　② 28　　　　③ 32

④ 36　　　　⑤ 40

해결의 실마리

그림과 같이 가로 방향의 칸의 수가 p, 세로 방향의 칸의 수가 q일 때, 이 도로망을 따라 A지점에서 B지점까지 최단 거리로 가는 경우의 수는

$$\frac{(p+q)!}{p!\,q!}$$ ← 같은 것이 p개, q개 있는 순열의 수

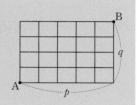

21

그림과 같이 직사각형 모양으로 연결된 도로망이 있다. 이 도로망을 따라 A지점에서 출발하여 P지점을 지나 B지점까지 최단 거리로 가는 경우의 수는? [3점]

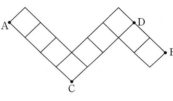

① 16　　　　② 18　　　　③ 20

④ 22　　　　⑤ 24

23

그림과 같이 마름모 모양으로 연결된 도로망이 있다. 이 도로망을 따라 A지점에서 출발하여 C지점을 지나지 않고, D지점도 지나지 않으면서 B지점까지 최단 거리로 가는 경우의 수는? [3점]

① 26　　　　② 24　　　　③ 22

④ 20　　　　⑤ 18

22

그림과 같이 직사각형으로 이루어진 도로망이 있다. A지점에서 B지점까지 최단 거리로 갈 때, P와 Q 두 지점을 모두 지나는 경로의 수를 구하시오 [3점]

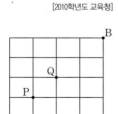

24

그림과 같은 도로망에서 A에서 출발하여 B까지 최단 거리로 가는 방법의 수는? [3점]

① 46　　　　② 48

③ 50　　　　④ 52

⑤ 54

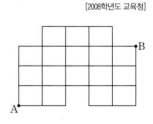

01

남학생 6명 중 2명을 뽑아 여학생 3명과 함께 원탁에 앉힐 때, 두 남학생이 이웃하게 앉는 방법의 수는? [3점]

① 60　　　　② 120　　　　③ 180
④ 240　　　　⑤ 300

02

5명의 남자와 3명의 여자가 원탁에 둘러앉을 때, 여자끼리 이웃하지 않는 경우의 수는? [3점]

① 1120　　　② 1280　　　③ 1440
④ 1560　　　⑤ 1600

03

A, B, C, D, E, F, G의 7명이 원형의 탁자에 같은 간격으로 둘러앉을 때, A와 B는 이웃하고, A와 C는 이웃하지 않는 경우의 수는? [3점]

① 192　　　　② 196　　　　③ 200
④ 204　　　　⑤ 208

04

5통의 편지를 3개의 우체통에 넣는 방법의 수는? [3점]

① 30　　　　　② 60　　　　　③ 120
④ 125　　　　　⑤ 243

05

서로 다른 종류의 5개의 사탕을 세 봉지 A, B, C에 넣는 방법의 수는? (단, 빈 봉지는 최대 1개이다.) [3점]

① 224　　　　② 228　　　　③ 232
④ 236　　　　⑤ 240

06

7명의 학생을 A, B, C의 세 반으로 배정하려 한다. 7명의 학생 중 성은이와 동환이 두 명의 학생은 반드시 같은 반에 들어가도록 배정하는 경우의 수는? (단, 7명 중 한 명도 배정되지 않는 반이 있어도 된다.) [3점]

① 9　　　　　② 27　　　　　③ 81
④ 243　　　　⑤ 729

07

여섯 개의 숫자 0, 1, 2, 3, 4, 5 중에서 4개의 숫자를 택하여 만들 수 있는 네 자리 자연수 중에서 짝수의 개수를 구하시오. (단, 각 자리의 숫자는 서로 같아도 된다.) [3점]

08

빨간 구슬이 3개, 파란 구슬이 4개, 노란 구슬이 1개 있을 때, 이 구슬 8개를 모두 사용하여 일렬로 나열할 수 있는 모든 경우의 수는? [3점]

① 160　　　　② 200　　　　③ 240
④ 280　　　　⑤ 320

09

8개의 영문자 N, O, T, E, B, O, O, K를 일렬로 나열할 때, N, E, T를 이웃하도록 배열하는 경우의 수는? [3점]

① 120　　　　② 270　　　　③ 420
④ 570　　　　⑤ 720

10

숫자 1, 2, 3과 문자 a, b, c를 모두 일렬로 나열할 때, $1a23bc$, $a1bc23$ 등과 같이 숫자끼리는 작은 수부터 차례대로 나열되고 알파벳끼리는 알파벳순으로 나열되도록 하는 경우의 수는? [3점]

① 20　　　　② 22　　　　③ 24
④ 26　　　　⑤ 28

11

0, 1, 1, 2, 2, 2, 3을 모두 나열하여 7자리 짝수를 만드는 방법의 수는? [3점]

① 60　　　　② 150　　　　③ 210
④ 270　　　　⑤ 360

12

그림과 같은 도로망에서 A에서 B로 가는 최단 경로의 수는? [3점]

① 42　　　　② 46
③ 50　　　　④ 54
⑤ 58

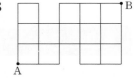

02 중복조합

출제경향 중복조합의 계산 문제, 이해 문제가 매년 빠지지 않고 출제되며, 중복조합의 활용 문제는 방정식, 부등식을 만족시키는 정수 해의 개수, 함수의 개수 등이 어려운 유형으로 알려져 있으나 출제 패턴이 정해져 있으므로 충분한 연습을 하면 고득점이 가능하다.

핵심개념 1   중복조합

(1) 중복조합

서로 다른 n개에서 중복을 허용하여 r개를 택하는 조합을 중복조합이라 하고, 이러한 중복조합의 수를 기호로 $_n\mathrm{H}_r$와 같이 나타낸다.

(2) 중복조합의 수

서로 다른 n개에서 r개를 택하는 중복조합의 수는

$$_n\mathrm{H}_r = {}_{n+r-1}\mathrm{C}_r$$

$$_n\Pi_r$$
서로 다른 ← →택하는
것의 개수   것의 개수

참고 순열, 조합, 중복순열, 중복조합의 비교

서로 다른 n개에서 r개를 택할 때
- 순서를 생각
  - 중복 허용하지 않음 ⇨ 순열 $_n\mathrm{P}_r = \dfrac{n!}{(n-r)!}$
  - 중복 허용 ⇨ 중복순열 $_n\Pi_r = n^r$
- 순서를 생각하지 않음
  - 중복 허용하지 않음 ⇨ 조합 $_n\mathrm{C}_r = \dfrac{_n\mathrm{P}_r}{r!}$
  - 중복 허용 ⇨ 중복조합 $_n\mathrm{H}_r = {}_{n+r-1}\mathrm{C}_r$

[2017학년도 수능]

01 $_4\mathrm{H}_2$의 값을 구하시오. [3점]

[2017학년도 교육청]

02 $_3\mathrm{H}_n = 21$일 때, 자연수 n의 값을 구하시오. [3점]

[2012학년도 수능]

03 자연수 r에 대하여 $_3\mathrm{H}_r = {}_7\mathrm{C}_2$일 때, $_5\mathrm{H}_r$의 값을 구하시오. [3점]

핵심개념 2   다항식의 거듭제곱의 서로 다른 항의 개수

다항식 $(x+y+z)^n$을 전개할 때 생기는 서로 다른 항의 개수는

⇨ x, y, z에서 n개를 택하는 중복조합의 수 $_3\mathrm{H}_n$과 같다.

참고 다항식 $(x+y+z)^n$을 전개할 때 생기는 각 항은 $x^p y^q z^r$ (단, p, q, r는 음이 아닌 정수이고 $p+q+r=n$) 꼴이므로 서로 다른 항의 개수는 3개의 문자 x, y, z 중에서 n개를 택하는 중복조합의 수와 같다.

04 다항식 $(a+b+c)^6$을 전개할 때 생기는 서로 다른 항의 개수를 구하시오. [3점]

05 다항식 $(a+b+c+d)^5$을 전개할 때 생기는 서로 다른 항의 개수를 구하시오. [3점]

핵심개념 3   정수해의 개수

(1) 음이 아닌 정수해의 개수

방정식 $x_1 + x_2 + \cdots + x_n = r$ (r는 자연수)의 음이 아닌 정수해의 개수는

➡ n개의 문자 x_1, x_2, $\cdots$, x_n 중에서 r개를 택하는 중복조합의 수와 같으므로 $_n\mathrm{H}_r$

예 방정식 $x + y + z = 2$의 음이 아닌 정수해의 개수는 $_3\mathrm{H}_2$

(2) 양의 정수해의 개수

방정식 $x_1 + x_2 + \cdots + x_n = r$ (r는 자연수)의 양의 정수해의 개수는

➡ $(x_1' + 1) + (x_2' + 1) + \cdots + (x_n' + 1) = r$,

즉 $x_1' + x_2' + \cdots + x_n' = r - n$의 음이 아닌 정수해의 개수와 같으므로 $_n\mathrm{H}_{r-n}$ (단, $n \leq r$)

예 방정식 $x + y + z = 4$의 양의 정수해의 개수는 $x' + y' + z' = 1$의 음이 아닌 정수해의 개수와 같으므로 $_3\mathrm{H}_1$

참고 $x + y + z = 10$에 대하여 $x \geq 1$, $y \geq 2$, $z \geq 3$인 정수해의 개수는
$(x' + 1) + (y' + 2) + (z' + 3) = 10$, 즉 $x' + y' + z' = 4$의 음이 아닌 정수해의 개수와 같으므로 $_3\mathrm{H}_4$

[2012학년도 수능 모의평가]

06 방정식 $x + y + z = 17$을 만족시키는 음이 아닌 정수 x, y, z에 대하여 순서쌍 (x, y, z)의 개수를 구하시오. [3점]

핵심개념 4   조건을 만족하는 함수의 개수

집합 $X = \{1, 2, 3, \cdots, m\}$에서 집합 $Y = \{1, 2, 3, \cdots, n\}$로의 함수 f 중 X의 원소 i, j에 대하여

(1) $i < j$이면 $f(i) < f(j)$인 함수의 개수

Y의 원소 중에서 서로 다른 m개의 원소를 뽑아 X의 원소에 크기 순서로 대응시키면 된다.

따라서 1, 2, 3, $\cdots$, n 중에서 m개를 뽑는 조합의 수와 같다. 즉

$$_n\mathrm{C}_m = \frac{_n\mathrm{P}_m}{m!} \ (단, \ n \geq m)$$

(2) $i < j$이면 $f(i) \leq f(j)$인 함수의 개수

Y의 원소 중에서 중복을 허용하여 m개의 원소를 뽑아 X의 원소에 크기 순서로 대응시키면 된다.

따라서 1, 2, 3, $\cdots$, n 중에서 m개를 뽑는 중복조합의 수와 같다. 즉

$$_n\mathrm{H}_m = {}_{n+m-1}\mathrm{C}_m$$

07 두 집합 $X = \{1, 2, 3\}$, $Y = \{1, 2, 3, 4, 5, 6\}$에 대하여 $f(1) < f(2) < f(3)$을 만족시키는 함수 $f : X \to Y$의 개수를 구하시오. [3점]

08 두 집합 $X = \{1, 2, 3\}$, $Y = \{1, 2, 3, 4, 5\}$에 대하여 $f(1) \leq f(2) \leq f(3)$을 만족시키는 함수 $f : X \to Y$의 개수를 구하시오. [3점]

기출유형 01 중복조합의 수

[2011학년도 교육청]

축구공, 농구공, 배구공 중에서 4개의 공을 선택하는 방법의 수를 구하시오. (단, 각 종류의 공은 4개 이상씩 있고, 같은 종류의 공은 서로 구별하지 않는다.) [3점]

Act ❶
서로 다른 n개에서 r개를 택하는 중복조합의 수는 $_nH_r = _{n+r-1}C_r$임을 이용한다.

해결의 실마리

(1) 서로 다른 n개에서 r개를 택하는 중복조합의 수는 ⇨ $_nH_r = _{n+r-1}C_r$

(2) n명에게 서로 같은 r개를 나누어 주는 경우의 수는 ⇨ $_nH_r$

01
[2010학년도 교육청]

크기와 모양이 같은 검은 구슬 5개와 흰 구슬 2개를 서로 다른 세 상자에 모두 넣는 방법의 가짓수는?(단, 비어 있는 상자가 있을 수 있다.) [3점]

① 125 ② 126 ③ 127
④ 128 ⑤ 129

03
[2015학년도 교육청]

서로 구별되지 않는 공 10개를 A, B, C 3명에게 남김없이 나누어 주려고 한다. A가 공을 3개만 받도록 나누어 주는 경우의 수를 구하시오. (단, 1개의 공도 받지 못하는 사람이 있을 수 있다.) [3점]

02
[2013학년도 수능]

같은 종류의 주스 4병, 같은 종류의 생수 2병, 우유 1병을 3명에게 남김없이 나누어 주는 경우의 수는? (단, 1병도 받지 못하는 사람이 있을 수 있다.) [3점]

① 330 ② 315 ③ 300
④ 285 ⑤ 270

04
[2014학년도 수능]

숫자 1, 2, 3, 4에서 중복을 허락하여 5개를 택할 때, 숫자 4가 한 개 이하가 되는 경우의 수는? [3점]

① 45 ② 42 ③ 39
④ 36 ⑤ 33

기출유형 02 '적어도'의 조건이 있는 중복조합의 수

3종류의 초코, 바닐라, 딸기 아이스크림 중에서 중복을 허용하여 8개를 고를 때, 각 종류의 아이스크림이 반드시 1개씩은 포함되도록 고르는 경우의 수는? [3점]

① 18　　　　　② 21　　　　　③ 24　　　　　④ 27　　　　　⑤ 30

Act ❶
3종류에서 각각 1개씩 뽑은 후 3종류에서 5개를 뽑는 중복조합의 수를 이용한다.

해결의 실마리

서로 다른 n종류에서 중복을 허용하여 r개를 뽑을 때, 각 종류가 적어도 1개씩 포함되도록 뽑는 경우의 수는
⇨ 먼저 n종류에서 각각 1개씩 뽑은 후, 서로 다른 n종류에서 $(r-n)$개를 뽑는 중복조합의 수를 이용하여 구한다.

05
[2014학년도 수능 모의평가]

고구마피자, 새우피자, 불고기피자 중에서 m개를 주문하는 경우의 수가 36일 때, 고구마피자, 새우피자, 불고기피자를 적어도 하나씩 포함하여 m개를 주문하는 경우의 수는? [3점]

① 12　　　　　② 15　　　　　③ 18
④ 21　　　　　⑤ 24

07
[2011학년도 교육청]

4명의 학생에게 8자루의 연필 모두를 나누어 주는 방법 중에서 연필을 한 자루도 받지 못하는 학생이 생기는 경우의 수를 구하시오. (단, 연필은 서로 구별하지 않는다.) [3점]

06
[2013학년도 교육청]

같은 종류의 선물 4개를 4명의 학생에게 남김없이 나누어 줄 때, 2명의 학생만 선물을 받는 경우의 수는? (단, 선물끼리는 서로 구별하지 않는다.) [3점]

① 18　　　　　② 21　　　　　③ 24
④ 30　　　　　⑤ 36

08
[2018학년도 교육청]

서로 같은 8개의 공을 남김없이 서로 다른 4개의 상자에 넣으려고 할 때, 빈 상자의 개수가 1이 되도록 넣는 경우의 수를 구하시오. [4점]

[2013학년도 수능 모의평가]

방정식 $x+y+z+w=4$를 만족시키는 음이 아닌 정수해의 순서쌍 (x, y, z, w)의 개수를 구하시오.

[3점]

Act❶

$x_1+x_2+\cdots+x_n=r$ (r는 자연수)의 음이 아닌 정수해의 개수는 $_n\mathrm{H}_r$임을 이용한다.

해결의 실마리

(1) 방정식과 부등식의 해의 개수를 구할 때에는 주어진 방정식이나 부등식을 변형하여 해의 조건이 음이 아닌 정수해가 되도록 한 후 중복조합을 이용한다.

(2) 방정식 $x_1+x_2+\cdots+x_n=r$ (r는 자연수)에 대하여
  ① 음이 아닌 정수해의 개수는 ⇨ $_n\mathrm{H}_r$
  ② 양의 정수해의 개수는 ⇨ $_n\mathrm{H}_{r-n}$ (단, $n \leq r$)

09

방정식 $x+y+z=7$을 만족시키는 양의 정수 x, y, z의 모든 순서쌍 (x, y, z)의 개수는? [3점]

① 15   ② 17   ③ 19
④ 21   ⑤ 23

11

[2017학년도 수능 모의평가]

방정식 $x+y+z+5w=14$를 만족시키는 양의 정수 x, y, z, w의 모든 순서쌍 (x, y, z, w)의 개수는? [4점]

① 27   ② 29   ③ 31
④ 33   ⑤ 35

10

[2014학년도 수능 모의평가]

방정식 $x+y+z=4$를 만족시키는 -1 이상의 정수 x, y, z의 모든 순서쌍 (x, y, z)의 개수는? [3점]

① 21   ② 28   ③ 36
④ 45   ⑤ 56

12

[2014학년도 수능 모의평가]

$3 \leq a \leq b \leq c \leq d \leq 10$을 만족시키는 자연수 a, b, c, d의 모든 순서쌍 (a, b, c, d)의 개수는? [3점]

① 240   ② 270   ③ 300
④ 330   ⑤ 360

기출유형 **04**　함수의 개수

두 집합 $X=\{1, 2, 3\}$, $Y=\{1, 2, 3, 4\}$에 대하여 X에서 Y로의 함수 f가 $i<j$이면 $f(i)\leq f(j)$를 만족시킬 때, 함수 f의 개수를 구하시오. (단, $i\in X$, $j\in X$) [3점]

Act ❶

$n(X)=m$, $n(Y)=n$일 때 $i<j$이면 $f(i)\leq f(j)$인 함수의 개수는 $_nH_m$임을 이용한다. (단, $i\in X$, $j\in X$)

해결의 실마리

집합 $X=\{1, 2, 3, \cdots, m\}$에서 집합 $Y=\{1, 2, 3, \cdots, n\}$로의 함수 f 중 X의 원소 i, j에 대하여

(1) $i<j$이면 $f(i)<f(j)$인 함수의 개수는 $\Rightarrow {}_nC_m$ (단, $n\geq m$)

(2) $i<j$이면 $f(i)\leq f(j)$인 함수의 개수는 $\Rightarrow {}_nH_m$

13

두 집합 $X=\{1, 2, 3\}$, $Y=\{y|y$는 n 이하의 자연수$\}$에 대하여 X에서 Y로의 함수 f 중 $i<j$이면 $f(i)\leq f(j)$를 만족시키는 함수의 개수가 56일 때, 자연수 n의 값을 구하시오. [3점]

15

집합 $X=\{1, 2, 3, 4, 5\}$에서 집합 $Y=\{y|y$는 9 이하의 자연수$\}$로의 함수 f 중 다음 조건을 만족시키는 함수의 개수는? [3점]

> (가) $f(3)=5$
> (나) 집합 X의 임의의 두 원소 i, j에 대하여
>   　$i<j$이면 $f(i)\leq f(j)$

① 225　　　② 230　　　③ 235
④ 240　　　⑤ 245

14

[2011학년도 교육청]

집합 $X=\{1, 2, 3, 4\}$에서 집합 $Y=\{4, 5, 6, 7\}$로의 함수 f 중 다음 조건을 만족하는 함수의 개수를 구하시오. [3점]

> (가) $f(2)=5$
> (나) 집합 X의 임의의 두 원소 i, j에 대하여
>   　$i<j$ 이면 $f(i)\leq f(j)$

01

$(a+b)^8(p+q+r)^6$의 전개식에서 서로 다른 항의 개수는?

[3점]

① 248 ② 250 ③ 252
④ 254 ⑤ 256

02

1부터 4까지의 번호가 적힌 네 개의 상자에 서로 구별되지 않는 8개의 공을 넣는 방법의 수는? (단, 비어 있는 상자가 있을 수 있다.) [3점]

① 160 ② 165 ③ 170
④ 175 ⑤ 180

03

서로 다른 3개의 상자에 같은 종류의 사탕 10개를 넣으려고 한다. 모든 상자에는 한 개 이상의 사탕을 넣는 방법의 수는? [3점]

① 24 ② 28 ③ 32
④ 36 ⑤ 40

04

같은 모양의 볼펜 15개를 3명의 학생에게 나누어 주려고 할 때, 각 학생에게 적어도 3개 이상씩 나누어 주는 방법의 수를 구하시오. [3점]

05

서로 다른 종류의 공 2개와 서로 같은 종류의 구슬 4개를 서로 다른 4개의 상자에 남김없이 나누어 넣는 방법의 수는? (단, 빈 상자가 있어도 된다.) [3점]

① 520 ② 540 ③ 560
④ 580 ⑤ 600

06

볼펜 5개와 연필 4개를 3명의 학생에게 남김없이 나누어 주는 경우의 수는? (단, 볼펜과 연필을 한 개도 못 받는 사람이 있을 수도 있고, 볼펜과 연필은 각각 구별하지 않는다.)

[3점]

① 300 ② 305 ③ 310
④ 315 ⑤ 320

07

음이 아닌 정수 x, y, z에 대하여 방정식 $x+y+z=n$의 해의 개수는 136이다. 이때 자연수 n의 값은? [3점]

① 14   ② 15   ③ 16
④ 17   ⑤ 18

08

방정식 $x+y+z=16$을 만족시키는 양의 정수 중 짝수인 x, y, z에 대하여 순서쌍 (x, y, z)의 개수를 구하시오. [3점]

09

자연수 x, y, z에 대하여 방정식 $x+y+z=12$의 해 중에서 $x \geq 1$, $y \geq 2$, $z \geq 3$인 것의 개수는? [3점]

① 24   ② 26   ③ 28
④ 30   ⑤ 32

10

방정식 $x+y+z+w=12$를 만족시키는 자연수해의 순서쌍 (x, y, z, w) 중에서 x, y는 홀수이고, z, w는 짝수인 순서쌍의 개수는? [3점]

① 10   ② 15   ③ 20
④ 25   ⑤ 30

11

두 집합
$$A=\{1, 2, 3, 4, 5, 6\}, \ B=\{1, 2, 3, 4, 5, 6, 7\}$$
에 대하여 $a \in A$, $b \in A$이고 $a < b$이면 $f(a) \leq f(b)$인 함수 $f : A \to B$ 중에서 $f(1)f(4)=12$를 만족시키는 함수 f의 개수를 구하시오. [3점]

12

집합 $X=\{1, 2, 3, 4, 5\}$에 대하여 X에서 X로의 함수 f 중에서 다음 조건을 만족시키는 함수 f의 개수를 구하시오.

[3점]

(가) $f(2)+f(3)=6$
(나) 집합 X의 임의의 두 원소 x_1, x_2에 대하여 $x_1 < x_2$이면 $f(x_1) \geq f(x_2)$이다.

03 이항정리

ung people should
strive towards their ideals.

출제경향 이항정리를 이용한 전개식에서 항의 계수를 묻는 문제가 자주 출제되므로 이항계수의 일반항의 공식을 확실히 알고 있어야 한다. 파스칼의 삼각형에서 알 수 있는 성질을 이용하여 식의 값을 간단히 하는 문제는 하키 스틱의 모양을 알아 두면 계산이 편하다.

핵심개념 1 　　이항정리

자연수 n에 대하여 $(a+b)^n$의 전개식은 다음과 같고, 이것을 이항정리라 한다.

$$(a+b)^n = {}_nC_0a^n + {}_nC_1a^{n-1}b + \cdots + {}_nC_ra^{n-r}b^r + \cdots + {}_nC_nb^n$$

이때 각 항의 계수

$${}_nC_0, \ {}_nC_1, \ \cdots, \ {}_nC_r, \ \cdots, \ {}_nC_n$$

을 이항계수라 하고, 항 ${}_nC_ra^{n-r}b^r$을 일반항이라 한다.

[2019학년도 수능]

01 1. 다항식 $(1+x)^7$의 전개식에서 x^4의 계수는? [3점]

① 42　　　　② 35　　　　③ 28　　　　④ 21　　　　⑤ 14

핵심개념 2 　　파스칼의 삼각형

(1) $n=1, 2, 3, \cdots$일 때, $(a+b)^n$의 전개식에서 이항계수를 다음과 같이 삼각형 모양으로 배열한 것을 파스칼의 삼각형이라 한다.

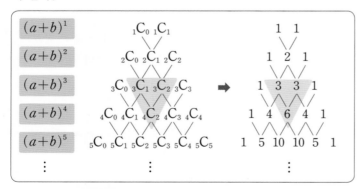

(2) 파스칼의 삼각형에서 알 수 있는 성질

① 각 단계의 수의 배열이 좌우 대칭이다. ⇨ ${}_nC_r = {}_nC_{n-r}$ (단, $0 \le r \le n$)

② 각 단계의 양끝에 있는 수는 모두 1이다. ⇨ ${}_nC_0 = 1$, ${}_nC_n = 1$

③ 이웃하는 두 수이 합은 이 두 수의 아래쪽 가운데에 있는 수와 같다.

⇨ ${}_{n-1}C_{r-1} + {}_{n-1}C_r = {}_nC_r$ (단, $1 \le r \le n-1$)

참고 **하키 스틱**

파스칼의 삼각형에서 1부터 시작하여 아래의 대각선 방향으로 이항계수를 더하면 그 다음 행의 꺾어진 곳에 있는 이항계수와 같음을 알 수 있다.

예를 들어 오른쪽 그림에서 $1+3+6+10=20$, 즉 $_2C_0+_3C_1+_4C_2+_5C_3=_6C_3$이다.

$$
\begin{array}{c}
1 \quad 1 \\
1 \quad 2 \quad 1 \\
1 \quad 3 \quad 3 \quad 1 \\
1 \quad 4 \quad 6 \quad 4 \quad 1 \\
1 \quad 5 \quad 10 \quad 10 \quad 5 \quad 1 \\
1 \quad 6 \quad 15 \quad 20 \quad 15 \quad 6 \quad 1 \\
1 \quad 7 \quad 21 \quad 35 \quad 35 \quad 21 \quad 7 \quad 1 \\
1 \quad 8 \quad 28 \quad 56 \quad 70 \quad 56 \quad 28 \quad 8 \quad 1 \\
1 \quad 9 \quad 36 \quad 84 \quad 126 \quad 126 \quad 84 \quad 36 \quad 9 \quad 1 \\
\vdots
\end{array}
$$

02 $_3C_0+_4C_1+_5C_2+\cdots+_9C_6$의 값을 구하시오. [3점]

핵심개념 3 **이항계수의 성질**

이항정리를 이용하여 $(1+x)^n$을 전개하면

$$(1+x)^n=_nC_0+_nC_1x+_nC_2x^2+\cdots+_nC_nx^n$$

이 전개식을 이용하여 여러 가지 이항계수의 성질을 알 수 있다.

(1) $_nC_0+_nC_1+_nC_2+\cdots+_nC_n=2^n$

(2) $_nC_0-_nC_1+_nC_2+\cdots+(-1)^n\,_nC_n=0$

(3) $_nC_0+_nC_2+_nC_4+\cdots+_nC_{n-1}=_nC_1+_nC_3+_nC_5+\cdots+_nC_n=2^{n-1}$ (단, n은 1보다 큰 홀수)

(4) $_nC_0+_nC_2+_nC_4+\cdots+_nC_n=_nC_1+_nC_3+_nC_5+\cdots+_nC_{n-1}=2^{n-1}$ (단, n은 짝수)

참고 **파스칼의 삼각형으로 보는 이항계수의 성질**

파스칼의 삼각형은 $(a+b)^n$의 전개식에서 이항계수를 시각화하여 배열한 것이므로 이항계수의 성질을 파스칼의 삼각형과 연관시켜 기억하면 편하다.

(1) $_nC_0+_nC_1+_nC_2+\cdots+_nC_n=(1+1)^n=2^n$ ← $x=1$일 때 가로행의 합

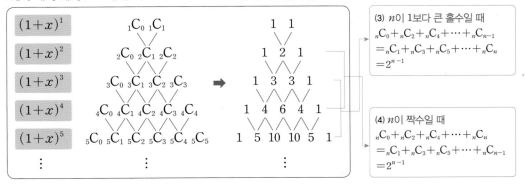

[2007학년도 교육청]

03 $\log_2(_{100}C_0+_{100}C_1+_{100}C_2+\cdots+_{100}C_{100})$의 값을 구하시오. [3점]

기출유형 01 $(a+b)^n$ 의 전개식의 일반항

[2018학년도 교육청]

$(2x-1)^6$의 전개식에서 x^2의 계수를 구하시오. [3점]

Act❶
$(a+b)^n$의 전개식의 일반항은 $_nC_r a^{n-r}b^r$ 임을 이용한다.

해결의 실마리
$(a+b)^n$의 전개식의 일반항은 ⇨ $_nC_r a^{n-r}b^r$

01
[2016학년도 교육청]
$(x^2+2)^5$의 전개식에서 x^6의 계수를 구하시오. [3점]

03
[2017학년도 수능 모의평가]
$\left(x+\dfrac{1}{3x}\right)^6$의 전개식에서 x^2의 계수는? [3점]

① $\dfrac{4}{3}$ ② $\dfrac{13}{9}$ ③ $\dfrac{14}{9}$

④ $\dfrac{5}{3}$ ⑤ $\dfrac{16}{9}$

02
[2018학년도 수능]
$\left(x+\dfrac{2}{x}\right)^8$의 전개식에서 x^4의 계수는? [3점]

① 128   ② 124   ③ 120

④ 116   ⑤ 112

04
[2019학년도 수능 모의평가]
다항식 $(x+a)^5$의 전개식에서 x^3의 계수가 40일 때, x의 계수는? (단, a는 상수이다.) [3점]

① 60   ② 65   ③ 70

④ 75   ⑤ 80

기출유형 02 $(a+b)^p(c+d)^q$ 의 전개식의 일반항

다항식 $(1+2x)(1+x)^5$의 전개식에서 x^4의 계수를 구하시오. [4점]

Act ❶

$(1+2x)(1+x)^5$
$=(1+x)^5+2x(1+x)^5$이므로
두 항에서의 x^4의 계수를 각각
구하여 계산한다.

해결의 실마리

$(a+b)^p(c+d)^q$ 의 전개식의 일반항은

⇨ $(a+b)^p$ 과 $(c+d)^q$ 의 전개식의 일반항을 각각 구하여 곱한다.

05
[2006학년도 수능 모의평가]

다항식 $(1+2x)^6(1-x)$의 전개식에서 x^4의 계수는? [3점]

① 40 ② 50 ③ 60
④ 70 ⑤ 80

07

$(2+x)^3(1+2x)^4$의 전개식에서 x^2의 계수는? [3점]

① 288 ② 290 ③ 292
④ 294 ⑤ 296

06
[2009학년도 수능 모의평가]

다항식 $(1-x)^4(2-x)^3$ 의 전개식에서 x^2의 계수를 구하시오. [3점]

08

$(x+1)^4(x+2)^3$의 전개식에서 x^2의 계수는? [3점]

① 96 ② 98 ③ 100
④ 102 ⑤ 104

$_{n-1}C_2 + _{n-1}C_3 = _{n-1}C_8 + _{n-1}C_9$를 만족시키는 자연수 n의 값은? [3점]

① 8 　　　② 9 　　　③ 10 　　　④ 11 　　　⑤ 12

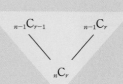

Act ❶

$_{n-1}C_{r-1} + _{n-1}C_r = _nC_r$,
$_nC_r = _nC_{n-r}$임을 이용하여 방정식을 푼다.

해결의 실마리

파스칼의 삼각형에서

(1) 각 단계의 양끝에 있는 수는 모두 1이다. ⇨ $_nC_0 = 1$, $_nC_n = 1$

(2) 이웃하는 두 수의 합은 이 두 수의 아래쪽 가운데에 있는 수와 같다.

⇨ $_{n-1}C_{r-1} + _{n-1}C_r = _nC_r$ (단, $1 \leq r \leq n-1$)

09

다음 중 $_2C_0 + _3C_1 + _4C_2 + \cdots + _{11}C_9$의 값과 같은 것은? [3점]

① $_{11}C_2$ 　　　② $_{11}C_3$ 　　　③ $_{11}C_4$

④ $_{12}C_2$ 　　　⑤ $_{12}C_3$

10

다음 중 $_4C_4 + _5C_4 + _6C_4 + _7C_4 + \cdots + _{11}C_4$의 값과 같은 것은?

[3점]

① $_{11}C_4$ 　　　② $_{11}C_5$ 　　　③ $_{12}C_3$

④ $_{12}C_4$ 　　　⑤ $_{12}C_5$

11

[2007학년도 교육청]

그림과 같은 수의 배열을 파스칼의 삼각형이라고 한다. 어두운 부분의 모든 수들의 합은? [3점]

$$1$$
$$_1C_0 \quad _1C_1$$
$$_2C_0 \quad _2C_1 \quad _2C_2$$
$$_3C_0 \quad _3C_1 \quad _3C_2 \quad _3C_3$$
$$_4C_0 \quad _4C_1 \quad _4C_2 \quad _4C_3 \quad _4C_4$$
$$\cdots$$
$$_{10}C_0 \quad _{10}C_1 \quad _{10}C_2 \quad \cdots \quad _{10}C_8 \quad _{10}C_9 \quad _{10}C_{10}$$
$$\cdots\cdots$$

① 224 　　　② 226 　　　③ 228

④ 230 　　　⑤ 232

기출유형 04 이항계수의 성질

$_6C_0 + 2 \times {}_6C_1 + 2^2 \times {}_6C_2 + \cdots + 2^6 \times {}_6C_6$의 값은? [3점]

① 128　　　　② 243　　　　③ 256　　　　④ 512　　　　⑤ 729

Act ①

$(1+x)^n = {}_nC_0 + {}_nC_1 x + {}_nC_2 x^2 + \cdots + {}_nC_n x^n$

의 양변에 $x=2$, $n=6$을 대입한다.

해결의 실마리

(1) $_nC_0 + {}_nC_1 + {}_nC_2 + \cdots + {}_nC_n = 2^n$

(2) $_nC_0 - {}_nC_1 + {}_nC_2 + \cdots + (-1)^n {}_nC_n = 0$

(3) $_nC_0 + {}_nC_2 + {}_nC_4 + \cdots + {}_nC_{n-1} = {}_nC_1 + {}_nC_3 + {}_nC_5 + \cdots + {}_nC_n = 2^{n-1}$ (단, n은 1보다 큰 홀수)

(4) $_nC_0 + {}_nC_2 + {}_nC_4 + \cdots + {}_nC_n = {}_nC_1 + {}_nC_3 + {}_nC_5 + \cdots + {}_nC_{n-1} = 2^{n-1}$ (단, n은 짝수)

12
[2013년 학년도 교육청]

$_5C_0 + {}_5C_1 + {}_5C_2 + {}_5C_3 + {}_5C_4 + {}_5C_5$의 값을 구하시오. [3점]

14
[2010학년도 교육청]

$_{10}C_0 + {}_{10}C_2 + {}_{10}C_4 + {}_{10}C_6 + {}_{10}C_8 + {}_{10}C_{10}$의 값은? [3점]

① 64　　　　② 128　　　　③ 256

④ 512　　　　⑤ 1024

13

$_{20}C_1 - {}_{20}C_2 + {}_{20}C_3 - {}_{20}C_4 + \cdots + {}_{20}C_{19}$의 값은? [3점]

① -2　　　　② 2　　　　③ 2^{19}

④ 2^{20}　　　　⑤ 2^{21}

15
[2007학년도 교육청]

$\log_2({}_{21}C_0 + {}_{21}C_1 + \cdots + {}_{21}C_{10})$의 값은? [3점]

① 2　　　　② 6　　　　③ 10

④ 14　　　　⑤ 20

01

$(x+2)^7$의 전개식에서 x^5의 계수는? [3점]

① 14   ② 21   ③ 35

④ 63   ⑤ 84

02

$(3x+1)^6$의 전개식에서 x^3의 계수를 구하시오. [3점]

03

$\left(x^2-\dfrac{1}{x}\right)^6$의 전개식에서 x^6의 계수는? [3점]

① -15 ② -5 ③ 5

④ 15   ⑤ 25

04

$\left(ax^2+\dfrac{2}{x}\right)^6$의 전개식에서 x^3의 계수가 20이 되도록 하는 실수 a의 값은? [3점]

① $\dfrac{1}{2}$ ② 1   ③ $\dfrac{3}{2}$

④ 2   ⑤ $\dfrac{5}{2}$

05

다항식 $(x+a)^7$의 전개식에서 x^4의 계수가 280일 때, x^5의 계수를 구하시오. (단 a는 실수이다.) [3점]

06

다항식 $(x+a)^6$의 전개식에서 x^3의 계수와 x^4의 계수가 같을 때, $20a$의 값은? (단, a는 양수) [3점]

① 15   ② 18   ③ 21

④ 24   ⑤ 27

07

$(2x-y^2)^{10}$의 전개식에서 x^3y^{14}의 계수를 구하면? [3점]

① -880　　　② -900　　　③ -920

④ -940　　　⑤ -960

08

$(1+x^2)^4(1-2x^3)^3$의 전개식에서 x^9의 계수는? [3점]

① -32　　　② -30　　　③ -28

④ -26　　　⑤ -24

09

다음 중 $_8C_1+_8C_2+_9C_3+_{10}C_4+_{11}C_5$와 값이 같은 것은? [3점]

① $_{11}C_5$　　　② $_{12}C_3$　　　③ $_{12}C_4$

④ $_{12}C_5$　　　⑤ $_{12}C_6$

10

$_3C_0+_3C_1+_4C_2+_5C_3+_6C_4+_7C_5+_8C_6+_9C_7$을 간단히 하면?

[3점]

① $_{10}C_6$　　　② $_{10}C_7$　　　③ $_{10}C_8$

④ $_{11}C_7$　　　⑤ $_{11}C_8$

11

등식 $_4C_4+_5C_4+_6C_4+\cdots+_{12}C_4=_nC_5$를 만족시키는 n의 값은? [3점]

① 11　　　② 12　　　③ 13

④ 14　　　⑤ 15

12

부등식 $1000<{}_nC_1+{}_nC_2+{}_nC_3+\cdots+{}_nC_n<1500$을 만족시키는 자연수 n의 값은? [3점]

① 8　　　② 9　　　③ 10

④ 11　　　⑤ 12

04 확률의 뜻과 덧셈정리

출제경향 배반사건, 여사건, 확률의 기본 성질, 확률의 덧셈정리, 여사건의 확률은 매년 빠지지 않고 출제되는 내용이다. 특히, 확률의 덧셈정리와 여사건의 확률은 계산 문제와 활용 문제 모두 충분한 연습을 하여야 한다.

핵심개념 1 시행과 사건

(1) 시행과 사건

같은 조건에서 반복할 수 있고, 그 결과가 우연에 의하여 정해지는 실험이나 관찰을 시행이라 한다. 또 어떤 시행에서 일어날 수 있는 모든 결과의 집합을 표본공간이라 하고, 표본공간의 부분집합을 사건이라 한다. 이때 표본공간 S의 부분집합 중에서 한 개의 원소로 이루어진 사건을 근원사건이라 한다.

(2) 배반사건과 여사건

표본공간 S의 두 사건 A, B에 대하여

① $A \cup B$: A 또는 B가 일어나는 사건

② $A \cap B$: A, B가 동시에 일어나는 사건

③ 배반사건 : 동시에 일어나지 않는 두 사건 A, B, 즉 $A \cap B = \emptyset$

④ 여사건 : A가 일어나지 않는 사건, 즉 $A \cap A^c = \emptyset$

참고 $A \cap A^c = \emptyset$이므로 A와 그 여사건 A^c는 서로 배반사건이고 $A \cup A^c = S$이다.

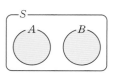
배반사건

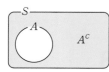
여사건

01 한 개의 주사위를 던지는 시행에서 소수의 눈이 나오는 사건을 A, 4의 약수의 눈이 나오는 사건을 B라 할 때, $A^c \cup B^c$의 원소의 개수는? [2점]

① 1 　　　　② 2 　　　　③ 3 　　　　④ 4 　　　　⑤ 5

핵심개념 2 수학적 확률과 통계적 확률

(1) 어떤 시행에서 사건 A가 일어날 가능성을 수로 나타낸 것을 사건 A의 확률이라 하고, 이것을 기호로 $\mathrm{P}(A)$와 같이 나타낸다.

(2) 어떤 시행에서 표본공간 S에 대하여 각각의 근원사건이 일어날 가능성이 모두 같은 정도로 기대될 때, 사건 A가 일어날 확률 $\mathrm{P}(A)$는

$$\mathrm{P}(A) = \frac{n(A)}{n(S)} \quad \begin{array}{l} \rightarrow \text{사건 } A\text{의 원소의 개수} \\ \rightarrow \text{표본공간 } S\text{의 원소의 개수} \end{array}$$

로 정의하고, 이것을 사건 A가 일어날 수학적 확률이라 한다.

(3) 동일한 조건에서 같은 시행을 n번 반복할 때, 시행 횟수 n이 커짐에 따라 상대도수 $\dfrac{r_n}{n}$ (r_n은 사건 A가 일어난 횟수)이 일정한 값 p에 가까워지면 이 값 p를 사건 A가 일어날 통계적 확률이라 한다.

02 주머니 속에 1부터 15까지의 자연수가 각각 하나씩 적힌 15개의 공이 들어 있다. 이 주머니에서 임의로 1개의 공을 꺼낼 때, 소수가 적힌 공이 나올 확률은? [2점]

① $\dfrac{1}{5}$ 　　　　② $\dfrac{4}{15}$ 　　　　③ $\dfrac{1}{3}$ 　　　　④ $\dfrac{2}{5}$ 　　　　⑤ $\dfrac{7}{15}$

핵심개념 3 확률의 기본 성질

(1) 임의의 사건 A에 대하여 $0 \leq P(A) \leq 1$

(2) 표본공간 S에 대하여 $P(S)=1$

(3) 절대로 일어나지 않는 사건 $\varnothing$에 대하여 $P(\varnothing)=0$

03 표본공간이 S인 임의의 두 사건 A, B에 대하여 다음 [보기] 중 옳은 것을 있는 대로 고른 것은? [3점]

┤보기├

ㄱ. $0 \leq P(A)P(B) \leq 1$ ㄴ. $A \cup B=S$이면 $P(A)+P(B)=1$

ㄷ. $P(A)+P(B)=1$이면 A와 B는 서로 배반사건이다.

① ㄱ   ② ㄴ   ③ ㄱ, ㄷ   ④ ㄴ, ㄷ   ⑤ ㄱ, ㄴ, ㄷ

핵심개념 4 확률의 덧셈정리

두 사건 A, B에 대하여

(1) $P(A \cup B)=P(A)+P(B)-P(A \cap B)$

(2) 특히 두 사건 A, B가 서로 배반사건이면

$P(A \cup B)=P(A)+P(B)$

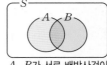
A, B가 서로 배반사건이 아닌 경우

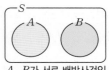
A, B가 서로 배반사건인 경우

[2014학년도 교육청]

04 두 사건 A, B가 서로 배반사건이고 $P(A)=\dfrac{1}{3}$, $P(B)=\dfrac{1}{4}$일 때, $P(A \cup B)$의 값은? [3점]

① $\dfrac{1}{12}$ ② $\dfrac{1}{4}$ ③ $\dfrac{5}{12}$ ④ $\dfrac{7}{12}$ ⑤ $\dfrac{3}{4}$

핵심개념 5 여사건의 확률

(1) 사건 A의 여사건 A^c의 확률은

$P(A^c)=1-P(A)$

(2) 두 사건 A, B와 그 각각의 여사건 A^c, B^c에 대하여

① $P(A^c \cap B^c)=P((A \cup B)^c)=1-P(A \cup B)$

② $P(A^c \cup B^c)=P((A \cap B)^c)=1-P(A \cap B)$

[2019학년도 수능 모의평가]

05 두 사건 A, B에 대하여 $P(A)=\dfrac{2}{3}$, $P(A \cap B)=\dfrac{1}{4}$일 때, $P(A \cap B^c)$의 값은? (단, B^c는 B의 여사건이다.) [3점]

① $\dfrac{1}{3}$ ② $\dfrac{5}{12}$ ③ $\dfrac{1}{2}$ ④ $\dfrac{7}{12}$ ⑤ $\dfrac{2}{3}$

유형따라잡기

서로 다른 두 개의 주사위 A, B를 동시에 던질 때, 주사위 A의 눈의 수와 주사위 B의 눈의 수의 합이 3의 배수가 될 확률은? [3점]

① $\frac{1}{4}$　　② $\frac{5}{18}$　　③ $\frac{11}{36}$　　④ $\frac{1}{3}$　　⑤ $\frac{13}{36}$

Act ①

일어날 수 있는 모든 경우가 n 가지이고 사건 A가 일어날 경우가 r가지이면 사건 A가 일어날 확률은 $P(A) = \frac{r}{n}$임을 이용한다.

해결의 실마리

표본공간이 S인 어떤 시행에서 각 근원사건이 일어날 가능성이 모두 같은 정도로 기대될 때, 사건 A가 일어날 수학적 확률 $P(A)$는

$\Rightarrow P(A) = \dfrac{n(A)}{n(S)} = \dfrac{(\text{사건 } A \text{가 일어나는 경우의 수})}{(\text{일어날 수 있는 모든 경우의 수})}$

01

서로 다른 두 개의 주사위를 동시에 던질 때, 나오는 두 눈의 수의 합이 5의 배수일 확률은? [3점]

① $\frac{7}{36}$　　② $\frac{1}{4}$　　③ $\frac{11}{36}$

④ $\frac{13}{36}$　　⑤ $\frac{5}{12}$

02

[2005학년도 교육청]

두 개의 주사위 A, B를 동시에 던져 나오는 눈의 수를 각각 a, b라 할 때, $|a-b|=2$일 확률은? (단, 주사위의 각 눈이 나올 확률은 모두 같다.) [3점]

① $\frac{2}{9}$　　② $\frac{5}{18}$　　③ $\frac{1}{3}$

④ $\frac{7}{18}$　　⑤ $\frac{4}{9}$

03

[2005학년도 수능]

두 개의 주사위를 동시에 던질 때, 한 주사위 눈의 수가 다른 주사위 눈의 수의 배수가 될 확률은? [4점]

① $\frac{7}{18}$　　② $\frac{1}{2}$　　③ $\frac{11}{18}$

④ $\frac{13}{18}$　　⑤ $\frac{5}{6}$

04

[2007학년도 교육청]

0, 1, 2, 3, $\cdots$, 9의 정수가 각각 하나씩 적혀 있는 10장의 카드 중 임의로 꺼낸 한 장의 카드에 적힌 수를 a라 하고, 남은 9장의 카드 중 임의로 꺼낸 한 장의 카드에 적힌 수를 b라 하자. 이때 백의 자리의 수, 십의 자리의 수, 일의 자리의 수가 각각 5, a, b인 세 자리 자연수가 6의 배수가 될 확률은? [3점]

① $\frac{7}{45}$　　② $\frac{1}{5}$　　③ $\frac{4}{15}$

④ $\frac{14}{45}$　　⑤ $\frac{1}{3}$

기출유형 02 순열을 이용한 확률

5명의 학생 A, B, C, D, E를 일렬로 세울 때, A, B를 양 끝에 세울 확률은? [3점]

① $\dfrac{1}{10}$　　② $\dfrac{1}{5}$　　③ $\dfrac{3}{10}$　　④ $\dfrac{2}{5}$　　⑤ $\dfrac{1}{2}$

Act ①
일렬로 세울 확률은 순열의 수를 이용하여 확률을 구한다.

해결의 실마리

서로 다른 n개에서 r개를 택하여 일렬로 나열하는 순열의 수는 ⇨ $_n\mathrm{P}_r = \dfrac{n!}{(n-r)!}$ (단, $0 \le r \le n$)

05

6명의 사람을 한 줄로 세울 때, 특정한 두 사람을 이웃하게 세울 확률은? [3점]

① $\dfrac{1}{6}$　　② $\dfrac{1}{3}$　　③ $\dfrac{1}{2}$

④ $\dfrac{2}{3}$　　⑤ $\dfrac{5}{6}$

07

1, 2, 3, 4의 4개의 숫자를 한 번씩 사용하여 네 자리 자연수를 만들 때, 3400보다 큰 수일 확률은? [3점]

① $\dfrac{1}{9}$　　② $\dfrac{1}{8}$　　③ $\dfrac{1}{6}$

④ $\dfrac{1}{4}$　　⑤ $\dfrac{1}{3}$

06

A, B, C, D, E의 5명이 긴 의자에 나란히 앉을 때, A와 B 사이에 2명이 앉을 확률은? [3점]

① $\dfrac{1}{10}$　　② $\dfrac{1}{8}$　　③ $\dfrac{1}{6}$

④ $\dfrac{1}{5}$　　⑤ $\dfrac{1}{4}$

08

[2008학년도 수능 모의평가]

1부터 9까지의 자연수 중에서 임의로 서로 다른 4개의 수를 선택하여 네 자리의 자연수를 만들 때, 백의 자리의 수와 십의 자리의 수의 합이 짝수가 될 확률은? [3점]

① $\dfrac{4}{9}$　　② $\dfrac{1}{2}$　　③ $\dfrac{5}{9}$

④ $\dfrac{11}{18}$　　⑤ $\dfrac{13}{18}$

남학생 5명과 여학생 3명이 원탁에 둘러앉을 때, 여학생끼리 서로 이웃하지 않을 확률은? [3점]

① $\dfrac{1}{5}$　　　② $\dfrac{2}{7}$　　　③ $\dfrac{2}{5}$　　　④ $\dfrac{3}{7}$　　　⑤ $\dfrac{3}{5}$

Act ❶
남학생을 원형으로 배열한 다음 그 사이에 여학생을 배열한다.

해결의 실마리

서로 다른 n개를 원형으로 배열하는 원순열의 수는 ⇨ $\dfrac{n!}{n} = (n-1)!$

09

남학생 4명과 여학생 2명이 원형의 탁자에 둘러앉을 때, 여학생끼리 이웃할 확률은? [3점]

① $\dfrac{2}{5}$　　　② $\dfrac{1}{2}$　　　③ $\dfrac{3}{5}$

④ $\dfrac{7}{10}$　　　⑤ $\dfrac{4}{5}$

11

남학생 4명, 여학생 3명이 원탁에 둘러앉을 때, 여학생끼리는 서로 이웃하지 않게 앉을 확률은? [3점]

① $\dfrac{1}{6}$　　　② $\dfrac{1}{5}$　　　③ $\dfrac{1}{4}$

④ $\dfrac{1}{3}$　　　⑤ $\dfrac{1}{2}$

10

부모를 포함한 6명의 가족이 원탁에 둘러앉을 때, 부모가 마주보고 앉을 확률은? [3점]

① $\dfrac{2}{15}$　　　② $\dfrac{1}{6}$　　　③ $\dfrac{1}{5}$

④ $\dfrac{7}{30}$　　　⑤ $\dfrac{4}{15}$

12

남학생 4명과 여학생 4명이 원탁에 둘러앉을 때, 남학생과 여학생이 교대로 앉을 확률은? [3점]

① $\dfrac{1}{35}$　　　② $\dfrac{1}{30}$　　　③ $\dfrac{1}{25}$

④ $\dfrac{1}{20}$　　　⑤ $\dfrac{1}{15}$

기출유형 04 중복순열을 이용한 확률

3명의 학생이 각각 1개씩 가지고 있는 공을 네 종류의 상자 A, B, C, D에 넣을 때, 서로 다른 상자에 공을 넣을 확률은? [3점]

① $\dfrac{1}{4}$ 　　② $\dfrac{3}{8}$ 　　③ $\dfrac{1}{2}$ 　　④ $\dfrac{5}{8}$ 　　⑤ $\dfrac{3}{4}$

Act ①
서로 다른 n개에서 r개를 택하는 중복순열의 수는 $_n\Pi_r=n^r$임을 이용한다.

해결의 실마리
서로 다른 n개에서 r개를 택하는 중복순열의 수는 ⇨ $_n\Pi_r=n^r$

13

4개의 숫자 0, 1, 2, 3으로 중복을 허용하여 세 자리 자연수를 만들 때, 1을 포함하지 않을 확률은? [3점]

① $\dfrac{1}{4}$ 　　② $\dfrac{3}{8}$ 　　③ $\dfrac{1}{2}$

④ $\dfrac{5}{8}$ 　　⑤ $\dfrac{3}{4}$

15

두 집합 $A=\{a, b, c, d\}$, $B=\{1, 2, 3, 4\}$에 대하여 A에서 B로의 함수 $f:A \to B$ 중에서 f가 일대일대응일 확률은? [3점]

① $\dfrac{5}{64}$ 　　② $\dfrac{3}{32}$ 　　③ $\dfrac{7}{64}$

④ $\dfrac{1}{8}$ 　　⑤ $\dfrac{9}{64}$

14

5개의 숫자 1, 2, 3, 4, 5로 중복을 허용하여 네 자리 자연수를 만들 때, 이 자연수가 짝수일 확률은? [3점]

① $\dfrac{2}{9}$ 　　② $\dfrac{1}{4}$ 　　③ $\dfrac{2}{7}$

④ $\dfrac{1}{3}$ 　　⑤ $\dfrac{2}{5}$

16

두 집합 $X=\{a, b, c\}$, $Y=\{1, 2, 3\}$에 대하여 X에서 Y로의 함수 $f:X \to Y$ 중에서 f가 일대일대응일 확률은? [3점]

① $\dfrac{2}{9}$ 　　② $\dfrac{1}{4}$ 　　③ $\dfrac{2}{7}$

④ $\dfrac{1}{3}$ 　　⑤ $\dfrac{2}{5}$

S, I, S, T, E, R의 6개의 문자를 일렬로 나열할 때, T, E, R는 이 순서대로 나열할 확률은? [3점]

① $\dfrac{1}{8}$ ② $\dfrac{1}{6}$ ③ $\dfrac{1}{5}$ ④ $\dfrac{1}{4}$ ⑤ $\dfrac{1}{3}$

Act ❶
T, E, R는 순서가 정해져 있으므로 모두 한 문자로 바꾸어 생각한다.

해결의 실마리

n개 중에서 같은 것이 각각 p개, q개, $\cdots$, r개씩 있을 때, 이 n개를 모두 일렬로 나열하는 순열의 수는

$\Rightarrow \dfrac{n!}{p!q!\cdots r!}$ (단, $p+q+\cdots+r=n$)

17
[2007학년도 교육청]

BANANA의 6개의 문자 B, A, N, A, N, A를 일렬로 나열할 때, 두 개의 N이 서로 이웃할 확률은? [3점]

① $\dfrac{1}{8}$ ② $\dfrac{1}{6}$ ③ $\dfrac{1}{5}$

④ $\dfrac{1}{4}$ ⑤ $\dfrac{1}{3}$

19

5개의 문자 G, O, O, S, E를 일렬로 나열할 때, 모음끼리 이웃할 확률은? [3점]

① $\dfrac{3}{11}$ ② $\dfrac{3}{10}$ ③ $\dfrac{3}{8}$

④ $\dfrac{3}{7}$ ⑤ $\dfrac{3}{5}$

18
[2018학년도 수능 모의평가]

A, A, A, B, B, C의 문자가 하나씩 적혀 있는 6장의 카드가 있다. 이 카드를 모두 한 번씩 사용하여 일렬로 임의로 나열할 때, 양 끝 모두에 A가 적힌 카드가 나오게 나열될 확률은? [4점]

① $\dfrac{3}{20}$ ② $\dfrac{1}{5}$ ③ $\dfrac{1}{4}$

④ $\dfrac{3}{10}$ ⑤ $\dfrac{7}{20}$

20

그림과 같은 도로망이 있다. A지점에서 B지점까지 최단 거리로 갈 때, C지점을 거쳐서 갈 확률은? [3점]

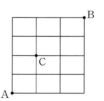

① $\dfrac{12}{35}$ ② $\dfrac{14}{35}$

③ $\dfrac{16}{35}$ ④ $\dfrac{18}{35}$

⑤ $\dfrac{20}{35}$

기출유형 **06** 조합을 이용한 확률

[2007학년도 수능 모의평가]

주머니 속에 흰 구슬 4개와 검은 구슬 5개가 들어 있다. 이 주머니에서 임의로 3개의 구슬을 동시에 꺼낼 때, 흰 구슬 1개와 검은 구슬 2개가 나올 확률은? (단, 모든 구슬은 크기와 모양이 같다고 한다.) [3점]

Act ①
순서를 생각하지 않고 택하는 경우의 확률을 구할 때는 먼저 조합을 이용하여 경우의 수를 구한다.

① $\dfrac{10}{21}$　　② $\dfrac{4}{7}$　　③ $\dfrac{2}{3}$　　④ $\dfrac{16}{21}$　　⑤ $\dfrac{6}{7}$

해결의 실마리

서로 다른 n개에서 r개를 택하는 조합의 수는 $\Rightarrow {}_n\mathrm{C}_r = \dfrac{{}_n\mathrm{P}_r}{r!} = \dfrac{n!}{r!(n-r)!}$ (단, $0 \le r \le n$)

21
[2008학년도 수능 모의평가]

흰 공 2개, 노란 공 2개, 파란 공 2개가 들어 있는 주머니가 있다. 이 주머니에서 임의로 3개의 공을 동시에 꺼낼 때, 공의 색깔이 모두 다를 확률은? (단, 모든 공의 크기와 모양은 같다.) [3점]

① $\dfrac{2}{5}$　　② $\dfrac{1}{2}$　　③ $\dfrac{3}{5}$

④ $\dfrac{7}{10}$　　⑤ $\dfrac{4}{5}$

23
[2017학년도 수능 모의평가]

흰 공 2개, 빨간 공 4개가 들어 있는 주머니가 있다. 이 주머니에서 임의로 2개의 공을 동시에 꺼낼 때, 꺼낸 2개의 공이 모두 흰 공일 확률이 $\dfrac{q}{p}$이다. $p+q$의 값을 구하시오. (단, p와 q는 서로소인 자연수이다.) [4점]

22
[2008학년도 수능 모의평가]

학생 9명의 혈액형을 조사하였더니 A형, B형, O형인 학생이 각각 2명, 3명, 4명이었다. 이 9명의 학생 중에서 임의로 2명을 뽑을 때, 혈액형이 같을 확률은? [3점]

① $\dfrac{13}{36}$　　② $\dfrac{1}{3}$　　③ $\dfrac{11}{36}$

④ $\dfrac{5}{18}$　　⑤ $\dfrac{1}{4}$

24
[2019학년도 수능 모의평가]

어느 지구대에서는 학생들의 안전한 통학을 위한 귀가도우미 프로그램에 참여하기로 하였다. 이 지구대의 경찰관은 모두 9명이고, 각 경찰관은 두 개의 근무조 A, B 중 한 조에 속해 있다. 이 지구대의 근무조 A는 5명, 근무조 B는 4명의 경찰관으로 구성되어 있다. 이 지구대의 경찰관 9명 중에서 임의로 3명을 동시에 귀가도우미로 선택할 때, 근무조 A와 근무조 B에서 적어도 1명씩 선택될 확률은? [3점]

① $\dfrac{1}{2}$　　② $\dfrac{7}{12}$　　③ $\dfrac{2}{3}$

④ $\dfrac{3}{4}$　　⑤ $\dfrac{5}{6}$

[2017학년도 수능 모의평가]

두 사건 A와 B는 서로 배반사건이고 $P(A)=\dfrac{1}{6}$, $P(A\cup B)=\dfrac{1}{2}$일 때, $P(B)$의 값은? [3점]

① $\dfrac{1}{6}$　　② $\dfrac{1}{4}$　　③ $\dfrac{1}{3}$　　④ $\dfrac{5}{12}$　　⑤ $\dfrac{1}{2}$

Act ①
두 사건 A, B가 서로 배반사건이면
$P(A\cup B)=P(A)+P(B)$임을 이용한다.

해결의 실마리

두 사건 A, B에 대하여

(1) $P(A\cup B)=P(A)+P(B)-P(A\cap B)$

(2) 특히 두 사건 A, B가 서로 배반사건이면 $P(A\cup B)=P(A)+P(B)$

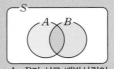
A, B가 서로 배반사건이 아닌 경우

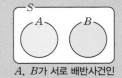
A, B가 서로 배반사건인 경우

25

[2017학년도 수능 모의평가]

두 사건 A, B에 대하여 $P(A)+P(B)=\dfrac{7}{9}$,

$P(A\cap B)=\dfrac{2}{9}$일 때, $P(A\cup B)$의 값은? [3점]

① $\dfrac{1}{3}$　　② $\dfrac{7}{18}$　　③ $\dfrac{4}{9}$

④ $\dfrac{1}{2}$　　⑤ $\dfrac{5}{9}$

27

[2015학년도 수능 모의평가]

두 사건 A와 B는 서로 배반사건이고
$P(A\cup B)=4P(B)=1$일 때, $P(A)$의 값은? [3점]

① $\dfrac{1}{4}$　　② $\dfrac{3}{8}$　　③ $\dfrac{1}{2}$

④ $\dfrac{5}{8}$　　⑤ $\dfrac{3}{4}$

26

[2016학년도 교육청]

두 사건 A, B가 서로 배반사건이고
$$P(A\cup B)=0.85,\ P(A)=0.24$$
일 때, $P(B)$의 값은 α이다. 100α의 값을 구하시오. [3점]

28

[2010학년도 수능]

두 사건 A와 B는 서로 배반사건이고
$P(A)=P(B)$, $P(A)P(B)=\dfrac{1}{9}$일 때, $P(A\cup B)$의 값은? [3점]

① $\dfrac{1}{6}$　　② $\dfrac{1}{3}$　　③ $\dfrac{1}{2}$

④ $\dfrac{2}{3}$　　⑤ $\dfrac{5}{6}$

기출유형 **08** 확률의 덧셈정리의 활용

1부터 10까지의 자연수가 각각 하나씩 적혀 있는 10개의 공이 들어 있는 주머니가 있다. 이 주머니에서 임의로 2개의 공을 동시에 꺼낼 때, 공에 적힌 수의 합이 짝수일 확률은? [3점]

① $\dfrac{1}{3}$ ② $\dfrac{7}{18}$ ③ $\dfrac{4}{9}$ ④ $\dfrac{1}{2}$ ⑤ $\dfrac{5}{9}$

> **Act ❶**
> 두 사건 A, B가 서로 배반사건이면
> $P(A \cup B) = P(A) + P(B)$임을 이용한다.

해결의 실마리

'~ 또는 ~', '~이거나' 등의 표현으로 연결된 사건의 확률을 구할 때에는 확률의 덧셈정리를 이용하여 구한다. 이때 두 사건이 서로 배반사건인지 아닌지 반드시 확인한다.

(1) 표본공간이 S인 두 사건 A, B에 대하여 $A \cap B \neq \varnothing$이면 $\Rightarrow P(A \cup B) = P(A) + P(B) - P(A \cap B)$

(2) 표본공간이 S인 두 사건 A, B에 대하여 $A \cap B = \varnothing$이면 $\Rightarrow P(A \cup B) = P(A) + P(B)$ ← 두 사건 A, B가 배반사건일 때

29

어느 마을에서 포도를 생산하는 농가는 전체의 $\dfrac{1}{2}$, 자두를 생산하는 농가는 전체의 $\dfrac{2}{3}$이고, 포도와 자두를 모두 생산하는 농가는 전체의 $\dfrac{1}{4}$이다. 이 마을에서 임의로 한 농가를 골랐을 때, 포도 또는 자두를 생산하는 농가일 확률은? [3점]

① $\dfrac{7}{12}$ ② $\dfrac{2}{3}$ ③ $\dfrac{3}{4}$

④ $\dfrac{5}{6}$ ⑤ $\dfrac{11}{12}$

31

어느 고등학교의 음악 동아리의 회원은 남학생이 4명, 여학생이 6명이다. 이 동아리 회원 중 2명을 뽑을 때, 뽑힌 2명의 성별이 같을 확률은? [3점]

① $\dfrac{2}{5}$ ② $\dfrac{7}{15}$ ③ $\dfrac{8}{15}$

④ $\dfrac{3}{5}$ ⑤ $\dfrac{2}{3}$

30

1부터 15까지의 자연수가 각각 하나씩 적힌 15장의 카드가 있다. 이 중에서 임의로 2장의 카드를 동시에 택할 때, 모두 짝수이거나 모두 3의 배수가 적힌 카드를 택할 확률은? [3점]

① $\dfrac{2}{9}$ ② $\dfrac{1}{4}$ ③ $\dfrac{2}{7}$

④ $\dfrac{1}{3}$ ⑤ $\dfrac{2}{5}$

32

[2017학년도 교육청]

흰 공 6개와 빨간 공 4개가 들어 있는 주머니가 있다. 이 주머니에서 임의로 4개의 공을 동시에 꺼낼 때, 꺼낸 4개의 공 중 흰 공의 개수가 3 이상일 확률은? [3점]

① $\dfrac{17}{42}$ ② $\dfrac{19}{42}$ ③ $\dfrac{1}{2}$

④ $\dfrac{23}{42}$ ⑤ $\dfrac{25}{42}$

[2013학년도 교육청]

서로 배반인 두 사건 A, B에 대하여 $P(A)=\dfrac{1}{2}$, $P(A^C \cap B^C)=\dfrac{1}{4}$일 때, $P(B)$의 값은? (단, A^C는 A의 여사건이다.) [3점]

① $\dfrac{1}{4}$　　② $\dfrac{3}{8}$　　③ $\dfrac{1}{2}$　　④ $\dfrac{5}{8}$　　⑤ $\dfrac{3}{4}$

Act ❶

$P((A \cup B)^C)=\dfrac{1}{4}$이므로

$P(A \cup B)=\dfrac{3}{4}$이고 두 사건 A, B가 서로 배반사건이므로 $P(A \cup B)=P(A)+P(B)$임을 이용한다.

해결의 실마리

(1) 사건 A의 여사건 A^C의 확률은 $P(A^C)=1-P(A)$

(2) 두 사건 A, B와 그 각각의 여사건 A^C, B^C에 대하여

① $P(A^C \cap B^C)=P((A \cup B)^C)=1-P(A \cup B)$　　② $P(A^C \cup B^C)=P((A \cap B)^C)=1-P(A \cap B)$

③ $P(A)=P(A \cap B)+P(A \cap B^C)$

33
[2019학년도 수능]

두 사건 A, B에 대하여 A와 B^C는 서로 배반사건이고

$$P(A)=\frac{1}{3},\ P(A^C \cap B)=\frac{1}{6}$$

일 때, $P(B)$의 값은? (단, A^C는 A의 여사건이다.) [3점]

① $\dfrac{5}{12}$　　② $\dfrac{1}{2}$　　③ $\dfrac{7}{12}$

④ $\dfrac{2}{3}$　　⑤ $\dfrac{3}{4}$

35
[2017학년도 수능]

두 사건 A, B에 대하여

$$P(A \cap B)=\frac{1}{8},\ P(A \cap B^C)=\frac{3}{16}$$

일 때, $P(A)$의 값은? (단, B^C는 B의 여사건이다.) [3점]

① $\dfrac{3}{16}$　　② $\dfrac{7}{32}$　　③ $\dfrac{1}{4}$

④ $\dfrac{9}{32}$　　⑤ $\dfrac{5}{16}$

34
[2015학년도 수능]

두 사건 A, B에 대하여 A^C와 B는 서로 배반사건이고

$$P(A)=2P(B)=\frac{3}{5}$$

일 때, $P(A \cap B^C)$의 값은? (단, A^C는 A의 여사건이다.) [3점]

① $\dfrac{7}{20}$　　② $\dfrac{3}{10}$　　③ $\dfrac{1}{4}$

④ $\dfrac{1}{5}$　　⑤ $\dfrac{3}{20}$

36
[2013학년도 교육청]

두 사건 A, B에 대하여

$$P(A)=\frac{3}{4},\ P(A \cap B^C)=\frac{2}{3}$$

일 때, $P(A \cap B)$의 값은? (단, B^C는 B의 여사건이다.) [3점]

① $\dfrac{1}{12}$　　② $\dfrac{1}{6}$　　③ $\dfrac{1}{4}$

④ $\dfrac{1}{3}$　　⑤ $\dfrac{5}{12}$

기출유형 10 | 여사건의 확률의 활용

흰 공이 2개, 검은 공이 8개 들어 있는 주머니에서 두 개의 공을 동시에 꺼낼 때, 적어도 한 개가 흰 공일 확률은? [3점]

[2006학년도 교육청]

① $\dfrac{1}{5}$ ② $\dfrac{11}{45}$ ③ $\dfrac{13}{45}$ ④ $\dfrac{1}{3}$ ⑤ $\dfrac{17}{45}$

Act ❶
'적어도 ~일' 경우의 확률은 여사건의 확률 $P(A)=1-P(A^C)$를 이용한다.

해결의 실마리

주어진 사건의 확률을 계산하는 것이 복잡할 때에는 여사건의 확률을 이용한다.

(1) (적어도 한 개가 □일 확률)＝1－(모두 □가 아닐 확률)

(2) (□가 아닐 확률)＝1－(모두 □일 확률)

(3) (□ 이상일 확률)＝1－(□ 미만일 확률), (□ 이하일 확률)＝1－(□ 초과일 확률)

37
[2006학년도 수능 모의평가]

2개의 당첨 제비가 포함되어 있는 10개의 제비 중에서 임의로 3개의 제비를 동시에 뽑을 때, 적어도 한 개가 당첨 제비일 확률은? [3점]

① $\dfrac{2}{15}$ ② $\dfrac{4}{15}$ ③ $\dfrac{2}{5}$

④ $\dfrac{8}{15}$ ⑤ $\dfrac{2}{3}$

39

여학생 6명과 남학생 4명 중에서 임의로 4명을 뽑을 때, 여학생이 2명 이상 뽑힐 확률은? [3점]

① $\dfrac{31}{42}$ ② $\dfrac{33}{42}$ ③ $\dfrac{35}{42}$

④ $\dfrac{37}{42}$ ⑤ $\dfrac{39}{42}$

38
[2017학년도 교육청]

A, B를 포함한 8명의 요리 동아리 회원 중에서 요리 박람회에 참가할 5명의 회원을 임의로 뽑을 때, A 또는 B가 뽑힐 확률은? [3점]

① $\dfrac{17}{28}$ ② $\dfrac{19}{28}$ ③ $\dfrac{3}{4}$

④ $\dfrac{23}{28}$ ⑤ $\dfrac{25}{28}$

40
[2010학년도 교육청]

50원, 100원, 500원짜리 동전이 각각 3개씩 모두 9개가 들어 있는 지갑에서 동전 3개를 임의로 꺼낼 때, 꺼낸 모든 동전 금액의 합이 250원 이상일 확률을 $\dfrac{q}{p}$라 하자. 이때 $p+q$의 값을 구하시오. (단, p, q는 서로소인 자연수이다.) [3점]

01

숫자 2, 3, 5, 6, 8, 9가 적혀 있는 6장의 카드에서 한 장을 택하는 시행에서 3의 배수가 나오는 사건을 A, 소수가 나오는 사건을 B, 약수의 개수가 4인 수가 나오는 사건을 C라 할 때, 다음 중 옳은 것만을 있는 대로 고른 것은? [3점]

> ㄱ. 사건 A는 사건 B와 배반사건이다.
> ㄴ. 사건 $A \cap B$는 사건 C와 배반사건이다.
> ㄷ. 사건 $A \cap C$는 사건 B와 배반사건이다.

① ㄱ   ② ㄴ   ③ ㄱ, ㄷ
④ ㄴ, ㄷ   ⑤ ㄱ, ㄴ, ㄷ

02

두 주사위를 던지는 시행에서 두 눈의 수의 차가 3일 확률은? [3점]

① $\dfrac{1}{6}$ ② $\dfrac{2}{9}$ ③ $\dfrac{5}{18}$
④ $\dfrac{1}{3}$ ⑤ $\dfrac{7}{18}$

03

흰 공 3개와 검은 공 4개가 들어 있는 주머니에서 임의로 2개의 공을 꺼낼 때, 검은 공 2개가 나올 확률은? [3점]

① $\dfrac{1}{7}$ ② $\dfrac{2}{7}$ ③ $\dfrac{1}{3}$
④ $\dfrac{2}{5}$ ⑤ $\dfrac{1}{2}$

04

흰 공이 1개, 빨간 공이 2개, 파란 공이 3개, 노란 공이 4개 들어 있는 상자가 있다. 이 상자에서 임의로 2개의 공을 동시에 꺼낼 때, 같은 색의 공을 꺼낼 확률은? [3점]

① $\dfrac{1}{9}$ ② $\dfrac{2}{9}$ ③ $\dfrac{1}{3}$
④ $\dfrac{4}{9}$ ⑤ $\dfrac{5}{9}$

05

6개의 문자 A, U, R, O, R, A를 일렬로 나열하였을 때, 양 끝에 같은 문자가 올 확률은? [3점]

① $\dfrac{1}{30}$ ② $\dfrac{1}{15}$ ③ $\dfrac{1}{10}$
④ $\dfrac{2}{15}$ ⑤ $\dfrac{1}{6}$

06

두 사건 A와 B는 서로 배반사건이고

$$\mathrm{P}(A \cup B^c) = \frac{5}{6}, \quad \mathrm{P}(A^c \cup B) = \frac{2}{3}$$

일 때, $\mathrm{P}(A \cup B)$의 값은? (단, A^c는 A의 여사건이다.) [3점]

① $\dfrac{1}{6}$ ② $\dfrac{1}{5}$ ③ $\dfrac{1}{4}$
④ $\dfrac{1}{3}$ ⑤ $\dfrac{1}{2}$

07

두 사건 A, B에 대하여 $P(A \cup B) = \dfrac{1}{2}$, $P(A) = \dfrac{1}{4}$, $P(A \cap B) = \dfrac{1}{6}$일 때, $P(B^C)$는? [3점]

① $\dfrac{7}{12}$ ② $\dfrac{1}{2}$ ③ $\dfrac{5}{12}$

④ $\dfrac{1}{3}$ ⑤ $\dfrac{1}{4}$

08

집합 $A = \{1, 2, 3, 4\}$, $B = \{-2, -1, 0, 1, 2, 3\}$에 대하여 A에서 B로의 함수 f 중에서 임의로 하나를 선택할 때, $f(1) \le f(2) \le f(3) \le f(4)$를 만족할 확률은? [3점]

① $\dfrac{7}{72}$ ② $\dfrac{1}{9}$ ③ $\dfrac{1}{8}$

④ $\dfrac{5}{36}$ ⑤ $\dfrac{1}{6}$

09

어느 고등학교의 농구 동아리는 1학년 학생 5명과 2학년 학생 4명으로 구성되어 있다. 이 농구 동아리에서 3명을 선발하여 농구 대회에 출전하려고 할 때, 모두 같은 학년의 학생이 출전할 확률은? [3점]

① $\dfrac{1}{6}$ ② $\dfrac{1}{5}$ ③ $\dfrac{1}{4}$

④ $\dfrac{1}{3}$ ⑤ $\dfrac{1}{2}$

10

남학생과 여학생을 합하여 36명인 반에서 대표 2명을 뽑을 때, 2명 모두 남학생이거나 또는 2명 모두 여학생일 확률이 $\dfrac{1}{2}$이라고 한다. 이때 남학생은 모두 몇 명인가? (단, 남학생의 수는 여학생의 수보다 많다.) [3점]

① 15명 ② 18명 ③ 21명

④ 24명 ⑤ 27명

11

10개의 제비 중에 당첨 제비가 k개 들어 있다. 이 중에서 임의로 3개의 제비를 동시에 뽑을 때, 적어도 한 개가 당첨 제비일 확률이 $\dfrac{5}{6}$이다. k의 값은? [3점]

① 1 ② 2 ③ 3

④ 4 ⑤ 5

12

남학생 4명과 여학생 3명이 있다. 이 7명의 학생을 모두 임의로 일렬로 세울 때, 적어도 2명의 여학생이 서로 이웃하도록 세울 확률은? [3점]

① $\dfrac{5}{7}$ ② $\dfrac{16}{21}$ ③ $\dfrac{17}{21}$

④ $\dfrac{6}{7}$ ⑤ $\dfrac{19}{21}$

05 조건부확률과 확률의 곱셈정리

출제경향 조건부확률의 계산과 활용 문제는 매년 빠지지 않고 출제되는 유형이다. 조건부확률의 활용 문제는 지문이 길지만 지문에서 사건 A와 사건 B를 정확히 구별해 낼 수 있으면 쉽게 풀 수 있으므로 충분한 연습이 필요하다.

핵심개념 1   조건부확률

(1) 표본공간 S의 두 사건 A, B에 대하여 확률이 0이 아닌 사건 A가 일어났을 때, 사건 B가 일어날 확률을 사건 A가 일어났을 때의 사건 B의 조건부확률이라 하고, 기호로 $P(B|A)$와 같이 나타낸다.

(2) 사건 A가 일어났을 때의 사건 B의 조건부확률은

$$P(B|A) = \frac{P(A \cap B)}{P(A)} \ (단, \ P(A) > 0) \leftarrow 사건 \ A가 \ 일어났다는 \ 조건이 \ 적용되면 \ A를 \ 새로운 \ 표본공간으로 \ 생각해야 \ 해!$$

주의 일반적으로 $P(B|A) \neq P(A|B)$임에 유의한다.

(3) 사건 A가 일어났을 때 사건 B가 일어날 조건부확률은 다음과 같이 구한다.

  ① $P(A)$, $P(A \cap B)$를 구한다.

  ② $P(B|A) = \dfrac{P(A \cap B)}{P(A)}$ (단, $P(A) > 0$)를 구한다.

(4) 조건부확률을 계산할 때는 확률의 덧셈정리, 여사건의 확률 등을 이용한다.

  $P(B) = P(A \cap B) + P(A^c \cap B)$

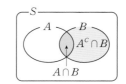

[2018학년도 수능 모의평가]

01 두 사건 A, B에 대하여 $P(A) = \dfrac{2}{3}$, $P(A \cap B) = \dfrac{2}{5}$일 때, $P(B|A)$의 값은? [3점]

① $\dfrac{2}{5}$ ② $\dfrac{7}{15}$ ③ $\dfrac{8}{15}$ ④ $\dfrac{3}{5}$ ⑤ $\dfrac{2}{3}$

핵심개념 2   조건부확률의 활용

(1) 표가 주어진 조건부확률 문제는

  ① 문제의 마지막에서 묻고 있는 문장 '~ 이었을 때(●), ~ 일(★) 확률'을 찾고 ●인 사건을 A로, ★인 사건을 B로 놓는다.

  ② 표를 이용하여 $P(B|A) = \dfrac{P(A \cap B)}{P(A)}$를 구한다.

(2) 표가 주어지지 않은 조건부확률 문제는 주어진 조건을 표로 나타낸 후 조건부확률을 구한다.

02 오른쪽 표는 체험 활동으로 박물관과 미술관 중 하나를 선택한 남녀 학생 수를 나타낸 것이다. 이 중에서 임의로 한 명을 뽑았더니 여학생이었을 때, 그 학생이 박물관을 선택한 학생일 확률은? [3점]

(단위 : 명)

	남	여	합계
박물관	16	14	30
미술관	12	18	30
합계	28	32	60

① $\dfrac{5}{16}$ ② $\dfrac{3}{8}$ ③ $\dfrac{7}{16}$

④ $\dfrac{1}{2}$ ⑤ $\dfrac{9}{16}$

핵심개념 3 | **확률의 곱셈정리**

두 사건 A, B에 대하여

$$P(A \cap B) = P(A)P(B|A) = P(B)P(A|B) \ (\text{단}, \ P(A) > 0, \ P(B) > 0)$$

참고 $P(B|A) = \dfrac{P(A \cap B)}{P(A)}$의 양변에 $P(A)$를 곱하면 $P(A \cap B) = P(A)P(B|A)$

$P(A|B) = \dfrac{P(A \cap B)}{P(B)}$의 양변에 $P(B)$를 곱하면 $P(A \cap B) = P(B)P(A|B)$

03 두 사건 A, B에 대하여 $P(A) = \dfrac{2}{3}$, $P(B|A) = \dfrac{6}{7}$일 때, $P(A \cap B)$의 값은? [3점]

① $\dfrac{2}{7}$ ② $\dfrac{3}{7}$ ③ $\dfrac{4}{7}$ ④ $\dfrac{5}{7}$ ⑤ $\dfrac{6}{7}$

04 주사위를 던져서 6의 약수의 눈이 나오면 동전을 2개 던지고 6의 약수가 아닌 눈이 나오면 동전을 3개 던질 때, 주사위의 눈이 6의 약수가 나오고 앞면이 2개 나올 확률은? [3점]

① $\dfrac{1}{6}$ ② $\dfrac{2}{6}$ ③ $\dfrac{3}{6}$ ④ $\dfrac{4}{6}$ ⑤ $\dfrac{5}{6}$

핵심개념 4 | **확률의 곱셈정리의 활용**

사건 E가 일어났을 때 사건 A가 일어날 확률은 $\Rightarrow P(A|E) = \dfrac{P(A \cap E)}{P(E)} = \dfrac{P(A \cap E)}{P(A \cap E) + P(A^c \cap E)}$

특히 $A^c = B$인 두 사건 A, B에 대하여 $P(A|E) = \dfrac{P(A \cap E)}{P(E)} = \dfrac{P(A \cap E)}{P(A \cap E) + P(B \cap E)}$

05 A상자에는 사과 6개, 귤 4개가 들어 있고, B상자에는 사과 3개, 귤 7개가 들어 있다. 임의로 상자 한 개를 택하여 과일 2개를 꺼냈더니 사과 1개, 귤 1개가 나왔을 때, 그것이 A상자에서 나왔을 확률은? (단, 같은 종류의 과일은 서로 구분하지 않는다.) [3점]

① $\dfrac{4}{15}$ ② $\dfrac{1}{3}$ ③ $\dfrac{2}{5}$ ④ $\dfrac{7}{15}$ ⑤ $\dfrac{8}{15}$

기출유형 01 조건부확률

[2007학년도 수능 모의평가]

두 사건 A, B에 대하여 $P(A \cap B) = \dfrac{1}{9}$, $P(B|A) = \dfrac{1}{2}$일 때, $P(A)$의 값은? [3점]

① $\dfrac{2}{9}$　　② $\dfrac{1}{3}$　　③ $\dfrac{4}{9}$　　④ $\dfrac{5}{9}$　　⑤ $\dfrac{2}{3}$

Act ❶

$P(B|A) = \dfrac{P(A \cap B)}{P(A)}$ 임을 이용한다.

해결의 실마리

(1) 사건 A가 일어났을 때 사건 B가 일어날 조건부확률은 다음과 같이 구한다.

① $P(A)$, $P(A \cap B)$를 구한다.

② $P(B|A) = \dfrac{P(A \cap B)}{P(A)}$ (단, $P(A) > 0$)를 구한다.

(2) 조건부확률을 계산할 때는 확률의 덧셈정리, 여사건의 확률 등을 이용한다.

$P(B) = P(A \cap B) + P(A^c \cap B)$

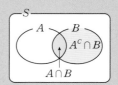

01

[2017학년도 수능 모의평가]

두 사건 A, B에 대하여

$$P(A) = \frac{13}{16}, \quad P(A \cap B^c) = \frac{1}{4}$$

일 때, $P(B|A)$의 값은? (단, A^c는 A의 여사건이다.) [3점]

① $\dfrac{5}{13}$　　② $\dfrac{6}{13}$　　③ $\dfrac{7}{13}$

④ $\dfrac{8}{13}$　　⑤ $\dfrac{9}{13}$

03

[2013학년도 수능]

두 사건 A, B에 대하여

$$P(A \cap B) = \frac{1}{8}, \quad P(B^c|A) = 2P(B|A)$$

일 때, $P(A)$의 값은? (단, B^c는 B의 여사건이다.) [3점]

① $\dfrac{5}{12}$　　② $\dfrac{3}{8}$　　③ $\dfrac{1}{3}$

④ $\dfrac{7}{24}$　　⑤ $\dfrac{1}{4}$

02

[2009학년도 수능 모의평가]

두 사건 A, B에 대하여

$$P(A \cup B) = \frac{5}{8}, \quad P(B) = \frac{1}{4}$$

일 때, $P(A|B^c)$의 값은? (단, B^c는 B의 여사건이다.) [3점]

① $\dfrac{1}{2}$　　② $\dfrac{1}{3}$　　③ $\dfrac{1}{4}$

④ $\dfrac{1}{5}$　　⑤ $\dfrac{1}{6}$

04

[2009학년도 수능]

두 사건 A, B에 대하여 $P(A) = \dfrac{1}{2}$, $P(B^c) = \dfrac{2}{3}$이며 $P(B|A) = \dfrac{1}{6}$일 때, $P(A^c|B)$의 값은? (단, A^c는 A의 여사건이다.) [3점]

① $\dfrac{1}{2}$　　② $\dfrac{7}{12}$　　③ $\dfrac{2}{3}$

④ $\dfrac{3}{4}$　　⑤ $\dfrac{5}{6}$

기출유형 02 조건부확률의 활용 ─ 표가 주어진 경우

[2018학년도 수능 모의평가]

14개의 공에 각각 검은색과 흰색 중 한 가지 색이 칠해져 있고, 자연수가 하나씩 적혀 있다. 각각의 공에 칠해져 있는 색과 적혀 있는 수에 따라 분류한 공의 개수는 다음과 같다.

Act①
임의로 선택한 한 개의 공이 검은색인 사건을 전사건으로 놓고 조건부확률을 구한다.

(단위 : 개)

구분	검은색	흰색	합계
홀수	5	3	8
짝수	4	2	6
합계	9	5	14

14개의 공 중에서 임의로 선택한 한 개의 공이 검은색일 때, 이 공에 적혀 있는 수가 짝수일 확률은? [3점]

① $\dfrac{2}{9}$ ② $\dfrac{5}{18}$ ③ $\dfrac{1}{3}$ ④ $\dfrac{7}{18}$ ⑤ $\dfrac{4}{9}$

해결의 실마리

표가 주어진 조건부확률 문제는

⇨ 문제의 마지막에서 묻고 있는 문장 '~ 이었을 때(●), ~ 일(★) 확률'을 찾고 ●인 사건을 A로, ★인 사건을 B로 놓는다.

⇨ 표를 이용하여 $\mathrm{P}(B|A)=\dfrac{\mathrm{P}(A\cap B)}{\mathrm{P}(A)}$를 구한다.

05

[2017학년도 수능 모의평가]

어느 학급 학생 20명을 대상으로 과목 A와 과목 B에 대한 선호도를 조사하였다. 이 조사에 참여한 학생은 과목 A와 과목 B 중 하나를 선택하였고, 각 학생이 선택한 과목별 인원수는 다음과 같다.

(단위 : 명)

구분	과목 A	과목 B	합계
남학생	3	7	10
여학생	5	5	10
합계	8	12	20

이 조사에 참여한 학생 중에서 임의로 선택한 1명이 남학생일 때, 이 학생이 과목 B를 선택한 학생일 확률은? [3점]

① $\dfrac{13}{20}$ ② $\dfrac{7}{10}$ ③ $\dfrac{3}{4}$

④ $\dfrac{4}{5}$ ⑤ $\dfrac{17}{20}$

06

[2018학년도 수능]

어느 고등학교 전체 학생 500명을 대상으로 지역 A와 지역 B에 대한 국토 문화 탐방 희망 여부를 조사한 결과는 다음과 같다.

(단위 : 명)

지역 A / 지역 B	희망함	희망하지 않음	합계
희망함	140	310	450
희망하지 않음	40	10	50
합계	180	320	500

이 고등학교 학생 중에서 임의로 선택한 1명이 지역 A를 희망한 학생일 때, 이 학생이 지역 B도 희망한 학생일 확률은? [3점]

① $\dfrac{19}{45}$ ② $\dfrac{23}{45}$ ③ $\dfrac{3}{5}$

④ $\dfrac{31}{45}$ ⑤ $\dfrac{7}{9}$

[2006학년도 수능]

어느 학급은 남학생 18명, 여학생 16명으로 이루어져 있다. 이 학급의 모든 학생은 중국어와 일본어 중 한 과목만 수업을 받는다고 한다. 남학생 중에서 중국어 수업을 받는 학생은 12명이고, 여학생 중에서 일본어 수업을 받는 학생은 7명이다. 이 학급에서 선택된 한 학생이 중국어 수업을 받는다고 할 때, 이 학생이 여학생일 확률은? [3점]

Act ❶
주어진 조건을 표로 나타낸 후 조건부확률을 구한다.

① $\dfrac{1}{7}$ ② $\dfrac{2}{7}$ ③ $\dfrac{3}{7}$ ④ $\dfrac{4}{7}$ ⑤ $\dfrac{5}{7}$

해결의 실마리

표가 주어지지 않은 조건부확률 문제는
⇨ 주어진 조건을 표로 나타낸 후 조건부확률을 구한다.

07 [2019학년도 수능 모의평가]

여학생이 40명이고 남학생이 60명인 어느 학교 전체 학생을 대상으로 축구와 야구에 대한 선호도를 조사하였다. 이 학교 학생의 70%가 축구를 선택하였으며, 나머지 30%는 야구를 선택하였다. 이 학교의 학생 중 임의로 뽑은 1명이 축구를 선택한 남학생일 확률은 $\dfrac{2}{5}$이다. 이 학교의 학생 중 임의로 뽑은 1명이 야구를 선택한 학생일 때, 이 학생이 여학생일 확률은? (단, 조사에서 모든 학생들은 축구와 야구 중 한 가지만 선택하였다.) [3점]

① $\dfrac{1}{4}$ ② $\dfrac{1}{3}$ ③ $\dfrac{5}{12}$

④ $\dfrac{1}{2}$ ⑤ $\dfrac{7}{12}$

08 [2017학년도 수능]

어느 학교의 전체 학생은 360명이고, 각 학생은 체험 학습 A, 체험 학습 B 중 하나를 선택하였다. 이 학교의 학생 중 체험 학습 A를 선택한 학생은 남학생 90명과 여학생 70명이다. 이 학교의 학생 중 임의로 뽑은 1명의 학생이 체험 학습 B를 선택한 학생일 때, 이 학생이 남학생일 확률은 $\dfrac{2}{5}$이다. 이 학교의 여학생의 수는? [3점]

① 180   ② 185   ③ 190
④ 195   ⑤ 200

기출유형 04 확률의 곱셈정리

[2016학년도 수능]

두 사건 A, B에 대하여 $P(A) = \dfrac{2}{5}$, $P(B|A) = \dfrac{5}{6}$일 때, $P(A \cap B)$의 값은? [3점]

① $\dfrac{1}{3}$　　　② $\dfrac{4}{15}$　　　③ $\dfrac{1}{5}$　　　④ $\dfrac{2}{15}$　　　⑤ $\dfrac{1}{15}$

Act ❶
$P(A \cap B) = P(A)P(B|A)$
임을 이용한다.

해결의 실마리
$P(A \cap B) = P(A)P(B|A) = P(B)P(A|B)$ (단, $P(A) > 0$, $P(B) > 0$)

09

두 사건 A, B에 대하여
$$P(A) = \frac{3}{5},\ P(B|A) = \frac{2}{3}$$
일 때, $P(A \cap B)$의 값은? [3점]

① $\dfrac{2}{9}$　　　② $\dfrac{1}{4}$　　　③ $\dfrac{2}{7}$

④ $\dfrac{1}{3}$　　　⑤ $\dfrac{2}{5}$

11

두 사건 A, B에 대하여
$$P(A) = \frac{4}{5},\ P(B^c|A) = \frac{1}{4}$$
일 때, $P(A \cap B^c)$의 값은? [3점]

① $\dfrac{1}{6}$　　　② $\dfrac{1}{5}$　　　③ $\dfrac{1}{4}$

④ $\dfrac{1}{3}$　　　⑤ $\dfrac{1}{2}$

10

[2010학년도 수능 모의평가]

두 사건 A, B에 대하여 $P(A) = P(B|A) = \dfrac{2}{3}$일 때, $P(A \cap B)$의 값은? [3점]

① $\dfrac{5}{18}$　　　② $\dfrac{1}{3}$　　　③ $\dfrac{7}{18}$

④ $\dfrac{4}{9}$　　　⑤ $\dfrac{1}{2}$

12

두 사건 A, B에 대하여
$$P(A) = \frac{1}{4},\ P(B) = \frac{1}{3},\ P(B|A) = \frac{1}{3}$$
일 때, $P(A|B)$의 값은? [3점]

① $\dfrac{2}{9}$　　　② $\dfrac{1}{4}$　　　③ $\dfrac{2}{7}$

④ $\dfrac{1}{3}$　　　⑤ $\dfrac{2}{5}$

주머니 A에는 흰 공 3개, 검은 공 2개가 들어 있고, 주머니 B에는 흰 공 2개, 검은 공 3개가 들어 있다. 두 주머니 A, B 중 임의로 하나를 택하여 임의로 2개의 공을 동시에 꺼냈더니 모두 흰 공이었을 때, 그 공 2개가 주머니 B에서 나왔을 확률은? [3점]

① $\dfrac{1}{5}$　　② $\dfrac{2}{9}$　　③ $\dfrac{1}{4}$　　④ $\dfrac{2}{7}$　　⑤ $\dfrac{1}{3}$

Act❶

$A^c = B$일 때
$$\mathrm{P}(B|E) = \frac{\mathrm{P}(B \cap E)}{\mathrm{P}(A \cap E) + \mathrm{P}(B \cap E)}$$
임을 이용한다.

해결의 실마리

사건 E가 일어났을 때 사건 A가 일어날 확률은 ⇨ $\mathrm{P}(A|E) = \dfrac{\mathrm{P}(A \cap E)}{\mathrm{P}(E)} = \dfrac{\mathrm{P}(A \cap E)}{\mathrm{P}(A \cap E) + \mathrm{P}(A^c \cap E)}$

특히 $A^c = B$인 두 사건 A, B에 대하여 $\mathrm{P}(A|E) = \dfrac{\mathrm{P}(A \cap E)}{\mathrm{P}(E)} = \dfrac{\mathrm{P}(A \cap E)}{\mathrm{P}(A \cap E) + \mathrm{P}(B \cap E)}$

13

[2013학년도 수능]

어느 학교 전체 학생의 60%는 버스로, 나머지 40%는 걸어서 등교하였다. 버스로 등교한 학생의 $\dfrac{1}{20}$이 지각하였고, 걸어서 등교한 학생의 $\dfrac{1}{15}$이 지각하였다. 이 학교 전체 학생 중 임의로 선택한 1명의 학생이 지각하였을 때, 이 학생이 버스로 등교하였을 확률은? [3점]

① $\dfrac{3}{7}$　　② $\dfrac{9}{20}$　　③ $\dfrac{9}{19}$

④ $\dfrac{1}{2}$　　⑤ $\dfrac{9}{17}$

14

[2012학년도 수능]

주머니 A에는 1, 2, 3, 4, 5의 숫자가 하나씩 적혀 있는 5장의 카드가 들어 있고, 주머니 B에는 1, 2, 3, 4, 5, 6의 숫자가 하나씩 적혀 있는 6장의 카드가 들어 있다. 한 개의 주사위를 한 번 던져서 나온 눈의 수가 3의 배수이면 주머니 A에서 임의로 카드를 한 장 꺼내고, 3의 배수가 아니면 주머니 B에서 임의로 카드를 한 장 꺼낸다. 주머니에서 꺼낸 카드에 적힌 수가 짝수일 때, 그 카드가 주머니 A에서 꺼낸 카드일 확률은? [3점]

① $\dfrac{1}{5}$　　② $\dfrac{2}{9}$　　③ $\dfrac{1}{4}$

④ $\dfrac{2}{7}$　　⑤ $\dfrac{1}{3}$

Very Important Test

친절한 해설 25쪽

01

두 사건 A, B에 대하여

$$P(A)=\frac{9}{16},\ P(B)=\frac{1}{4},\ P(A\cup B)=\frac{3}{4}$$

일 때, $P(A|B)$는? [3점]

① $\frac{1}{16}$
② $\frac{1}{9}$
③ $\frac{4}{9}$
④ $\frac{1}{4}$
⑤ $\frac{1}{2}$

02

두 사건 A, B에 대하여

$$P(A\cap B)=\frac{1}{5},\ P(B)=\frac{1}{2}$$

일 때, $P(A^c|B)$의 값은? [3점]

① $\frac{1}{3}$
② $\frac{1}{2}$
③ $\frac{3}{5}$
④ $\frac{2}{3}$
⑤ $\frac{4}{5}$

03

두 사건 A, B에 대하여

$$P(A^c)=\frac{1}{6},\ P(B^c|A)=\frac{1}{3}$$

일 때, $P(A\cap B^c)$의 값은? [3점]

① $\frac{5}{18}$
② $\frac{1}{3}$
③ $\frac{7}{18}$
④ $\frac{4}{9}$
⑤ $\frac{1}{2}$

04

두 사건 A, B에 대하여

$$P(A)=\frac{2}{3},\ P(B|A)=\frac{1}{4},\ P(A\cup B)=\frac{5}{6}$$

일 때, $P(A|B^c)$의 값은? [3점]

① $\frac{1}{2}$
② $\frac{7}{12}$
③ $\frac{2}{3}$
④ $\frac{3}{4}$
⑤ $\frac{5}{6}$

05

두 사건 A, B에 대하여

$$P(A)=\frac{1}{3},\ P(A|B)=\frac{1}{5},\ P(A^c\cap B^c)=\frac{1}{6}$$

일 때, $P(B)$의 값은? [3점]

① $\frac{1}{4}$
② $\frac{3}{8}$
③ $\frac{1}{2}$
④ $\frac{5}{8}$
⑤ $\frac{3}{4}$

06

한 개의 주사위를 두 번 던질 때, 첫 번째 나온 눈의 수가 두 번째 나온 눈의 수보다 큰 사건을 A, 눈의 수의 합이 짝수인 사건을 B라 할 때, $P(B|A)$는? [3점]

① $\frac{1}{2}$
② $\frac{1}{3}$
③ $\frac{1}{4}$
④ $\frac{2}{5}$
⑤ $\frac{5}{6}$

07

어느 고등학교 봉사 활동 동아리 회원의 구성이 아래 표와 같다. 이 회원 중에서 1명을 뽑았더니 여학생이었을 때, 이 학생이 2학년일 확률은? [3점]

성별 / 학년	남학생	여학생	합계
1학년	7	14	21
2학년	13	16	29
합계	20	30	50

① $\dfrac{7}{20}$　　② $\dfrac{7}{30}$　　③ $\dfrac{7}{15}$

④ $\dfrac{8}{15}$　　⑤ $\dfrac{3}{5}$

08

어느 백화점 경품 행사에 당첨된 고객 100명 중 경품 P와 경품 Q를 선택한 고객의 수가 다음과 같다. 당첨 고객 중에서 임의로 선택한 한 명의 회원이 여성이었을 때, 이 회원이 경품 P를 선택하였을 확률은? [3점]

구분	남성	여성
경품 P	27	24
경품 Q	28	21

① $\dfrac{2}{5}$　　② $\dfrac{7}{15}$　　③ $\dfrac{8}{15}$

④ $\dfrac{3}{5}$　　⑤ $\dfrac{2}{3}$

09

한 개의 주사위를 던져서 홀수의 눈이 나왔을 때, 그것이 3의 배수일 확률은? [3점]

① $\dfrac{1}{2}$　　② $\dfrac{1}{3}$　　③ $\dfrac{1}{4}$

④ $\dfrac{1}{5}$　　⑤ $\dfrac{1}{6}$

10

A, B 두 회사의 제품이 10개씩 모두 20개가 있다. 이 중 불량품은 A회사의 제품이 2개, B회사의 제품이 3개 있다. 이 20개의 제품 중에서 3개의 제품을 임의로 꺼낼 때 불량품이 1개 나왔다. 이 불량품이 A회사 제품일 확률은? [3점]

① $\dfrac{1}{5}$　　② $\dfrac{3}{10}$　　③ $\dfrac{2}{5}$

④ $\dfrac{1}{2}$　　⑤ $\dfrac{3}{5}$

11

A상자에는 배가 10개, 사과가 20개 들어 있고, B상자에는 배가 20개, 사과가 10개 들어 있다. 임의로 상자를 택하여 한 개를 꺼내어 보니 배였을 때, 이것이 B상자에서 나왔을 확률은? [3점]

① $\dfrac{1}{6}$　　② $\dfrac{1}{3}$　　③ $\dfrac{1}{2}$

④ $\dfrac{2}{3}$　　⑤ $\dfrac{5}{6}$

12

상자 A에는 검은 공 3개와 흰 공 2개, 상자 B에는 검은 공 1개와 흰 공 2개가 들어 있다. 두 상자 A, B에서 임의로 공을 1개씩을 꺼냈더니 같은 색이 나왔을 때, 그 공들이 모두 검은 공일 확률은? [3점]

① $\dfrac{3}{15}$　　② $\dfrac{4}{15}$　　③ $\dfrac{3}{7}$

④ $\dfrac{7}{15}$　　⑤ $\dfrac{4}{7}$

13

두 주머니 A, B 안에 각각 1부터 5까지의 숫자가 적힌 공이 들어 있다. 주머니 A에서 한 개의 공을 꺼낸 후 주머니 B에서 한 개의 공을 꺼낼 때, 두 공에 적힌 수의 곱이 짝수가 되었다. 이때 두 공에 적힌 수가 모두 짝수일 확률은? [3점]

① $\frac{1}{2}$ ② $\frac{1}{3}$ ③ $\frac{1}{4}$

④ $\frac{2}{5}$ ⑤ $\frac{5}{6}$

14

주머니에 당첨 제비 2개를 포함한 총 10개의 제비가 들어 있다. 한 번에 한 개씩 차례대로 제비를 뽑을 때, 두 번째와 세 번째에 당첨 제비를 뽑을 확률은? (단, 한 번 뽑은 제비는 다시 넣지 않는다.) [3점]

① $\frac{1}{45}$ ② $\frac{1}{15}$ ③ $\frac{1}{9}$

④ $\frac{7}{45}$ ⑤ $\frac{1}{5}$

15

두 사람이 흰 공 4개, 검은 공 5개가 들어 있는 주머니에서 한 번에 한 개씩 번갈아 가며 꺼내서 먼저 흰 공이 나온 사람이 이기는 것으로 할 때, 먼저 꺼내기 시작한 사람이 이길 확률은? [3점]

① $\frac{32}{63}$ ② $\frac{34}{63}$ ③ $\frac{4}{7}$

④ $\frac{38}{63}$ ⑤ $\frac{40}{63}$

16

주머니 속에 빨간색 공 2개, 파란색 공 3개가 들어 있다. 동환이와 예은이가 임의로 공을 교대로 하나씩 꺼내기로 하고 빨간색 공을 먼저 꺼내는 사람이 이기는 것으로 하였다. 동환이가 먼저 공을 꺼낼 때, 예은이가 이길 확률은? (단, 꺼낸 공은 다시 넣지 않는다.) [3점]

① $\frac{1}{2}$ ② $\frac{1}{3}$ ③ $\frac{1}{4}$

④ $\frac{2}{5}$ ⑤ $\frac{5}{6}$

17

A상자에는 흰 공 3개와 검은 공 4개가 들어 있고, B상자에는 흰 공 4개와 검은 공 3개가 들어 있다. 두 상자 A, B 중에서 임의로 한 상자를 택하여 두 개의 공을 동시에 꺼냈더니 모두 검은 공이 나왔을 때, 그 공이 A상자에서 나왔을 확률은? [3점]

① $\frac{1}{7}$ ② $\frac{3}{14}$ ③ $\frac{1}{3}$

④ $\frac{2}{3}$ ⑤ $\frac{5}{7}$

18

크기와 모양이 같은 흰 공 5개, 검은 공 3개가 들어 있는 상자에서 임의로 공을 한 개씩 2번 꺼낸다고 한다. 두 번째에 꺼낸 공이 흰 공이었을 때, 첫 번째에 꺼낸 공이 검은 공이었을 확률은? (단, 꺼낸 공은 다시 넣지 않는다.) [3점]

① $\frac{1}{7}$ ② $\frac{2}{7}$ ③ $\frac{3}{7}$

④ $\frac{4}{7}$ ⑤ $\frac{5}{7}$

06 사건의 독립과 종속

출제경향 독립사건의 확률 계산, 독립시행의 확률은 매년 빠지지 않고 출제된다. 사건의 독립과 종속의 성질에 대한 개념을 정확히 이해하여야 한다. 또한, 독립시행의 확률은 문제를 읽고 각 사건이 독립시행인 것을 알아내는 것이 핵심이다.

핵심개념 1　　사건의 독립과 종속

(1) 독립

두 사건 A, B에 대하여 한 사건이 일어나는 것이 다른 사건이 일어날 확률에 아무런 영향을 주지 않을 때, 즉 $P(B|A)=P(B)$ 또는 $P(A|B)=P(A)$일 때, 두 사건 A, B는 서로 독립이라 한다.

(2) 종속

두 사건 A, B가 서로 독립이 아닐 때, 즉 $P(B|A) \neq P(B)$ 또는 $P(A|B) \neq P(A)$일 때, 두 사건 A, B는 서로 종속이라 한다.

---

01 두 사건 A, B가 서로 독립이고 $P(A)=\dfrac{1}{3}$, $P(B)=\dfrac{3}{5}$일 때, 다음 [보기]에서 옳은 것을 있는 대로 고른 것은? [3점]

| 보기 |

ㄱ. $P(B|A)=\dfrac{3}{5}$　　　　　ㄴ. $P(A|B)=\dfrac{1}{3}$　　　　　ㄷ. $P(A^c|B)=\dfrac{2}{5}$

① ㄱ　　　　② ㄱ, ㄴ　　　　③ ㄱ, ㄷ　　　　④ ㄴ, ㄷ　　　　⑤ ㄱ, ㄴ, ㄷ

핵심개념 2　　사건의 독립과 종속의 판정

(1) 두 사건 A, B가 서로 독립이기 위한 필요충분조건은
$$P(A \cap B)=P(A)P(B) \ (단, P(A)>0, P(B)>0)$$

(2) 사건의 독립과 종속의 판정

$P(A \cap B)=P(A)P(B)$이면 ⇨ A, B는 서로 독립

$P(A \cap B) \neq P(A)P(B)$이면 ⇨ A, B는 서로 종속

---

02 한 개의 주사위를 던지는 시행에서 짝수의 눈이 나오는 사건을 A, 소수의 눈이 나오는 사건을 B, 6의 약수의 눈이 나오는 사건을 C라 할 때, 다음 [보기]에서 서로 독립인 사건을 있는 대로 고른 것은? [3점]

| 보기 |

ㄱ. A와 B　　　　　　　ㄴ. B와 C　　　　　　　ㄷ. A와 C

① ㄱ　　　　② ㄱ, ㄴ　　　　③ ㄱ, ㄷ　　　　④ ㄴ, ㄷ　　　　⑤ ㄱ, ㄴ, ㄷ

핵심개념 3 　 독립사건의 확률 계산

(1) 두 사건 A, B가 독립이면 $\Rightarrow \mathrm{P}(A \cap B) = \mathrm{P}(A)\mathrm{P}(B)$

(2) 두 사건 A, B가 독립이면 $\Rightarrow$ A와 B^C, A^C와 B, A^C와 B^C도 각각 서로 독립이다.

(3) 두 사건 A, B가 독립이면 $\Rightarrow \mathrm{P}(A \cup B) = \mathrm{P}(A) + \mathrm{P}(B) - \mathrm{P}(A \cap B)$ ← 확률이 0이 아닌 두 사건이 서로 독립이면 두 사건은 배반이 아니다.

> **참고** 배반사건과 독립사건의 비교
> ① 두 사건 A, B가 배반사건이면 $\Rightarrow \mathrm{P}(A \cap B) = 0$
> ② 두 사건 A, B가 독립사건이면 $\mathrm{P}(A \cap B) = \mathrm{P}(A)\mathrm{P}(B) > 0$
> 따라서 확률이 0이 아닌 두 사건이 서로 독립이면 두 사건은 배반이 아니다.

[2018학년도 수능 모의평가]

03 두 사건 A와 B는 서로 독립이고 $\mathrm{P}(A) = \dfrac{2}{3}$, $\mathrm{P}(A \cap B) = \dfrac{1}{9}$일 때, $\mathrm{P}(B)$의 값은? [3점]

① $\dfrac{1}{6}$　　　　② $\dfrac{1}{3}$　　　　③ $\dfrac{1}{2}$　　　　④ $\dfrac{2}{3}$　　　　⑤ $\dfrac{5}{6}$

04 두 명의 야구 선수 A, B가 안타를 칠 확률은 각각 $\dfrac{1}{2}$, $\dfrac{2}{5}$이다. 두 선수가 한 번씩 타석에 들어설 때, 두 명 모두 안타를 칠 확률은? [3점]

① $\dfrac{1}{7}$　　　　② $\dfrac{1}{6}$　　　　③ $\dfrac{1}{5}$　　　　④ $\dfrac{1}{4}$　　　　⑤ $\dfrac{1}{3}$

핵심개념 4 　 독립시행의 확률

(1) 어떤 시행을 반복하는 경우 매 시행마다 일어나는 사건이 서로 독립일 때, 이러한 시행을 독립시행이라 한다.

(2) **독립시행의 확률**

　　1회의 시행에서 사건 A가 일어날 확률이 p일 때, n회의 독립시행에서 사건 A가 r회 일어날 확률은

　　${}_n\mathrm{C}_r p^r q^{n-r}$ (단, $q = 1 - p$, $r = 0, 1, 2, \cdots, n$)

> **참고** 각각의 시행에서 사건 A가 일어날 확률이 p로 일정할 때, n회의 독립시행에서 사건 A가 r회 일어날 확률은 이항정리 $(p+q)^n$의 전개식의 일반항과 같다.
> (단, $p + q = 1$, $r = 0, 1, 2, \cdots, n$)

05 한 개의 동전을 4번 던져서 앞면이 2번 나올 확률은? [3점]

① $\dfrac{1}{4}$　　　　② $\dfrac{3}{8}$　　　　③ $\dfrac{1}{2}$　　　　④ $\dfrac{5}{8}$　　　　⑤ $\dfrac{3}{4}$

[2016학년도 교육청]

두 사건 A와 B는 서로 독립이고 $P(A)=\dfrac{1}{3}$, $P(B)=\dfrac{1}{4}$일 때, $P(A\cup B)$의 값은? [3점]

Act①
두 사건이 서로 독립이므로
$P(A\cap B)=P(A)P(B)$임을
이용한다.

① $\dfrac{1}{4}$　　② $\dfrac{1}{3}$　　③ $\dfrac{5}{12}$　　④ $\dfrac{1}{2}$　　⑤ $\dfrac{7}{12}$

해결의 실마리

(1) 두 사건 A, B가 독립이면 ⇨ $P(B|A)=P(B)$, $P(A|B)=P(A)$

(2) 두 사건 A, B가 독립이면 ⇨ $P(A\cap B)=P(A)P(B)$

(3) 두 사건 A, B가 독립이면 ⇨ A와 B^C, A^C와 B, A^C와 B^C도 각각 서로 독립이다.

(4) 두 사건 A, B가 독립이면 ⇨ $P(A\cup B)=P(A)+P(B)-\underline{P(A\cap B)}$ ← 확률이 0이 아닌 두 사건이 서로 독립이면 $P(A\cap B)=P(A)P(B)>0$

01
[2018학년도 수능]

두 사건 A와 B는 서로 독립이고

$$P(A)=\dfrac{2}{3},\ P(A\cup B)=\dfrac{5}{6}$$

일 때, $P(B)$의 값은? [3점]

① $\dfrac{1}{3}$　　② $\dfrac{5}{12}$　　③ $\dfrac{1}{2}$

④ $\dfrac{7}{12}$　　⑤ $\dfrac{2}{3}$

03
[2017학년도 수능]

두 사건 A와 B는 서로 독립이고

$$P(B^C)=\dfrac{1}{3},\ P(A|B)=\dfrac{1}{2}$$

일 때, $P(A)P(B)$의 값은? (단, B^C는 B의 여사건이다.) [3점]

① $\dfrac{5}{6}$　　② $\dfrac{2}{3}$　　③ $\dfrac{1}{2}$

④ $\dfrac{1}{3}$　　⑤ $\dfrac{1}{6}$

02
[2018학년도 교육청]

두 사건 A와 B는 서로 독립이고

$$P(A^C)=\dfrac{2}{3},\ P(A\cap B)=\dfrac{1}{12}$$

일 때, $P(B)$의 값은? (단, A^C는 A의 여사건이다.) [3점]

① $\dfrac{1}{8}$　　② $\dfrac{1}{4}$　　③ $\dfrac{3}{8}$

④ $\dfrac{1}{2}$　　⑤ $\dfrac{5}{8}$

04
[2016학년도 수능]

두 사건 A, B가 서로 독립이고

$$P(A^C)=\dfrac{1}{4},\ P(A\cap B)=\dfrac{1}{2}$$

일 때, $P(B|A^C)$의 값은? (단, A^C는 A의 여사건이다.) [3점]

① $\dfrac{5}{12}$　　② $\dfrac{1}{2}$　　③ $\dfrac{7}{12}$

④ $\dfrac{2}{3}$　　⑤ $\dfrac{3}{4}$

기출유형 02 사건의 독립과 종속의 성질

[2009학년도 교육청]

세 사건 A, B, C가 다음 조건을 만족시킨다.

> (가) $P(A)=\dfrac{1}{2}$, $P(B)=\dfrac{1}{3}$, $P(C)=\dfrac{1}{12}$
>
> (나) 두 사건 A, B는 서로 독립이다.
>
> (다) 사건 $A\cup B$와 사건 C는 서로 배반이다.

이때 확률 $P(A\cup B\cup C)$의 값은? [3점]

① $\dfrac{7}{12}$ ② $\dfrac{2}{3}$ ③ $\dfrac{3}{4}$ ④ $\dfrac{5}{6}$ ⑤ $\dfrac{11}{12}$

Act ①

조건 (다)에서 $A\cup B$와 C는 배반이므로
$P(A\cup B\cup C)$
$=P(A\cup B)+P(C)$
임을 이용한다.

해결의 실마리

독립사건과 배반사건의 비교

① 두 사건 A, B가 독립사건이면 ⇨ $P(A\cap B)=P(A)P(B)>0$

② 두 사건 A, B가 배반사건이면 ⇨ $P(A\cap B)=0$

따라서 확률이 0이 아닌 두 사건이 서로 독립이면 두 사건은 배반이 아니다.

05
[2005학년도 교육청]

근원사건 전체의 집합 S의 두 부분집합 A, B에 대한 옳은 설명을 [보기]에서 모두 고른 것은? (단, $P(A)\neq0$, $P(B)\neq0$) [4점]

> **보기**
> ㄱ. $A\subset B$이면 $P(B\,|\,A)=1$이다.
> ㄴ. A, B가 배반사건이면 $P(B\,|\,A)=0$이다.
> ㄷ. A, B가 독립사건이면 A, B는 배반사건이다.

① ㄱ   ② ㄱ, ㄴ   ③ ㄱ, ㄷ
④ ㄴ, ㄷ   ⑤ ㄱ, ㄴ, ㄷ

06
[2007학년도 교육청]

공사건이 아닌 두 사건 A, B가 서로 독립일 때, 확률의 성질에 대한 설명으로 항상 옳은 것을 [보기]에서 모두 고르면? [3점]

> **보기**
> ㄱ. $P(A^c\,|\,B)=1-P(A)$
> ㄴ. $P(A\cup B)=P(A)+P(B)$
> ㄷ. $P(B)=P(A)P(B)+P(A^c)P(B)$

① ㄱ   ② ㄴ   ③ ㄱ, ㄷ
④ ㄴ, ㄷ   ⑤ ㄱ, ㄴ, ㄷ

주사위와 동전을 차례대로 던질 때, 주사위는 소수인 눈이 나오고 동전은 앞면이 나올 확률은? [3점]

① $\dfrac{1}{7}$　　② $\dfrac{1}{6}$　　③ $\dfrac{1}{5}$　　④ $\dfrac{1}{4}$　　⑤ $\dfrac{1}{3}$

Act ❶
두 사건이 서로 독립이면
$P(A \cap B) = P(A)P(B)$임을
이용한다.

해결의 실마리

두 사건 A, B가 독립이면
(1) $P(A \cap B) = P(A)P(B)$
(2) A와 B^c, A^c와 B, A^c와 B^c도 각각 서로 독립이다.

07

어느 회사에서 한 제품을 만드는 데 2개의 부품 A, B가 들어간다. 부품 A, B가 1년 이내에 고장이 날 확률이 각각 $\dfrac{1}{5}$, $\dfrac{1}{6}$일 때, 1년 이내에 이 제품의 어딘가에 고장이 날 확률은? [3점]

① $\dfrac{1}{6}$　　② $\dfrac{1}{5}$　　③ $\dfrac{1}{4}$

④ $\dfrac{1}{3}$　　⑤ $\dfrac{1}{2}$

09

축구 경기에서 승부차기 성공률이 각각 0.6, 0.8인 두 선수 A, B가 한 번씩 승부차기를 하였을 때, 둘 중 한 명만 성공할 확률은? [3점]

① 0.32　　② 0.36　　③ 0.4

④ 0.44　　⑤ 0.48

08

어떤 프로 야구 팀의 1번, 2번 두 명의 타자가 안타를 칠 확률이 $\dfrac{1}{4}$, $\dfrac{1}{3}$이다. 이 두 타자가 한 번씩 타석에 들어설 때, 한 명만 안타를 칠 확률은? [3점]

① $\dfrac{1}{4}$　　② $\dfrac{1}{3}$　　③ $\dfrac{5}{12}$

④ $\dfrac{1}{2}$　　⑤ $\dfrac{7}{12}$

10

주사위를 던져 5 이상의 눈이 나오면 갑이 이기고 4 이하의 눈이 나오면 을이 이기는 경기에서 두 번 먼저 이기는 사람이 승리한다. 을이 승리할 확률은? [3점]

① $\dfrac{16}{17}$　　② $\dfrac{17}{27}$　　③ $\dfrac{2}{3}$

④ $\dfrac{19}{27}$　　⑤ $\dfrac{20}{27}$

기출유형 04 독립시행의 확률 (1)

어느 양궁 선수는 10점 영역을 맞힐 확률이 $\dfrac{1}{3}$이라 한다. 이 양궁 선수가 화살을 6번 쏠 때, 10점 영역을 4번 맞힐 확률은? [3점]

① $\dfrac{2}{27}$ ② $\dfrac{19}{243}$ ③ $\dfrac{20}{243}$ ④ $\dfrac{7}{81}$ ⑤ $\dfrac{22}{243}$

Act ①
n회의 독립시행에서 사건 A가 r회 일어날 확률은 ${}_n\mathrm{C}_r p^r q^{n-r}$(단, $q=1-p$)임을 이용한다.

> **해결의 실마리**
>
> 1회의 시행에서 사건 A가 일어날 확률이 p일 때, n회의 독립시행에서 사건 A가 r회 일어날 확률은
> ${}_n\mathrm{C}_r p^r q^{n-r}$ (단, $q=1-p$, $r=0,1,2,\cdots,n$)

11
[2017학년도 수능]

한 개의 주사위를 3번 던질 때, 4의 눈이 한 번만 나올 확률은? [3점]

① $\dfrac{25}{72}$ ② $\dfrac{13}{36}$ ③ $\dfrac{3}{8}$

④ $\dfrac{7}{18}$ ⑤ $\dfrac{29}{72}$

13
[2013학년도 수능 모의평가]

한 개의 주사위를 6번 던질 때, 홀수의 눈이 5번 나올 확률은? [2점]

① $\dfrac{1}{16}$ ② $\dfrac{3}{32}$ ③ $\dfrac{1}{8}$

④ $\dfrac{5}{32}$ ⑤ $\dfrac{3}{16}$

12

한 개의 동전을 5번 던져서 앞면이 2번 나올 확률은? [2점]

① $\dfrac{3}{16}$ ② $\dfrac{5}{16}$ ③ $\dfrac{7}{16}$

④ $\dfrac{9}{16}$ ⑤ $\dfrac{11}{16}$

14

윷놀이에서 윷짝 한 개를 던질 때 둥근 면이 나올 확률은 $\dfrac{1}{3}$이고, 평평한 면이 나올 확률은 $\dfrac{2}{3}$라 하자. 이 윷짝 네 개를 동시에 던질 때, 걸이 나올 확률은? [3점]

① $\dfrac{3}{32}$ ② $\dfrac{15}{56}$ ③ $\dfrac{21}{64}$

④ $\dfrac{29}{72}$ ⑤ $\dfrac{32}{81}$

[2016학년도 수능]

한 개의 동전을 5번 던질 때, 앞면이 나오는 횟수와 뒷면이 나오는 횟수의 곱이 6일 확률은? [3점]

① $\dfrac{5}{8}$　　② $\dfrac{9}{16}$　　③ $\dfrac{1}{2}$　　④ $\dfrac{7}{16}$　　⑤ $\dfrac{3}{8}$

Act ❶
동전의 앞면이 나오는 횟수를 a, 뒷면이 나오는 횟수를 b라 할 때, $ab=6$을 만족하는 독립시행의 확률을 구한다.

해결의 실마리

경우를 나누어 독립시행의 확률을 계산할 때는 다음과 같이 구한다.

① 조건이 성립하는 경우를 모두 찾는다.

② 독립시행의 확률을 이용하여 각 경우의 확률을 구한다.

③ ①의 각 경우는 배반사건이므로 $P(A \cup B)=P(A)+P(B)$를 이용한다.

15

[2017학년도 교육청]

한 개의 동전을 7번 던질 때, 앞면이 뒷면보다 3번 더 많이 나올 확률은? [3점]

① $\dfrac{19}{128}$　　② $\dfrac{21}{128}$　　③ $\dfrac{23}{128}$

④ $\dfrac{25}{128}$　　⑤ $\dfrac{27}{128}$

17

[2018학년도 수능]

한 개의 동전을 6번 던질 때, 앞면이 나오는 횟수가 뒷면이 나오는 횟수보다 클 확률은 $\dfrac{q}{p}$이다. $p+q$의 값을 구하시오. (단, p와 q는 서로소인 자연수이다.) [4점]

16

[2014학년도 수능 모의평가]

한 개의 주사위를 A는 4번 던지고 B는 3번 던질 때, 3의 배수의 눈이 나오는 횟수를 각각 a, b라 하자. $a+b$의 값이 6일 확률은? [3점]

① $\dfrac{10}{3^7}$　　② $\dfrac{11}{3^7}$　　③ $\dfrac{4}{3^6}$

④ $\dfrac{13}{3^7}$　　⑤ $\dfrac{14}{3^7}$

18

[2012학년도 수능 모의평가]

주사위를 1개 던져서 나오는 눈의 수가 6의 약수이면 동전을 3개 동시에 던지고, 6의 약수가 아니면 동전을 2개 동시에 던진다. 1개의 주사위를 1번 던진 후 그 결과에 따라 동전을 던질 때, 앞면이 나오는 동전의 개수가 1일 확률은? [3점]

① $\dfrac{1}{3}$　　② $\dfrac{3}{8}$　　③ $\dfrac{5}{12}$

④ $\dfrac{11}{24}$　　⑤ $\dfrac{1}{2}$

Very Important Test

01

두 사건 A, B는 서로 독립사건이고,

$$\mathrm{P}(A^c \cap B) = \frac{1}{4}, \ \mathrm{P}(B^c) = \frac{1}{3}$$

일 때, $\mathrm{P}(A)$는? [3점]

① $\dfrac{3}{8}$ ② $\dfrac{1}{2}$ ③ $\dfrac{5}{8}$

④ $\dfrac{3}{4}$ ⑤ $\dfrac{7}{8}$

02

두 사건 A, B가 서로 독립이고

$$\mathrm{P}(A) = \frac{2}{3}, \ \mathrm{P}(A \cup B) = \frac{3}{4}$$

일 때, $\mathrm{P}(B)$는? [3점]

① $\dfrac{1}{4}$ ② $\dfrac{1}{3}$ ③ $\dfrac{5}{12}$

④ $\dfrac{1}{2}$ ⑤ $\dfrac{7}{12}$

03

두 사건 A, B는 서로 독립이고

$$\mathrm{P}(A \cup B) = \frac{1}{2}, \ \mathrm{P}(A) = \frac{1}{4}$$

일 때, $\mathrm{P}(A \cap B^c)$의 값은? (단, B^c는 B의 여사건이다.) [3점]

① $\dfrac{1}{12}$ ② $\dfrac{1}{10}$ ③ $\dfrac{1}{8}$

④ $\dfrac{1}{6}$ ⑤ $\dfrac{1}{4}$

04

서로 독립인 두 사건 A와 B에 대하여

$$\mathrm{P}(A|B^c) = \frac{2}{5},$$
$$2\mathrm{P}(A^c \cap B) - \mathrm{P}(A \cap B^c) = \mathrm{P}(A|B)$$

일 때, $\mathrm{P}(B)$의 값은? [3점]

① $\dfrac{3}{8}$ ② $\dfrac{1}{2}$ ③ $\dfrac{5}{8}$

④ $\dfrac{3}{4}$ ⑤ $\dfrac{7}{8}$

05

세 사건 A, B, C에서 A와 B는 서로 배반이고, A와 C는 서로 독립이다.

$$\mathrm{P}(A \cup B) = \frac{3}{4}, \ \mathrm{P}(A \cap C) = \frac{1}{3}, \ \mathrm{P}(C) = \frac{1}{2}$$

일 때, $\mathrm{P}(B)$는? [3점]

① $\dfrac{1}{12}$ ② $\dfrac{1}{6}$ ③ $\dfrac{1}{4}$

④ $\dfrac{1}{3}$ ⑤ $\dfrac{5}{12}$

06

두 사건 A, B가 서로 독립이고,

$$\mathrm{P}(A^c \cap B) = \frac{2}{5}, \ \mathrm{P}(A \cup B) = \frac{3}{5}$$

일 때, $\mathrm{P}(B)$의 값은? (단, A^c는 A의 여사건이다.) [3점]

① $\dfrac{1}{6}$ ② $\dfrac{1}{5}$ ③ $\dfrac{1}{4}$

④ $\dfrac{1}{3}$ ⑤ $\dfrac{1}{2}$

07

두 사격 선수 A, B가 표적을 맞힐 확률은 각각 0.4, 0.5 이다. A와 B가 각각 한 발씩 쏠 때, A 또는 B가 표적을 맞힐 확률은? (단, 표적을 맞히는 사건은 서로 독립이다.) [3점]

① 0.6　　　　② 0.65　　　　③ 0.7

④ 0.75　　　　⑤ 0.8

08

두 사건 A, B에 대하여 [보기]에서 옳은 것만을 있는 대로 고른 것은? (단, P(A)>0, P(B)>0) [3점]

┤보기├
ㄱ. P($B|A$)≤P($A \cap B$)
ㄴ. A와 B가 서로 독립이면
　　P($A \cup B$)=P(A)+P(B)
ㄷ. A와 B가 서로 독립이면
　　P(B)=P(A)P(B)+P(A^c)P(B)

① ㄱ　　　　② ㄷ　　　　③ ㄱ, ㄷ

④ ㄴ, ㄷ　　　　⑤ ㄱ, ㄴ, ㄷ

09

ㅇ, ×로 답하는 5문제에 임의로 ㅇ, ×를 표기하였을 때, 적어도 한 문제는 정답일 확률은? [3점]

① $\dfrac{23}{32}$　　　　② $\dfrac{25}{32}$　　　　③ $\dfrac{27}{32}$

④ $\dfrac{29}{32}$　　　　⑤ $\dfrac{31}{32}$

10

3문제 중 2문제를 맞히는 학생이 있다. 이 학생이 어떤 시험에서 4문제 중 3문제 이상을 맞출 확률을 $\dfrac{q}{p}$라 할 때, $p+q$의 값을 구하시오. (단, p, q는 서로소인 자연수이다.) [3점]

11

한 개의 주사위를 5번 던질 때, 4의 약수의 눈의 수가 4번 이상 나올 확률은? [3점]

① $\dfrac{1}{8}$　　　　② $\dfrac{3}{16}$　　　　③ $\dfrac{1}{4}$

④ $\dfrac{5}{16}$　　　　⑤ $\dfrac{3}{8}$

12

A, B 두 사람이 테니스 경기를 한다. 먼저 3세트를 이기는 사람이 우승을 하는데 매 세트마다 A가 B를 이길 확률은 $\dfrac{1}{3}$이라고 한다. 다섯 번째 세트에서 A가 우승할 확률은? (단, 비기는 경우는 없다.) [3점]

① $\dfrac{2}{27}$　　　　② $\dfrac{8}{81}$　　　　③ $\dfrac{10}{81}$

④ $\dfrac{4}{27}$　　　　⑤ $\dfrac{14}{81}$

13

갑과 을이 7전 4선승제의 게임을 하여 우승자를 가리기로 하였다. 두 사람이 이길 확률은 서로 같을 때, 갑이 6차전에서 우승할 확률은? (단, 비기는 경우는 없다.) [3점]

① $\dfrac{1}{16}$ ② $\dfrac{3}{16}$ ③ $\dfrac{5}{16}$

④ $\dfrac{3}{32}$ ⑤ $\dfrac{5}{32}$

14

두 탁구 선수 A, B가 7전 4선승제로 경기를 한다. 3경기를 진행한 결과 A선수가 2승 1패로 이기고 있을 때, A선수가 우승할 확률은 $\dfrac{q}{p}$이다. 서로소인 두 자연수 p, q에 대하여 $p+q$의 값을 구하시오. (단, 각 경기에서 두 선수가 이길 확률은 서로 같고, 비기는 경우는 없다.) [3점]

15

빨간 볼펜이 3자루, 노란 볼펜이 4자루 들어 있는 주머니에서 한 자루의 볼펜을 꺼내어 색깔을 확인하고 다시 집어넣는다. 빨간 볼펜이 나오면 1점, 노란 볼펜이 나오면 2점을 얻을 때, 5회의 시행에서 7점을 얻을 확률은? [3점]

① $_5C_1\left(\dfrac{3}{7}\right)\left(\dfrac{4}{7}\right)^4$ ② $_5C_2\left(\dfrac{3}{7}\right)^2\left(\dfrac{4}{7}\right)^3$

③ $_5C_3\left(\dfrac{3}{7}\right)^3\left(\dfrac{4}{7}\right)^2$ ④ $_5C_4\left(\dfrac{3}{7}\right)^4\left(\dfrac{4}{7}\right)$

⑤ $_5C_5\left(\dfrac{4}{7}\right)^5$

16

흰 공이 3개, 검은 공이 4개 들어 있는 주머니에서 한 개의 공을 꺼내어 색깔을 확인하고 다시 집어넣는 것을 1회 시행이라 하자. 흰 공이 나오면 1점, 검은 공이 나오면 2점을 얻을 때, 5회의 시행에서 8점을 얻을 확률은 $\dfrac{a}{7^5}$이다. 이때 a의 값은? [3점]

① 2560   ② 3240   ③ 3840

④ 4320   ⑤ 5760

17

주사위 한 개를 4번 던질 때 나오는 눈의 수를 모두 곱한 수가 3의 배수가 될 확률은? [3점]

① $\dfrac{61}{81}$ ② $\dfrac{62}{81}$ ③ $\dfrac{7}{9}$

④ $\dfrac{64}{81}$ ⑤ $\dfrac{65}{81}$

18

수직선 위의 원점에 점 P가 있다. 동전을 던져 앞면이 나오면 점 P를 양의 방향으로 1만큼 이동시키고, 뒷면이 나오면 음의 방향으로 1만큼 이동시킨다. 동전을 4번 던졌을 때, 점 P가 $x=2$의 위치에 있을 확률은? [3점]

① $\dfrac{1}{8}$ ② $\dfrac{3}{16}$ ③ $\dfrac{1}{4}$

④ $\dfrac{5}{16}$ ⑤ $\dfrac{3}{8}$

Ⅲ. 통계

07 이산확률변수의 기댓값과 표준편차

출제경향 예전에 자주 출제되었던 유형으로 언제든지 출제될 수 있는 유형이다. 주로 확률분포표를 제시해 주고 평균, 분산, 표준편차를 계산하도록 하는 유형이 많았다. 특히, $aX+b$ 꼴의 평균과 분산을 구하는 방법을 반드시 익혀 두어야 한다.

핵심개념 1   확률변수와 확률분포

(1) 어떤 시행에서 표본공간의 각 원소에 하나의 실수를 대응시킨 함수를 확률변수라 한다.

(2) 확률변수 X가 가질 수 있는 값이 유한개이거나 무한히 많더라도 자연수와 같이 셀 수 있을 때 그 확률변수를 이산확률변수라 한다.

(3) 확률변수 X가 어떤 값 x를 가질 확률을 기호로 $\mathrm{P}(X=x)$와 같이 나타내고, 확률변수 X의 값과 그 값을 가질 확률 사이의 대응 관계를 확률변수 X의 확률분포라 한다.

01 확률변수 X, Y, Z를

> X : 한 개의 동전을 3번 던질 때, 앞면이 나오는 횟수
> Y : 한 개의 주사위를 4번 던질 때, 2의 눈이 나오는 횟수
> Z : 흰 공 4개와 검은 공 2개가 들어 있는 주머니에서 임의로 3개의 공을 동시에 꺼낼 때 나오는 흰 공의 개수

라 한다. X, Y, Z가 가질 수 있는 값의 개수가 각각 a, b, c일 때, 이들의 대소 관계를 바르게 나타낸 것은? [2점]

① $a<b<c$ ② $a<c<b$ ③ $b<a<c$ ④ $b<c<a$ ⑤ $c<a<b$

핵심개념 2   확률질량함수와 그 성질

(1) 이산확률변수 X가 가지는 값이 $x_1, x_2, \cdots, x_n$이고 X가 이들 값을 가질 확률이 각각 $p_1, p_2, \cdots, p_n$일 때, 이산확률변수 X의 확률분포는 $\mathrm{P}(X=x_i)=p_i \ (i=1, 2, \cdots, n)$와 같이 나타낼 수 있다. 이때 이 관계식을 이산확률변수 X의 확률질량함수라 한다.

(2) 확률변수 X가 a 이상 b 이하의 값을 가질 확률은 $\mathrm{P}(a\leq X\leq b)$로 나타낸다.

(3) 이산확률변수 X의 확률질량함수가 $\mathrm{P}(X=x_i)=p_i \ (i=1, 2, \cdots, n)$일 때, 확률의 기본 성질에 의하여 다음이 성립한다.

  ① $0\leq p_i\leq 1$ ← 확률은 0에서 1까지의 값을 갖는다.

  ② $p_1+p_2+\cdots+p_n=1$ ← 확률의 총합은 1이다.

02 빨간 구슬 4개와 파란 구슬 3개가 들어 있는 주머니에서 임의로 2개의 구슬을 동시에 꺼낼 때, 빨간 구슬의 개수를 확률변수 X라 하자. $\mathrm{P}(1\leq X\leq 2)$는? [3점]

① $\dfrac{2}{7}$ ② $\dfrac{3}{7}$ ③ $\dfrac{4}{7}$ ④ $\dfrac{5}{7}$ ⑤ $\dfrac{6}{7}$

03 확률변수 X의 확률분포가 다음과 같을 때, 상수 a의 값은? [2점]

X	1	2	3	4	합계
$\mathrm{P}(X=x)$	a	$\dfrac{1}{6}$	$2a$	$\dfrac{1}{3}$	1

① $\dfrac{1}{6}$ ② $\dfrac{1}{3}$ ③ $\dfrac{1}{2}$ ④ $\dfrac{2}{3}$ ⑤ $\dfrac{5}{6}$

핵심개념 **3** 　이산확률변수의 기댓값

(1) 이산확률변수 X의 확률분포가 오른쪽 표와 같을 때, $x_1p_1+x_2p_2+\cdots+x_np_n$을 이산확률변수 X의 기댓값 또는 평균이라 하고, 이것을 기호로 $\mathbf{E}(X)$와 같이 나타낸다.

X	x_1	x_2	$\cdots$	x_n	합계
$\mathrm{P}(X=x_i)$	p_1	p_2	$\cdots$	p_n	1

(2) 이산확률변수 X의 확률분포가 $\mathrm{P}(X=x_i)=p_i \ (i=1, 2, \cdots, n)$일 때, X의 기댓값 $\mathrm{E}(X)$는
$$\mathrm{E}(X)=x_1p_1+x_2p_2+\cdots+x_np_n$$

[2006학년도 교육청]

04 다음 확률분포표에서 확률변수 X의 평균은? [2점]

X	2	3	4	6	합계
$\mathrm{P}(X=x)$	a	$\dfrac{1}{3}$	a	$\dfrac{1}{6}$	1

① 5 　　② $\dfrac{9}{2}$ 　　③ $\dfrac{17}{4}$ 　　④ $\dfrac{7}{2}$ 　　⑤ $\dfrac{13}{4}$

핵심개념 **4** 　이산확률변수의 분산과 표준편차

(1) 이산확률변수 X의 기댓값 $\mathrm{E}(X)$를 m이라 할 때, $(X-m)^2$의 기댓값을 확률변수 X의 분산이라 하고, 이것을 기호로 $\mathbf{V}(X)$와 같이 나타낸다.
$$\mathrm{V}(X)=\mathrm{E}((X-m)^2)=\mathrm{E}(X^2)-\{\mathrm{E}(X)\}^2$$

(2) 분산 $\mathrm{V}(X)$의 양의 제곱근 $\sqrt{\mathrm{V}(X)}$를 확률변수 X의 표준편차라 하고, 이것을 기호로 $\boldsymbol{\sigma}(X)$와 같이 나타낸다.
$$\sigma(X)=\sqrt{\mathrm{V}(X)}$$

05 다음 확률분포표에서 확률변수 X의 분산은? [3점]

X	1	2	3	합계
$\mathrm{P}(X=x)$	$\dfrac{1}{3}$	$\dfrac{1}{3}$	$\dfrac{1}{3}$	1

① $\dfrac{1}{6}$ 　　② $\dfrac{1}{3}$ 　　③ $\dfrac{1}{2}$ 　　④ $\dfrac{2}{3}$ 　　⑤ $\dfrac{5}{6}$

핵심개념 **5** 　이산확률변수 $aX+b$의 평균, 분산, 표준편차

이산확률변수 X와 임의의 상수 a, $b(a\neq 0)$에 대하여

(1) 평균 $\mathrm{E}(aX+b)=a\mathrm{E}(X)+b$ 　　(2) 분산 $\mathrm{V}(aX+b)=a^2\mathrm{V}(X)$ 　　(3) 표준편차 $\sigma(aX+b)=|a|\sigma(X)$

[2016학년도 교육청]

06 이산확률변수 X의 확률분포를 표로 나타내면 다음과 같다.

X	0	2	4	합계
$\mathrm{P}(X=x)$	$\dfrac{1}{6}$	$\dfrac{1}{3}$	$\dfrac{1}{2}$	1

$\mathrm{E}(6X+1)$의 값은? [3점]

① 9 　　② 11 　　③ 13 　　④ 15 　　⑤ 17

기출유형 01 이산확률변수의 확률분포

이산확률변수 X의 확률분포를 표로 나타내면 다음과 같다.

X	1	2	3	4	합계
$P(X=x)$	$\dfrac{1}{4}$	$\dfrac{a}{4}$	a^2	$a-\dfrac{1}{8}$	1

$P(X^2-5X+4=0)$은? [3점]

① $\dfrac{1}{8}$ ② $\dfrac{1}{4}$ ③ $\dfrac{3}{8}$ ④ $\dfrac{1}{2}$ ⑤ $\dfrac{5}{8}$

Act ①
확률의 총합이 1임을 이용하여 a의 값을 구한다.

해결의 실마리

이산확률변수 X의 확률질량함수 $P(X=x_i)=p_i$ $(i=1, 2, \cdots, n)$에 대하여

(1) $0 \leq p_i \leq 1$ $(i=1, 2, \cdots, n)$ ← 확률은 0에서 1까지의 값을 갖는다.

(2) $p_1+p_2+\cdots+p_n=1$ ← 확률의 총합은 1이다.

(3) $P(x_i \leq X \leq x_j)=p_i+p_{i+1}+p_{i+2}+\cdots+p_j$ (단 , $j=1, 2, \cdots, n$ 이고 $i \leq j$)

참고 $P(X=x_i$ 또는 $X=x_j)=P(X=x_i)+P(X=x_j)$ (단, $j=1, 2, \cdots, n$이고 $i \neq j$)

01
[2018학년도 교육청]

이산확률변수 X의 확률분포를 표로 나타내면 다음과 같다.

X	1	2	3	합계
$P(X=x)$	a	$a+\dfrac{1}{4}$	$a+\dfrac{1}{2}$	1

$P(X \leq 2)$의 값은? [3점]

① $\dfrac{1}{4}$ ② $\dfrac{7}{24}$ ③ $\dfrac{1}{3}$

④ $\dfrac{3}{8}$ ⑤ $\dfrac{5}{12}$

02
[2009학년도 수능 모의평가]

이산확률변수 X가 취할 수 있는 값이 -2, -1, 0, 1, 2 이고 X의 확률질량함수가

$$P(X=x)=\begin{cases} k-\dfrac{x}{9} & (x=-2, -1, 0) \\ k+\dfrac{x}{9} & (x=1, 2) \end{cases}$$

일 때, 상수 k의 값은? [3점]

① $\dfrac{1}{15}$ ② $\dfrac{2}{15}$ ③ $\dfrac{1}{5}$

④ $\dfrac{4}{15}$ ⑤ $\dfrac{1}{3}$

03
[2009학년도 교육청]

이산확률변수 X에 대한 확률질량함수

$$P(X=x)=\frac{k}{x(x+1)} \ (x=1, 2, 3, \cdots, 10)$$

이 정의되도록 하는 상수 k의 값은? [3점]

① $\dfrac{9}{10}$ ② 1 ③ $\dfrac{11}{10}$

④ $\dfrac{6}{5}$ ⑤ $\dfrac{13}{10}$

04
[2005학년도 수능]

이산확률변수 X가 취할 수 있는 값이 0, 1, 2, 3, 4, 5, 6, 7이고 X의 확률질량함수가

$$P(X=x)=\begin{cases} c & (x=0, 1, 2) \\ 2c & (x=3, 4, 5) \\ 5c^2 & (x=6, 7) \end{cases} \ (단, c는 양수)$$

이다. 확률변수 X가 6 이상일 사건을 A, 확률변수 X가 3 이상일 사건을 B라 할 때, $P(A|B)$의 값은? [3점]

① $\dfrac{1}{5}$ ② $\dfrac{1}{6}$ ③ $\dfrac{1}{7}$

④ $\dfrac{1}{8}$ ⑤ $\dfrac{1}{9}$

기출유형 02 이산확률변수의 확률분포 (2)

검은 공 2개와 흰 공 2개가 들어 있는 상자에서 임의로 2개의 공을 동시에 꺼낼 때, 나오는 흰 공의 개수를 확률변수 X라 하자. 흰 공을 1개 이하로 꺼낼 확률은? [3점]

① $\dfrac{1}{6}$ ② $\dfrac{1}{3}$ ③ $\dfrac{1}{2}$ ④ $\dfrac{2}{3}$ ⑤ $\dfrac{5}{6}$

Act ①

확률변수 X가 가질 수 있는 값을 구하고, X가 각 값을 가질 확률을 구한다.

해결의 실마리

확률질량함수가 주어지지 않았을 때 확률을 구하는 방법
① 확률변수 X가 가질 수 있는 값을 모두 찾는다.
② X가 각 값을 가질 확률을 구한다.

05

빨간 구슬 5개, 파란 구슬 5개가 들어 있는 주머니가 있다. 이 주머니에서 임의로 3개의 구슬을 동시에 꺼낼 때, 파란 구슬의 개수를 확률변수 X라 하자. 파란 구슬을 1개 이하로 꺼낼 확률은? [3점]

① $\dfrac{1}{6}$ ② $\dfrac{1}{3}$ ③ $\dfrac{1}{2}$

④ $\dfrac{2}{3}$ ⑤ $\dfrac{5}{6}$

07

한 개의 주사위를 던져서 나오는 눈의 수를 확률변수 X라 할 때, $\mathrm{P}(X^2-3X+2\leq0)$은? [3점]

① $\dfrac{1}{6}$ ② $\dfrac{1}{3}$ ③ $\dfrac{1}{2}$

④ $\dfrac{2}{3}$ ⑤ $\dfrac{5}{6}$

06

남학생 4명과 여학생 3명 중에서 임의로 대표 3명을 뽑을 때, 뽑힌 남학생의 수를 확률변수 X라 하자. 이때 남학생이 적어도 2명 뽑힐 확률은? [3점]

① $\dfrac{12}{35}$ ② $\dfrac{17}{35}$ ③ $\dfrac{22}{35}$

④ $\dfrac{27}{35}$ ⑤ $\dfrac{32}{35}$

08

3개의 불량품을 포함한 7개의 제품 중에서 임의로 3개의 제품을 동시에 뽑을 때 나오는 불량품의 수를 확률변수 X라 하자. 불량품이 1개 이하로 나올 확률은? [3점]

① $\dfrac{12}{35}$ ② $\dfrac{17}{35}$ ③ $\dfrac{22}{35}$

④ $\dfrac{27}{35}$ ⑤ $\dfrac{32}{35}$

[2011학년도 수능]

확률변수 X의 확률분포표는 다음과 같다.

X	-1	0	1	2	합계
$P(X=x)$	$\dfrac{3-a}{8}$	$\dfrac{1}{8}$	$\dfrac{3+a}{8}$	$\dfrac{1}{8}$	1

$P(0 \leq X \leq 2) = \dfrac{7}{8}$ 일 때, 확률변수 X의 평균 $E(X)$의 값은? [3점]

① $\dfrac{1}{4}$ 　② $\dfrac{3}{8}$ 　③ $\dfrac{1}{2}$ 　④ $\dfrac{5}{8}$ 　⑤ $\dfrac{3}{4}$

Act ❶
확률의 총합이 1임을 이용하여 a의 값을 구한다.

해결의 실마리

이산확률변수 X의 확률분포가 $P(X=x_i)=p_i \; (i=1,\, 2,\, \cdots,\, n)$일 때,

(1) $E(X)=x_1 p_1 + x_2 p_2 + \cdots + x_n p_n$ 　(2) $V(X)=E((X-m)^2)=E(X^2)-\{E(X)\}^2$ 　(3) $\sigma(X)=\sqrt{V(X)}$

09

[2012학년도 수능 모의평가]

확률변수 X의 확률분포표가 다음과 같다.

X	1	3	7	합계
$P(X=x)$	a	$\dfrac{1}{4}$	b	1

$E(X)=5$일 때, b의 값은? (단, a와 b는 상수이다.) [3점]

① $\dfrac{19}{36}$ 　② $\dfrac{5}{9}$ 　③ $\dfrac{7}{12}$

④ $\dfrac{11}{18}$ 　⑤ $\dfrac{23}{36}$

11

확률변수 X의 확률분포표가 다음과 같다.

X	-1	0	1	합계
$P(X=x)$	a	$\dfrac{1}{6}$	b	1

$E(X)=\dfrac{1}{6}$일 때, $V(X)$의 값은? (단, a와 b는 상수) [3점]

① $\dfrac{19}{36}$ 　② $\dfrac{23}{36}$ 　③ $\dfrac{25}{36}$

④ $\dfrac{29}{36}$ 　⑤ $\dfrac{31}{36}$

10

[2006학년도 수능]

다음은 확률변수 X의 확률분포표이다.

X	k	$2k$	$4k$	합계
$P(X=x)$	$\dfrac{4}{7}$	a	b	1

$\dfrac{4}{7}$, a, b가 이 순서로 등비수열을 이루고 X의 평균이 24일 때, k의 값을 구하시오. [3점]

12

[2008학년도 수능]

이산확률변수 X에 대하여 $P(X=2)=1-P(X=0)$, $0<P(X=0)<1$, $\{E(X)\}^2=2V(X)$일 때, 확률 $P(X=2)$의 값은? [3점]

① $\dfrac{1}{6}$ 　② $\dfrac{1}{3}$ 　③ $\dfrac{1}{2}$

④ $\dfrac{2}{3}$ 　⑤ $\dfrac{5}{6}$

기출유형 04 이산확률변수의 평균, 분산, 표준편차 — 확률분포가 주어지지 않은 경우

흰 구슬 4개, 검은 구슬 3개가 들어 있는 주머니에서 임의로 2개의 구슬을 동시에 꺼낼 때 나오는 검은 구슬의 개수를 확률변수 X라 하자. 이때 $\sigma(X)$의 값은? [3점]

① $\dfrac{\sqrt{5}}{5}$　　② $\dfrac{2\sqrt{5}}{9}$　　③ $\dfrac{\sqrt{5}}{4}$　　④ $\dfrac{2\sqrt{5}}{7}$　　⑤ $\dfrac{\sqrt{5}}{3}$

Act ❶
$X=0$, 1, 2인 경우의 확률을 각각 구하여 확률분포표를 이용한다.

해결의 실마리

① 확률변수 X가 가질 수 있는 값을 모두 찾고, X가 각 값을 가질 확률을 구한다.
② 확률변수 X의 확률분포를 표로 나타낸다.
③ 확률변수 X의 평균, 분산, 표준편차를 구한다.

13

흰 공 3개와 검은 공 3개가 들어 있는 주머니에서 임의로 2개의 공을 동시에 꺼낼 때, 나오는 검은 공의 개수를 확률변수 X라 하자. 이때 확률변수 X의 분산 $V(X)$의 값은? [3점]

① $\dfrac{3}{10}$　　② $\dfrac{2}{5}$　　③ $\dfrac{1}{2}$

④ $\dfrac{3}{5}$　　⑤ $\dfrac{7}{10}$

15

[2009학년도 수능]

한 개의 동전을 세 번 던져 나온 결과에 대하여, 다음 규칙에 따라 얻은 점수를 확률변수 X라 하자.

> (가) 같은 면이 연속하여 나오지 않으면 0점으로 한다.
> (나) 같은 면이 연속하여 두 번만 나오면 1점으로 한다.
> (다) 같은 면이 연속하여 세 번 나오면 3점으로 한다.

확률변수 X의 분산 $V(X)$의 값은? [3점]

① $\dfrac{9}{8}$　　② $\dfrac{19}{16}$　　③ $\dfrac{5}{4}$

④ $\dfrac{21}{16}$　　⑤ $\dfrac{11}{8}$

14

당첨 제비 2개를 포함한 5개의 제비 중 임의로 2개의 제비를 동시에 뽑을 때, 뽑은 당첨 제비의 수를 확률변수 X라 하자. 이때 확률변수 X의 분산 $V(X)$의 값은? [3점]

① $\dfrac{3}{25}$　　② $\dfrac{7}{25}$　　③ $\dfrac{9}{25}$

④ $\dfrac{13}{25}$　　⑤ $\dfrac{17}{25}$

[2016학년도 수능]

이산확률변수 X의 확률분포를 표로 나타내면 다음과 같다.

X	-5	0	5	합계
$\mathrm{P}(X=x)$	$\dfrac{1}{5}$	$\dfrac{1}{5}$	$\dfrac{3}{5}$	1

$\mathrm{E}(4X+3)$의 값을 구하시오. [3점]

Act ❶
$\mathrm{E}(aX+b)=a\mathrm{E}(X)+b$임을 이용한다.

해결의 실마리

이산확률변수 X와 임의의 상수 a, $b(a\neq0)$에 대하여

(1) 평균 $\mathrm{E}(aX+b)=a\mathrm{E}(X)+b$

(2) 분산 $\mathrm{V}(aX+b)=a^2\mathrm{V}(X)$

(3) 표준편차 $\sigma(aX+b)=|a|\sigma(X)$

---

16   [2016학년도 수능 모의평가]

확률변수 X의 확률분포를 표로 나타내면 다음과 같다.

X	-4	0	4	8	합계
$\mathrm{P}(X=x)$	$\dfrac{1}{5}$	$\dfrac{1}{10}$	$\dfrac{1}{5}$	$\dfrac{1}{2}$	1

$\mathrm{E}(3X)$의 값은? [3점]

① 4   ② 6   ③ 8

④ 10   ⑤ 12

---

18   [2010학년도 수능]

확률변수 X의 확률분포표는 다음과 같다.

X	0	1	2	합계
$\mathrm{P}(X=x)$	$\dfrac{2}{7}$	$\dfrac{3}{7}$	$\dfrac{2}{7}$	1

확률변수 $7X$의 분산 $\mathrm{V}(7X)$의 값은? [3점]

① 14   ② 21   ③ 28

④ 35   ⑤ 42

---

17   [2012학년도 수능]

확률변수 X의 확률분포를 표로 나타내면 다음과 같다.

X	0	1	2	합계
$\mathrm{P}(X=x)$	$\dfrac{1}{4}$	a	$2a$	1

$\mathrm{E}(4X+10)$의 값은? [3점]

① 11   ② 12   ③ 13

④ 14   ⑤ 15

---

19   [2011학년도 수능]

이산확률변수 X의 확률질량함수가

$$\mathrm{P}(X=x)=\frac{ax+2}{10} \ (x=-1,\ 0,\ 1,\ 2)$$

일 때, 확률변수 $3X+2$의 분산 $\mathrm{V}(3X+2)$의 값은?
(단, a는 상수이다.) [3점]

① 9   ② 18   ③ 27

④ 36   ⑤ 45

Very Important Test

친절한 해설 36쪽

01

확률변수 X의 확률분포가 다음 표와 같을 때, 양수 a의 값은? [2점]

X	-1	0	1	2	합계
$P(X=x)$	a	$3a$	$2a$	a	1

① $\dfrac{1}{8}$ ② $\dfrac{1}{7}$ ③ $\dfrac{1}{6}$

④ $\dfrac{1}{5}$ ⑤ $\dfrac{1}{4}$

02

확률변수 X의 확률분포를 나타내는 표가 다음과 같을 때, $P(X>0)$은? (단, a는 상수) [3점]

X	-2	0	2	합계
$P(X=x)$	$\dfrac{1}{3}$	$\dfrac{1}{4}$	a	1

① $\dfrac{11}{36}$ ② $\dfrac{1}{3}$ ③ $\dfrac{13}{36}$

④ $\dfrac{7}{18}$ ⑤ $\dfrac{5}{12}$

03

확률변수 X의 확률분포가 다음과 같을 때, $P(X^2=4)$는? [3점]

X	-2	-1	0	1	2	합계
$P(X=x)$	a	$2a$	$3a$	$4a$	$5a$	1

① $\dfrac{1}{5}$ ② $\dfrac{4}{15}$ ③ $\dfrac{1}{3}$

④ $\dfrac{2}{5}$ ⑤ $\dfrac{7}{15}$

04

확률변수 X의 확률질량함수가

$$P(X=x)=\dfrac{x}{k} \ (x=1, 2, 3, 4)$$

일 때, $P(2 \leq X \leq 3)$은? (단, k는 상수) [3점]

① $\dfrac{3}{5}$ ② $\dfrac{1}{2}$ ③ $\dfrac{2}{5}$

④ $\dfrac{3}{10}$ ⑤ $\dfrac{1}{5}$

05

확률변수 X의 확률질량함수가

$$P(X=x)=\dfrac{x+1}{k} \ (x=1, 2, 3, 4, 5)$$

일 때, $P(X \geq 4)$는? (단, $k \neq 0$) [3점]

① $\dfrac{9}{20}$ ② $\dfrac{1}{2}$ ③ $\dfrac{11}{20}$

④ $\dfrac{3}{5}$ ⑤ $\dfrac{13}{20}$

06

확률변수 X의 확률질량함수가

$$P(X=x)=\dfrac{x+a}{8} \ (x=-1, 0, 1, 2)$$

일 때, $P(|X-1| \leq 1)$은? (단, a는 상수) [3점]

① $\dfrac{11}{12}$ ② $\dfrac{12}{13}$ ③ $\dfrac{13}{14}$

④ $\dfrac{14}{15}$ ⑤ $\dfrac{15}{16}$

07

확률변수 X의 확률질량함수가

$$\mathrm{P}(X=x)=\frac{k}{x(x+2)}\ (x=1,\ 2,\ 3,\ \cdots,\ 7)$$

일 때, 상수 k의 값은? [3점]

① $\dfrac{72}{45}$ ② $\dfrac{144}{91}$ ③ $\dfrac{36}{23}$

④ $\dfrac{48}{31}$ ⑤ $\dfrac{8}{3}$

08

두 개의 주사위를 동시에 던져서 나오는 눈의 수의 합을 확률변수 X라 할 때, $\mathrm{P}(5\leq X\leq 7)$은? [3점]

① $\dfrac{11}{36}$ ② $\dfrac{1}{3}$ ③ $\dfrac{13}{36}$

④ $\dfrac{7}{18}$ ⑤ $\dfrac{5}{12}$

09

1, 1, 2, 3, 3의 숫자가 각각 하나씩 적힌 5개의 공이 들어 있는 주머니에서 임의로 두 개의 공을 동시에 꺼낼 때, 나오는 공에 적힌 두 숫자의 합을 확률변수 X라 하자. 이때 $\mathrm{P}(X^2-6X+8>0)$은? [3점]

① $\dfrac{1}{10}$ ② $\dfrac{1}{5}$ ③ $\dfrac{3}{10}$

④ $\dfrac{2}{5}$ ⑤ $\dfrac{1}{2}$

10

흰 공 3개, 검은 공 2개가 들어 있는 주머니에서 임의로 2개의 공을 동시에 꺼낼 때, 꺼낸 공 중에서 검은 공의 개수의 평균은? [3점]

① $\dfrac{1}{2}$ ② $\dfrac{2}{3}$ ③ $\dfrac{3}{4}$

④ $\dfrac{4}{5}$ ⑤ $\dfrac{5}{6}$

11

확률변수 X의 확률분포표가 다음과 같다.

X	1	3	7	합계
$\mathrm{P}(X=x)$	a	$\dfrac{1}{4}$	b	1

$\mathrm{E}(X)=5$일 때, $\dfrac{b}{a}$의 값은? (단, a와 b는 상수이다.) [3점]

① $\dfrac{5}{2}$ ② 3 ③ $\dfrac{7}{2}$

④ 4 ⑤ $\dfrac{9}{2}$

12

확률변수 X의 평균이 3, 분산이 2이고, 두 실수 a, b에 대하여 확률변수 $Y=aX+b$의 평균이 4, 분산이 8이다. 이때 $a+b$의 값을 구하시오. (단, $a<0$) [3점]

13

확률변수 X에 대하여 $E(X)=4$, $V(X)=2$이고, 확률변수 $Y=aX+b$에 대하여 $E(Y)=0$, $V(Y)=8$이다. 이때 상수 a, b에 대하여 ab의 값은? [3점]

① -16 ② -12 ③ -8

④ -4 ⑤ 0

14

확률변수 X의 확률분포가 다음 표와 같을 때, $E(9X+2)$는? (단, a는 양수) [3점]

X	1	2	3	합계
$P(X=x)$	a^2	$\dfrac{a}{2}$	$\dfrac{a^2}{2}$	1

① 15   ② 16   ③ 17

④ 18   ⑤ 19

15

확률변수 X의 평균이 65, 분산이 25이고

$$E(aX+b)=50, \quad V(aX+b)=9$$

를 만족시킨다. $a+b$의 값은? (단, a, b는 상수이고 $a>0$) [3점]

① $\dfrac{58}{5}$ ② $\dfrac{59}{5}$ ③ 12

④ $\dfrac{61}{5}$ ⑤ $\dfrac{62}{5}$

16

확률변수 X에 대하여 $E(X)=5$, $E(X^2)=29$일 때, $\sigma(4X+1)$은? [3점]

① 6   ② 7   ③ 8

④ 9   ⑤ 10

17

확률변수 X의 확률분포가 다음 표와 같을 때, 확률변수 $Y=10X+5$의 분산을 구하시오. [3점]

X	0	1	2	3	합계
$P(X \le x)$	$\dfrac{1}{5}$	$\dfrac{3}{10}$	$\dfrac{3}{10}$	$\dfrac{1}{5}$	1

18

주사위 1개를 던져서 나온 눈의 수의 양의 약수의 개수를 확률변수 X라 하자. $E(9X^2)$은? [3점]

① 54   ② 55   ③ 56

④ 57   ⑤ 58

08 이항분포

출제경향 최근 출제 빈도가 다시 늘고 있는 유형으로, 쉬운 수준의 3점짜리 문제가 출제되었다. 확률변수 X가 이항분포를 따를 때, 확률변수 X의 평균, 분산, 표준편차 그리고 $aX+b$의 평균, 분산, 표준편차를 구할 수 있어야 한다.

핵심개념 1 이항분포

1회의 시행에서 사건 A가 일어날 확률이 p일 때, n회의 독립시행에서 사건 A가 일어나는 횟수를 확률변수 X라 하자. 이때 확률변수 X가 가지는 값은 $0, 1, 2, \cdots, n$이고, X의 확률질량함수는 다음과 같다.

$$P(X=x)={}_nC_x p^x q^{n-x} \ (\text{단}, \ x=1, 2, \cdots, n, \ q=1-p)$$

사건 A가 일어날 확률↲ ↳사건 A가 일어나지 않을 확률

이와 같은 확률변수 X의 확률분포를 이항분포라 하고, 이것을 기호로 $\mathbf{B}(\boldsymbol{n}, \ \boldsymbol{p})$와 같이 나타낸다. 이때 확률변수 X는 이항분포 $B(n, \ p)$를 따른다고 하며, X의 확률분포를 표로 나타내면 다음과 같다.

X	0	1	2	$\cdots$	x	$\cdots$	n	합계
$P(X=x)$	${}_nC_0 q^n$	${}_nC_1 p^1 q^{n-1}$	${}_nC_2 p^2 q^{n-2}$	$\cdots$	${}_nC_x p^x q^{n-x}$	$\cdots$	${}_nC_n p^n$	1

[2007학년도 교육청]

01 확률변수 X는 이항분포 $B\left(n, \dfrac{1}{2}\right)$을 따른다. $P(X=2)=10P(X=1)$이 성립할 때, n의 값을 구하시오. [3점]

핵심개념 2 이항분포의 평균, 분산, 표준편차

확률변수 X가 이항분포 $B(n, \ p)$를 따를 때

(1) 평균 $E(X)=np$

(2) 분산 $V(X)=npq$ (단, $q=1-p$)

(3) 표준편차 $\sigma(X)=\sqrt{npq}$

[2018학년도 교육청]

02 확률변수 X가 이항분포 $B\left(12, \dfrac{1}{3}\right)$을 따를 때, $E(X)$의 값은? [2점]

① 1   ② 2   ③ 3   ④ 4   ⑤ 5

03 이항분포 $B\left(n, \dfrac{1}{3}\right)$을 따르는 확률변수 X의 분산이 20일 때, 자연수 n의 값은? [2점]

① 30   ② 60   ③ 90   ④ 120   ⑤ 150

핵심개념 3 큰수의 법칙

어떤 시행에서 사건 A가 일어날 수학적 확률이 p일 때, n회의 독립시행에서 사건 A가 일어나는 횟수를 X라 하면 임의의 작은 양수 h에 대하여 확률 $P\left(\left|\dfrac{X}{n}-p\right|<h\right)$는 n이 한없이 커짐에 따라 1에 한없이 가까워진다. 이것을 큰수의 법칙이라 한다.

참고 큰수의 법칙에 의하면 시행 횟수가 충분히 클 때, 통계적 확률은 수학적 확률에 가까워짐을 알 수 있다. 따라서 자연 현상이나 사회 현상에서 수학적 확률을 구하기 곤란한 경우 통계적 확률을 대신 사용할 수 있다.

확률변수 X가 이항분포 $B\left(n, \dfrac{1}{10}\right)$을 따르고, X의 분산이 9일 때, X의 평균을 구하시오. [3점]

Act ①
확률변수 X가 이항분포 $B(n, p)$를 따르므로 $V(X)=np(1-p)$, $E(X)=np$임을 이용한다.

해결의 실마리
확률변수 X가 이항분포 $B(n, p)$를 따를 때
⇨ 평균 $E(X)=np$, 분산 $V(X)=np(1-p)$, 표준편차 $\sigma(X)=\sqrt{np(1-p)}$

01
[2013학년도 교육청]

확률변수 X가 이항분포 $B\left(n, \dfrac{1}{7}\right)$을 따르고, X의 평균이 3일 때, n의 값을 구하시오. [3점]

03
[2014학년도 수능]

확률변수 X가 이항분포 $B(9, p)$를 따르고 $\{E(X)\}^2=V(X)$일 때, p의 값은? (단, $0<p<1$) [3점]

① $\dfrac{1}{13}$ ② $\dfrac{1}{12}$ ③ $\dfrac{1}{11}$

④ $\dfrac{1}{10}$ ⑤ $\dfrac{1}{9}$

02
[2012학년도 수능]

확률변수 X가 이항분포 $B(200, p)$를 따르고 X의 평균이 40일 때, X의 분산은? [2점]

① 32   ② 33   ③ 34

④ 35   ⑤ 36

04
[2019학년도 수능]

확률변수 X가 이항분포 $B\left(n, \dfrac{1}{2}\right)$을 따르고 $E(X^2)=V(X)+25$를 만족시킬 때, n의 값은? [3점]

① 10   ② 12   ③ 14

④ 16   ⑤ 18

확률변수 X의 확률질량함수가

$$P(X=x)={}_{10}C_x\left(\frac{1}{3}\right)^x\left(\frac{2}{3}\right)^{10-x} \quad (단, \ x=0,\ 1,\ 2,\ \cdots,\ 10)$$

일 때, $E(X)+V(X)$의 값은? [3점]

① $\dfrac{46}{5}$ ② $\dfrac{47}{6}$ ③ $\dfrac{48}{7}$ ④ $\dfrac{49}{8}$ ⑤ $\dfrac{50}{9}$

Act ①

확률변수 X가 이항분포 $B(n,\ p)$를 따르므로 $E(X)=np$, $V(X)=np(1-p)$를 이용한다.

해결의 실마리

확률변수 X의 확률질량함수가
$P(X=x)={}_nC_xp^x(1-p)^{n-x}$ (단, $x=1,\ 2,\ \cdots,\ n$)이면
⇨ X는 이항분포 $B(n,\ p)$를 따르므로 $E(X)=np$, $V(X)=np(1-p)$이다.

05

확률변수 X의 확률질량함수가

$P(X=x)={}_{36}C_x\left(\dfrac{1}{3}\right)^x\left(\dfrac{2}{3}\right)^{36-x}$ (단, $x=0,\ 1,\ 2,\ \cdots,\ 36$)

일 때, $E(X)+V(X)$의 값을 구하시오. [3점]

07

확률변수 X의 확률질량함수가

$$P(X=x)={}_nC_xp^x(1-p)^{n-x}$$
$$(단, \ x=0,\ 1,\ 2,\ \cdots,\ n이고\ 0<p<1)$$

이다. $E(X)=2$, $V(X)=\dfrac{7}{4}$일 때, $P(X=1)$의 값은? [3점]

① $2\left(\dfrac{7}{8}\right)^{15}$ ② $4\left(\dfrac{7}{8}\right)^{14}$ ③ $6\left(\dfrac{7}{8}\right)^{13}$

④ $8\left(\dfrac{7}{8}\right)^{12}$ ⑤ $10\left(\dfrac{7}{8}\right)^{11}$

06

확률변수 X의 확률질량함수가

$$P(X=x)={}_nC_xp^x(1-p)^{n-x}$$
$$(단, \ x=0,\ 1,\ 2,\ \cdots,\ n이고\ 0<p<1)$$

이다. $E(X)=36$, $V(X)=18$일 때, $\dfrac{n}{p}$의 값을 구하시오. [3점]

08

[2007학년도 수능 모의평가]

이산확률변수 X가 값 x를 가질 확률이

$$P(X=x)={}_nC_xp^x(1-p)^{n-x}$$
$$(단, \ x=0,\ 1,\ 2,\ \cdots,\ n이고\ 0<p<1)$$

이다. $E(X)=1$, $V(X)=\dfrac{9}{10}$일 때, $P(X<2)$의 값은? [4점]

① $\dfrac{19}{10}\left(\dfrac{9}{10}\right)^9$ ② $\dfrac{17}{9}\left(\dfrac{8}{9}\right)^8$ ③ $\dfrac{15}{8}\left(\dfrac{7}{8}\right)^7$

④ $\dfrac{13}{7}\left(\dfrac{6}{7}\right)^6$ ⑤ $\dfrac{11}{6}\left(\dfrac{5}{6}\right)^5$

기출유형 03　이항분포의 평균, 분산, 표준편차 — 이항분포가 주어지지 않은 경우

전화를 걸면 20번에 1번꼴로 통화 연결이 되지 않는 휴대전화로 100번 전화를 걸 때, 통화가 연결되지 않는 횟수를 확률변수 X라 하자. 이때 X의 평균을 구하시오. [3점]

Act ❶

각 시행이 독립이고 그 확률이 일정하면 이항분포 $B(n, p)$를 이용한다.

해결의 실마리

다음을 만족하는 문제는 이항분포를 이용하여 푼다.

(가) 각 시행의 결과는 두 가지 결과로 나눠진다.

(나) 각 시행에서 성공할 확률은 p로 일정하다.

(다) 각 시행은 서로 독립이다.

09

[2006학년도 교육청]

어떤 책을 임의로 펼쳤을 때, 그림이 나올 확률이 $\dfrac{1}{3}$이라 한다. 이 책을 임의로 180번 펼쳐 그림이 나오는 횟수를 X라 할 때, X의 분산을 구하시오. [3점]

11

어느 지역 대학의 A학과 졸업생의 20%는 졸업하는 해에 취직을 하지 못한다고 한다. 올해 졸업생 100명 중 취직을 하지 못하는 학생 수를 확률변수 X라 할 때, $E(X^2)$을 구하시오. [3점]

10

발아율이 0.9인 씨앗 100개를 심었을 때, 발아된 씨앗의 개수를 확률변수 X라 하자. 이때 X^2의 평균은? [3점]

① 8104　　② 8109　　③ 8116
④ 8125　　⑤ 8136

12

[2015학년도 수능 모의평가]

이차함수 $y = f(x)$의 그래프는 그림과 같고, $f(0) = f(3) = 0$이다. 한 개의 주사위를 던져 나온 눈의 수 m에 대하여 $f(m)$이 0보다 큰 사건을 A라 하자. 한 개의 주사위를 15회 던지는 독립시행에서 사건 A가 일어나는 횟수를 확률변수 X라 할 때, $E(X)$의 값은? [3점]

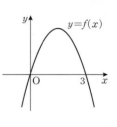

① 3　　　② $\dfrac{7}{2}$　　　③ 4

④ $\dfrac{9}{2}$　　　⑤ 5

[2006학년도 수능]

확률변수 X가 이항분포 $B\left(100, \dfrac{1}{5}\right)$을 따를 때, 확률변수 $3X-4$의 표준편차는? [3점]

① 12 ② 15 ③ 18 ④ 21 ⑤ 24

Act ❶
$\sigma(X)=\sqrt{np(1-p)}$,
$\sigma(aX+b)=|a|\sigma(X)$임을
이용한다.

해결의 실마리

확률변수 X가 이항분포 $B(n,\ p)$를 따를 때, 확률변수 $aX+b$의 평균, 분산, 표준편차는 다음과 같다.
$\mathrm{E}(aX+b)=a\mathrm{E}(X)+b$, $\mathrm{V}(aX+b)=a^2\mathrm{V}(X)$, $\sigma(aX+b)=|a|\sigma(X)$

13
[2013학년도 수능 모의평가]

확률변수 X가 이항분포 $B\left(6,\ \dfrac{2}{3}\right)$를 따를 때,

$\mathrm{V}(-3X+2)$의 값은? [3점]

① 8 ② 9 ③ 10
④ 11 ⑤ 12

15
[2015학년도 수능]

확률변수 X가 이항분포 $B\left(n,\ \dfrac{1}{3}\right)$을 따르고 $\mathrm{V}(3X)=40$

일 때, n의 값을 구하시오. [3점]

14
[2016학년도 교육청]

확률변수 X가 이항분포 $B\left(10,\ \dfrac{1}{3}\right)$을 따를 때, $\mathrm{V}(6X)$의

값을 구하시오. [3점]

16
[2014학년도 수능 모의평가]

확률변수 X가 이항분포 $B\left(n,\ \dfrac{1}{3}\right)$을 따르고

$\mathrm{E}(2X+5)=13$일 때, n의 값은? [3점]

① 6 ② 9 ③ 12
④ 15 ⑤ 18

기출유형 05   확률변수 X가 이항분포를 따를 때, $aX+b$의 평균, 분산, 표준편차 (2)

한 개의 주사위를 36번 던져서 홀수의 눈이 나오는 횟수를 확률변수 X라 할 때, $2X+1$의 평균을 구하시오. [3점]

Act ①
확률변수 X가 이항분포
$B(n,\ p)$를 따르면
$E(X)=np$이고
$E(aX+b)=aE(X)+b$임을
이용한다.

해결의 실마리

확률변수 X가 이항분포를 따를 때, 확률변수 $aX+b$의 평균, 분산, 표준편차는 다음의 순서로 구한다.

① 확률변수 X가 따르는 이항분포를 구한다. ⇨ $B(n,\ p)$

② 확률변수 X의 평균, 분산, 표준편차를 구한다. ⇨ $E(X)=np$, $V(X)=np(1-p)$, $\sigma(X)=\sqrt{V(X)}$

③ 확률변수 $aX+b$의 평균, 분산, 표준편차를 구한다.

   ⇨ $E(aX+b)=aE(X)+b$, $V(aX+b)=a^2V(X)$, $\sigma(aX+b)=|a|\sigma(X)$

17

어느 공장에서 생산하는 제품의 불량률이 10%라 한다. 이 공장에서 하루에 생산되는 200개의 제품 중 불량품의 개수를 확률변수 X라 할 때, $3X+1$의 평균을 구하시오. [3점]

19

[2011학년도 수능]

동전 2개를 동시에 던지는 시행을 10회 반복할 때, 동전 2개 모두 앞면이 나오는 횟수를 확률변수 X라 하자. 확률변수 $4X+1$의 분산 $V(4X+1)$의 값을 구하시오. [3점]

18

어느 식당에서 백반을 주문하는 손님의 비율이 전체의 40%라 한다. 이 식당을 찾은 200명의 손님 중 백반을 주문하는 손님의 수를 확률변수 X라 할 때, $V(3X+2)$를 구하시오. [3점]

20

서로 다른 2개의 주사위를 동시에 던지는 시행을 72회 반복할 때, 2개의 주사위를 동시에 던져서 나오는 두 눈의 수의 곱이 5 이하인 횟수를 확률변수 X라 하자. $V(3X+2)$의 값을 구하시오. [3점]

Very Important Test

01

확률변수 X의 확률분포가

$$P(X=r) = {}_{72}C_r \left(\frac{1}{3}\right)^r \left(\frac{2}{3}\right)^{72-r} (r=0, 1, 2, \cdots, 72)$$

일 때, X의 표준편차 $\sigma(X)$는? [3점]

① 4   ② $3\sqrt{2}$ ③ $2\sqrt{5}$

④ $\sqrt{22}$ ⑤ $2\sqrt{6}$

02

확률변수 X의 확률질량함수가

$$P(X=x) = {}_{60}C_x \left(\frac{1}{3}\right)^x \left(\frac{2}{3}\right)^{60-x} (x=0, 1, 2, \cdots, 60)$$

일 때, $E(X)+V(X)$의 값은? [3점]

① $\dfrac{88}{3}$ ② $\dfrac{91}{3}$ ③ $\dfrac{94}{3}$

④ $\dfrac{97}{3}$ ⑤ $\dfrac{100}{3}$

03

평소에 10발을 쏘면 8발을 명중시키는 사격 선수가 있다. 이 사격 선수가 100발을 쏘아 명중시키는 횟수를 확률변수 X라 할 때, X의 표준편차를 구하시오. [3점]

04

한 개의 주사위를 n번 던질 때, 6의 약수의 눈이 나오는 횟수를 확률변수 X라 하자. X의 표준편차가 $\sqrt{2}$일 때, 자연수 n의 값은? [3점]

① 9   ② 10   ③ 11

④ 12   ⑤ 13

05

확률변수 X는 이항분포 $B\left(n, \dfrac{2}{5}\right)$를 따른다.

$$P(X=3) = \frac{16}{9}P(X=2)$$

가 성립할 때, n의 값을 구하시오. [3점]

06

자연수 n에 대하여 이항분포 $B\left(n, \dfrac{1}{4}\right)$을 따르는 확률변수 X가

$$P(X=1) = 108P(X=n)$$

을 만족시킬 때, $E(X)+V(X)$의 값은? [3점]

① 1   ② $\dfrac{5}{4}$ ③ $\dfrac{3}{2}$

④ $\dfrac{7}{4}$ ⑤ 2

07

이항분포 $B\left(n, \dfrac{1}{3}\right)$을 따르는 확률변수 X의 분산이 2일 때, 확률변수 X^2에 대하여 $E(X^2)$을 구하시오. [3점]

08

확률변수 X가 이항분포 $B(144, p)$를 따르고 $E(2X)=32$일 때, $V(X)$의 값은? (단, $0<p<1$) [3점]

① $\dfrac{125}{9}$ 　　② $\dfrac{128}{9}$ 　　③ $\dfrac{131}{9}$

④ $\dfrac{134}{9}$ 　　⑤ $\dfrac{137}{9}$

09

서로 다른 3개의 동전을 동시에 던져서 앞면이 나오는 동전의 개수를 확률변수 X라 할 때, $4X+3$의 분산은? [3점]

① 10 　　② 12 　　③ 14

④ 16 　　⑤ 18

10

한 개의 동전을 n번 던졌을 때, 뒷면이 나오는 횟수를 확률변수 X라 하자. $V(X)=16$일 때, $2X+3$의 평균과 표준편차의 합을 구하시오. [3점]

11

한 개의 주사위를 20번 던질 때 3의 배수의 눈이 나오는 횟수를 확률변수 X라 하고, 한 개의 동전을 n번 던질 때 앞면이 나오는 횟수를 확률변수 Y라 하자. Y의 분산이 X의 분산보다 크게 되도록 하는 자연수 n의 최솟값을 구하시오.

[3점]

12

어느 가게에서는 3가지 종류의 과자 A, B, C 중 중복을 허용하여 임의로 2개를 택해 선물 상자에 담아 판매한다고 한다. 이 가게에서 판매한 선물 상자 3600개 중 모두 A과자만 들어 있는 선물 상자의 개수를 확률변수 X라 할 때, $\sigma(X)$의 값은? [3점]

① $6\sqrt{5}$ 　　② $7\sqrt{5}$ 　　③ $8\sqrt{5}$

④ $9\sqrt{5}$ 　　⑤ $10\sqrt{5}$

09 정규분포

출제경향 확률밀도함수의 그래프와 확률 계산, 정규분포의 확률
계산, 정규분포의 실생활 활용 문제는 매년 빠지지 않고 출제되는
유형이다. 정규분포를 표준정규분포로 바꾸어 확률을 구하는 연습을
충분히 하고, 이항분포와 정규분포의 관계도 익혀 둔다.

핵심개념 1 　 연속확률변수의 확률분포

(1) 버스를 기다리는 시간, 물 컵에 따른 물의 양, 하루의 기온 등과 같이 확률변수 X가 어떤 범위에 속하는 모든 실숫값을
가질 때, X를 **연속확률변수**라 한다.

(2) $\alpha \leq X \leq \beta$에서 모든 실숫값을 가지는 연속확률변수 X에 대하여 $\alpha \leq x \leq \beta$에서 정의된 함수 $f(x)$가 다음 세 가지 성질을
모두 만족시킬 때, 함수 $f(x)$를 연속확률변수 X의 확률밀도함수라 한다.

> ① $f(x) \geq 0$
> ② 함수 $y=f(x)$의 그래프와 x축 및 두 직선 $x=\alpha$, $x=\beta$로 둘러싸인 부분의 넓이는 1이다.
> ③ 확률 $\mathrm{P}(a \leq X \leq b)$는 함수 $y=f(x)$의 그래프와 x축 및 두 직선 $x=a$, $x=b$로 둘러싸인 부분의 넓이와 같다. (단, $\alpha \leq a \leq b \leq \beta$)

01 확률변수 X의 확률밀도함수 $f(x)$가 $f(x)=kx(0 \leq x \leq 1)$일 때, 상수 k의 값을 구하시오. [3점]

핵심개념 2 　 정규분포

(1) 연속확률변수 X가 모든 실숫값을 가지고, 그 확률밀도함수 $f(x)$가 두 상수 m, $\sigma(\sigma>0)$
에 대하여 $f(x)=\dfrac{1}{\sqrt{2\pi}\sigma}e^{-\frac{(x-m)^2}{2\sigma^2}}$ (x는 모든 실수)일 때, X의 확률분포를 **정규분포**라 한다.

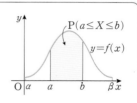

이때 확률밀도함수 $f(x)$의 그래프는 오른쪽과 같고, 이 곡선을 정규분포 곡선이라 한다.

> 참고 e는 그 값이 2.718281…인 무리수이고, 상수 m과 $\sigma(\sigma>0)$는 각각 확률변수 X의 평균과 표준편차임이 알려져
> 있다.

(2) 평균이 m이고 표준편차가 σ인 정규분포를 기호로 $\mathrm{N}(m, \sigma^2)$과 같이 나타내고, 이때 확률변수 X는 정규분포 $\mathrm{N}(m, \sigma^2)$을
따른다고 한다.

(3) 정규분포 $\mathrm{N}(m, \sigma^2)$을 따르는 확률변수 X의 정규분포 곡선의 성질은 다음과 같다.

> ① 직선 $x=m$에 대하여 대칭이고 종 모양의 곡선이다. 　　② 곡선과 x축 사이의 넓이는 1이다.
> ③ x축을 점근선으로 하며, $x=m$일 때 최댓값을 갖는다.
> ④ m의 값이 일정할 때, σ의 값이 커지면 곡선의 가운데 부분이 낮아지면서 양쪽으로 퍼지고, σ의 값이 작아지면 곡선의
> 가운데 부분이 높아지면서 뾰족해진다.
> ⑤ σ의 값이 일정할 때, m의 값에 따라 대칭축의 위치는 바뀌지만 곡선의 모양은 같다.

02 그림에서 세 곡선 A, B, C는 각각 정규분포 $\mathrm{N}(m_1, \sigma_1^2)$, $\mathrm{N}(m_2, \sigma_2^2)$, $\mathrm{N}(m_3, \sigma_3^2)$을 따르는 세 확률변수 X, Y,
Z의 정규분포 곡선이다. [보기]에서 옳은 것만을 모두 고른 것은? [2점]

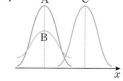

> ┤ 보기 ├
> ㄱ. $m_1 < m_3$ 　　　 ㄴ. $m_1 = m_2$ 　　　 ㄷ. $\sigma_2 < \sigma_3$

① ㄱ 　　　　② ㄱ, ㄴ 　　　　③ ㄱ, ㄷ 　　　　④ ㄴ, ㄷ 　　　　⑤ ㄱ, ㄴ, ㄷ

핵심개념 3 **표준정규분포**

(1) 평균이 0이고 분산이 1인 정규분포를 **표준정규분포**라 하며, 이것을 기호로 **N(0, 1)**과 같이 나타낸다.

(2) 확률변수 Z가 표준정규분포를 따르면 Z의 확률밀도함수는

$$f(z) = \frac{1}{\sqrt{2\pi}}e^{-\frac{z^2}{2}} \ (z는 \ 모든 \ 실수)$$

이다. 이때 Z가 0 이상 a 이하의 값을 가질 확률 $P(0 \le Z \le a)$는 그림에서 색칠한 부분의 넓이와 같고 그 값은 표준정규분포표에 주어져 있다.

예 오른쪽 표준정규분포표에서 $P(0 \le Z \le 1.14) = 0.3729$

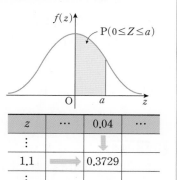

z	$\cdots$	0.04	$\cdots$
$\vdots$		$\downarrow$	
1.1	$\Rightarrow$	0.3729	
$\vdots$			

03 확률변수 X가 표준정규분포 $N(0, 1)$을 따를 때, 표준정규분포표를 이용하여 $P(Z \le -1)$을 구하면? [2점]

① 0.1587 ② 0.1915 ③ 0.3413

④ 0.6247 ⑤ 0.6826

z	$P(0 \le Z \le z)$
0.5	0.1915
1.0	0.3413
1.5	0.4332

핵심개념 4 **정규분포와 표준정규분포의 관계**

확률변수 X가 정규분포 $N(m, \sigma^2)$을 따를 때, 확률변수 $Z = \dfrac{X-m}{\sigma}$은 표준정규분포 $N(0, 1)$을 따른다.

따라서 확률변수 X에 대한 확률은 확률변수 X를 확률변수 Z로 표준화하여 표준정규분포표에서 확률을 구한다.

즉 $P(a \le X \le b) = P\left(\dfrac{a-m}{\sigma} \le Z \le \dfrac{b-m}{\sigma}\right)$이다.

04 확률변수 X가 정규분포 $N(10, 2^2)$을 따를 때, 표준정규분포표를 이용하여 $P(10 \le X \le 14)$를 구하면? [3점]

① 0.3413 ② 0.4772 ③ 0.4987

④ 0.8185 ⑤ 0.9759

z	$P(0 \le Z \le z)$
1.0	0.3413
2.0	0.4772
3.0	0.4987

핵심개념 5 **이항분포와 정규분포의 관계**

확률변수 X가 이항분포 $B(n, p)$를 따르고 n이 충분히 클 때, X는 근사적으로 정규분포 $N(np, npq)$ (단, $q = 1-p$)를 따른다. 따라서 확률변수 X를 확률변수 Z로 표준화하여 표준정규분포표에서 확률을 구한다.

05 확률변수 X가 이항분포 $B\left(64, \dfrac{1}{2}\right)$을 따를 때, 표준정규분포표를 이용하여 $P(28 \le X \le 32)$를 구하면? [3점]

① 0.3413 ② 0.4772 ③ 0.4987

④ 0.8185 ⑤ 0.9759

z	$P(0 \le Z \le z)$
1.0	0.3413
2.0	0.4772
3.0	0.4987

유형따라잡기

연속확률변수 X가 갖는 값의 범위는 $0 \leq X \leq 1$이고, X의 확률밀도함수의 그래프는 그림과 같다. 상수 a의 값은? [3점]

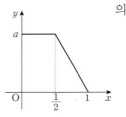

[2017학년도 수능 모의평가]

Act ❶

주어진 구간에서 확률밀도함수의 그래프와 x축으로 둘러싸인 부분의 넓이는 1임을 이용한다.

① $\dfrac{10}{9}$ ② $\dfrac{11}{9}$ ③ $\dfrac{4}{3}$

④ $\dfrac{13}{9}$ ⑤ $\dfrac{14}{9}$

해결의 실마리

연속확률변수 X의 확률밀도함수가 $f(x)$ $(\alpha \leq x \leq \beta)$일 때

➡ $y=f(x)$의 그래프와 x축 및 두 직선 $x=\alpha$, $x=\beta$로 둘러싸인 부분의 넓이는 1이다.

01

[2019학년도 수능]

연속확률변수 X가 갖는 값의 범위는 $0 \leq X \leq 2$이고, X의 확률밀도함수의 그래프가 그림과 같을 때,

$\mathrm{P}\left(\dfrac{1}{3} \leq X \leq a\right)$의 값은? (단, a는 상수이다.) [3점]

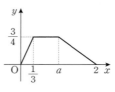

① $\dfrac{11}{16}$ ② $\dfrac{5}{8}$ ③ $\dfrac{9}{16}$

④ $\dfrac{1}{2}$ ⑤ $\dfrac{7}{16}$

03

[2015학년도 수능]

구간 $[0,\ 3]$의 모든 실수 값을 가지는 연속확률변수 X에 대하여 X의 확률밀도함수의 그래프는 그림과 같다.

$$\mathrm{P}(0 \leq X \leq 2) = \dfrac{q}{p}$$

라 할 때, $p+q$의 값을 구하시오. (단, k는 상수이고, p와 q는 서로소인 자연수이다.) [4점]

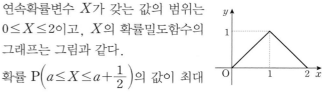

02

[2006학년도 수능]

연속확률변수 X가 갖는 값의 범위가 $0 \leq X \leq 3$이고, 확률밀도함수의 그래프는 그림과 같다.

$\mathrm{P}(m \leq X \leq 2) = \mathrm{P}(2 \leq X \leq 3)$일 때, m의 값은? (단, $0 < m < 2$이다.) [3점]

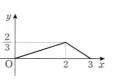

① $\dfrac{\sqrt{2}}{2}$ ② $\dfrac{\sqrt{3}}{2}$ ③ 1

④ $\sqrt{2}$ ⑤ $\sqrt{3}$

04

[2011학년도 수능 모의평가]

연속확률변수 X가 갖는 값의 범위는 $0 \leq X \leq 2$이고, X의 확률밀도함수의 그래프는 그림과 같다.

확률 $\mathrm{P}\left(a \leq X \leq a+\dfrac{1}{2}\right)$의 값이 최대가 되도록 하는 상수 a의 값은? [3점]

① $\dfrac{3}{8}$ ② $\dfrac{1}{2}$ ③ $\dfrac{5}{8}$

④ $\dfrac{3}{4}$ ⑤ $\dfrac{7}{8}$

기출유형 02 **확률밀도함수의 식이 주어진 확률의 계산**

[2010학년도 교육청]

연속확률변수 X의 확률밀도함수 $f(x)$는 다음과 같다.

$$f(x)=1-ax \ (1 \leq x \leq 3)$$

확률 $\mathrm{P}(1 \leq X \leq 2)=\dfrac{q}{p}$일 때, $p+q$의 값을 구하시오. (단, p와 q는 서로소인 자연수이다.) [3점]

Act ❶

주어진 구간에서 확률밀도함수 $f(x)$의 그래프와 x축으로 둘러싸인 부분의 넓이는 1임을 이용한다.

해결의 실마리

(1) 구간 $[a, b]$에서 정의된 확률밀도함수 $f(x)$의 그래프와 x축으로 둘러싸인 부분의 넓이는 1이다.

(2) $f(x)=\begin{cases} g(x) \ (a \leq x \leq c) \\ h(x) \ (c \leq x \leq b) \end{cases}$ 꼴로 정의된 확률밀도함수는 구간에 따라 그래프를 그려 본다.

05

확률변수 X의 확률밀도함수 $f(x)$가

$$f(x)=kx \ (0 \leq x \leq 1)$$

일 때, $\mathrm{P}\left(\dfrac{1}{2} \leq X \leq 1\right)$의 값은? (단, k는 상수) [3점]

① $\dfrac{1}{2}$ 　　② $\dfrac{2}{3}$ 　　③ $\dfrac{3}{4}$

④ $\dfrac{4}{5}$ 　　⑤ $\dfrac{5}{6}$

07

[2011학년도 수능 모의평가]

실수 $a \ (1 < a < 2)$에 대하여 닫힌구간 $[0, 2]$에서 정의된 연속확률변수 X의 확률밀도함수 $f(x)$가

$$f(x)=\begin{cases} \dfrac{x}{a} & (0 \leq x \leq a) \\ \dfrac{x-2}{a-2} & (a < x \leq 2) \end{cases}$$

이다. $\mathrm{P}(1 \leq X \leq 2)=\dfrac{3}{5}$일 때, $100a$의 값을 구하시오. [3점]

06

[2009학년도 수능 모의평가]

구간 $[0, 2]$에서 정의된 연속확률변수 X의 확률밀도함수 $f(x)$는 다음과 같다.

$$f(x)=\begin{cases} a(1-x) & (0 \leq x < 1) \\ b(x-1) & (1 \leq x \leq 2) \end{cases}$$

$\mathrm{P}(1 \leq X \leq 2)=\dfrac{a}{6}$일 때, $a-b$의 값은? [3점]

① 1 　　② $\dfrac{1}{2}$ 　　③ $\dfrac{1}{3}$

④ $\dfrac{1}{4}$ 　　⑤ $\dfrac{1}{5}$

08

[2007학년도 교육청]

확률변수 X의 확률밀도함수 $f(x)$가 다음과 같을 때, $\mathrm{P}(a \leq X \leq 5a)$의 값은? [3점]

$$f(x)=\begin{cases} -|x-a|+a & (0 \leq x < 2a) \\ -|x-4a|+2a & (2a \leq x < 6a) \\ 0 & (x < 0, \ x \geq 6a) \end{cases}$$

① $\dfrac{8}{9}$ 　　② $\dfrac{7}{8}$ 　　③ $\dfrac{6}{7}$

④ $\dfrac{5}{6}$ 　　⑤ $\dfrac{4}{5}$

[2010학년도 교육청]

확률변수 X가 정규분포 $N(m, \sigma^2)$을 따를 때, 실수 a, b에 대하여 $P(X<a-3)=P(X>b+2)$가 성립한다. $Y=\dfrac{1}{3}X+1$일 때, 확률변수 Y의 평균은 51, 분산은 $\dfrac{4}{9}$이다. 이때 $a+b+\sigma$의 값은? [3점]

Act ①
정규분포 곡선이 직선 $x=m$에 대하여 대칭임을 이용한다.

① 299   ② 300   ③ 301   ④ 302   ⑤ 303

해결의 실마리
정규분포 곡선에서 대칭축의 방정식은 $x=m$(평균)이고, 표준편차 σ의 값이 클수록 높이는 낮아지고 폭은 넓어진다.

09

[1997학년도 수능]

3학년 재학생 수가 각각 500명인 같은 지역 A, B, C 세 고등학교 3학년 학생의 수학 성적 분포가 각각 정규분포를 이루고 아래 그림과 같을 때, 다음 [보기] 중 옳은 것을 모두 고른 것은? [3점]

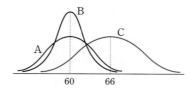

┤ 보기 ├
ㄱ. 성적이 우수한 학생이 B고등학교보다 A고등학교에 더 많이 있다.
ㄴ. B고등학교 학생들은 평균적으로 A고등학교 학생들보다 성적이 더 우수하다.
ㄷ. C고등학교 학생들보다 B고등학교 학생들의 성적이 더 고른 편이다.

① ㄱ   ② ㄴ   ③ ㄷ
④ ㄱ, ㄷ   ⑤ ㄴ, ㄷ

10

[2009학년도 교육청]

연속확률변수 X는 평균이 20, 표준편차가 4인 정규분포를 따른다. 함수 $f(k)$를 $f(k)=P(k-8\le X\le k)$로 정의할 때, $f(k)$에 대한 설명으로 옳은 것만을 [보기]에서 있는 대로 고른 것은? [4점]

┤ 보기 ├
ㄱ. $f(12)=f(36)$
ㄴ. 함수 $f(k)$는 $k=24$일 때 최댓값을 갖는다.
ㄷ. 임의의 실수 k에 대하여 $f(k)=f(24-k)$이다.

① ㄱ   ② ㄷ
③ ㄱ, ㄴ   ④ ㄴ, ㄷ
⑤ ㄱ, ㄴ, ㄷ

기출유형 04 정규분포와 표준정규분포의 관계

[2005학년도 교육청]

Act ①
확률변수 X를 표준화한다.

연속확률변수 X가 정규분포 $N\left(n, \dfrac{n^2}{4}\right)$을 따를 때,

$P(n \le X \le 120) = P(0 \le Z \le 1)$을 만족시키는 자연수 n의 값은? (단, 확률변수 Z는 표준정규분포를 따른다.) [3점]

① 50   ② 60   ③ 70   ④ 80   ⑤ 90

해결의 실마리

확률변수 X가 정규분포 $N(m, \sigma^2)$을 따를 때

① 확률변수 $Z = \dfrac{X-m}{\sigma}$은 표준정규분포 $N(0, 1)$을 따른다.

② $P(a \le X \le b) = P\left(\dfrac{a-m}{\sigma} \le Z \le \dfrac{b-m}{\sigma}\right)$

11

[2013학년도 수능]

확률변수 X가 정규분포 $N(m, \sigma^2)$을 따르고 다음 조건을 만족시킨다.

> (가) $P(X \ge 64) = P(X \le 56)$
> (나) $E(X^2) = 3616$

$P(X \le 68)$의 값을 오른쪽 표를 이용하여 구한 것은? [3점]

x	$P(m \le X \le x)$
$m+1.5\sigma$	0.4332
$m+2\sigma$	0.4772
$m+2.5\sigma$	0.4938

① 0.9104

② 0.9332

③ 0.9544

④ 0.9772

⑤ 0.9938

12

[2006학년도 수능 모의평가]

확률변수 X와 Y가 평균이 0이고 표준편차가 각각 a와 b인 정규분포를 따를 때, [보기]에서 옳은 것을 모두 고른 것은? [4점]

보기

ㄱ. $P(1 \le X \le 2) = P(2 \le X \le 3)$

ㄴ. $P(-a \le X \le 0) = P(0 \le Y \le b)$

ㄷ. $P(-1 \le X \le 1) = P(-2 \le Y \le 2)$이면 $a < b$이다.

① ㄴ   ② ㄱ, ㄴ

③ ㄱ, ㄷ   ④ ㄴ, ㄷ

⑤ ㄱ, ㄴ, ㄷ

[2018학년도 수능]

확률변수 X가 평균이 m, 표준편차가 σ인 정규분포를 따르고
$$P(X \leq 3) = P(3 \leq X \leq 80) = 0.3$$
일 때, $m + \sigma$의 값을 구하시오. (단, Z가 표준정규분포를 따르는 확률변수일 때, $P(0 \leq Z \leq 0.25) = 0.1$, $P(0 \leq Z \leq 0.52) = 0.2$로 계산한다.) [4점]

Act ❶
확률변수 X를 표준화한다.

해결의 실마리

① 확률변수 X가 정규분포 $N(m, \sigma^2)$을 따를 때 확률변수 X를 $Z = \dfrac{X-m}{\sigma}$으로 표준화한다.

② 확률변수 Z가 표준정규분포 $N(0, 1)$을 따르는 확률변수임을 이용하여 표준정규분포표로부터 확률을 구한다.

13

[2018학년도 수능 모의평가]

확률변수 X는 평균이 m, 표준편차가 σ인 정규분포를 따르고 다음 등식을 만족시킨다.
$$P(m \leq X \leq m+12) - P(X \leq m-12) = 0.3664$$
오른쪽 표준정규분포표를 이용하여 σ의 값을 구한 것은? [4점]

① 4
② 6
③ 8
④ 10
⑤ 12

z	$P(0 \leq Z \leq z)$
0.5	0.1915
1.0	0.3413
1.5	0.4332
2.0	0.4772

14

[2018학년도 교육청]

확률변수 X는 평균이 m, 표준편차가 8인 정규분포를 따르고 다음 조건을 만족시킨다.

(가) $P(X \leq k) + P(X \leq 100+k) = 1$
(나) $P(X \geq 2k) = 0.0668$

m의 값을 오른쪽 표준정규분포표를 이용하여 구하시오. (단, k는 상수이다.) [4점]

z	$P(0 \leq Z \leq z)$
0.5	0.1915
1.0	0.3413
1.5	0.4332
2.0	0.4772

기출유형 06　정규분포의 실생활에서의 활용

어느 실험실의 연구원이 어떤 식물로부터 하루 동안 추출하는 호르몬의 양은 평균이 30.2mg, 표준편차가 0.6mg인 정규분포를 따른다고 한다. 어느 날 이 연구원이 하루 동안 추출한 호르몬의 양이 29.6mg 이상이고 31.4mg 이하일 확률을 오른쪽 표준정규분포표를 이용하여 구한 것은? [3점]

① 0.3830　　② 0.5328　　③ 0.6247

④ 0.7745　　⑤ 0.8185

[2017학년도 수능 모의평가]

z	$P(0 \leq Z \leq z)$
0.5	0.1915
1.0	0.3413
1.5	0.4332
2.0	0.4772

Act ①
호르몬의 양을 확률변수 X로 놓고 정규분포를 구한 다음 X를 표준화한다.

해결의 실마리

정규분포를 따르는 실생활 문제와 표준정규분포표가 제시되었을 때

① 문제에 주어진 자료의 값을 확률변수 X라 하고 평균 m, 표준편차 σ를 확인한다.

② 확률변수 X가 정규분포 $N(m, \sigma^2)$을 따를 때 확률변수 X를 $Z = \dfrac{X - m}{\sigma}$으로 표준화한다.

③ 확률변수 Z가 표준정규분포 $N(0, 1)$을 따르는 확률변수임을 이용하여 표준정규분포표로부터 확률을 구한다.

15

[2016학년도 수능]

어느 쌀 모으기 행사에 참여한 각 학생이 기부한 쌀의 무게는 평균이 1.5kg, 표준편차가 0.2kg인 정규분포를 따른다고 한다. 이 행사에 참여한 학생 중 임의로 1명을 선택할 때, 이 학생이 기부한 쌀의 무게가 1.3kg 이상이고 1.8kg 이하일 확률을 오른쪽 표준정규분포표를 이용하여 구한 것은? [3점]

z	$P(0 \leq Z \leq z)$
1.00	0.3413
1.25	0.3944
1.50	0.4332
1.75	0.4599

① 0.8543　　　　② 0.8012

③ 0.7745　　　　④ 0.7357

⑤ 0.6826

16

[2015학년도 수능]

어느 연구소에서 토마토 모종을 심은 지 3주가 지났을 때 토마토 줄기의 길이를 조사한 결과 토마토 줄기의 길이는 평균이 30cm, 표준편차가 2cm인 정규분포를 따른다고 한다. 이 연구소에서 토마토 모종을 심은 지 3주가 지났을 때 토마토 줄기 중 임의로 선택한 줄기의 길이가 27cm 이상이고 32cm 이하일 확률을 오른쪽 표준정규분포표를 이용하여 구한 것은? [3점]

z	$P(0 \leq Z \leq z)$
1.0	0.3413
1.5	0.4332
2.0	0.4772
2.5	0.4938

① 0.6826　　　　② 0.7745

③ 0.8185　　　　④ 0.9104

⑤ 0.9270

한 개의 동전을 400번 던질 때, 앞면이 나온 횟수를 확률변수 X라 하자. $P(X \leq k) = 0.9772$를 만족시키는 상수 k의 값을 오른쪽 표준정규분포표를 이용하여 구하시오. [3점]

[2009학년도 교육청]

z	$P(0 \leq Z \leq z)$
1	0.3413
2	0.4772
3	0.4987

Act ❶
이항분포를 따르는 확률변수 X는 n이 충분히 크면 근사적으로 정규분포를 따르므로 X를 표준화하여 k의 값을 구한다.

해결의 실마리

확률변수 X가 이항분포 $B(n, p)$를 따르고 n이 충분히 클 때,

⇨ X는 근사적으로 정규분포 $N(np, npq)$ (단, $q = 1-p$)를 따르므로 X를 표준화하여 확률을 구한다.

17

[2007학년도 수능]

어느 문구점에 진열되어 있는 공책 중 10%는 A회사의 제품이라고 한다. 한 고객이 이 문구점에서 임의로 100권의 공책을 구입했을 때, A회사 제품이 13권 이상 포함될 확률을 오른쪽 표준정규분포표를 이용하여 구한 것은? [3점]

z	$P(0 \leq Z \leq z)$
0.75	0.2734
1.00	0.3413
1.25	0.3944
1.50	0.4332

① 0.0668

② 0.1056

③ 0.1587

④ 0.2266

⑤ 0.2734

18

[2009학년도 교육청]

각 면에 1, 2, 3, 4의 숫자가 하나씩 적혀 있는 정사면체 모양의 상자 2개를 동시에 던졌을 때 바닥에 닿은 면에 적혀 있는 두 눈의 수의 곱이 홀수인 사건을 A라 하자. 이 시행을 1200번 하였을 때 사건 A가 일어나는 횟수가 270 이하일 확률을 오른쪽 표준정규분포표를 이용하여 구한 값을 p라 하자. $1000p$의 값을 구하시오. [3점]

z	$P(0 \leq Z \leq z)$
1.0	0.341
1.5	0.433
2.0	0.477
2.5	0.494

Very Important Test

친절한 해설 47쪽

01

연속확률변수 X의 확률밀도함수가

$$f(x)=\begin{cases} a-|x| & (|x|\le a) \\ 0 & (|x|>a) \end{cases}$$

일 때, 양수 a의 값을 구하시오. [3점]

02

연속확률변수 X의 확률밀도함수 $f(x)(0\le x\le 8)$의 그래프가 오른쪽 그림과 같다. $P(0\le X\le a)=\dfrac{3}{4}$일

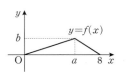

때, 두 양수 a, b에 대하여 $\dfrac{a}{b}$의 값은? [3점]

① 20   ② 22   ③ 24
④ 26   ⑤ 28

03

연속확률변수 X가 갖는 값의 범위가 $0\le X\le 4$이고, 확률변수 X의 확률밀도함수가 $f(x)=ax$일 때, $P(1\le X\le 2)$는? (단, a는 상수) [3점]

① $\dfrac{1}{16}$ ② $\dfrac{1}{8}$ ③ $\dfrac{3}{16}$
④ $\dfrac{1}{4}$ ⑤ $\dfrac{5}{16}$

04

연속확률변수 X가 갖는 값의 범위가 $0\le X\le 3$이고, X의 확률밀도함수 $f(x)$는 $f(0)=0$을 만족하는 일차함수이다. 이때 $P(1\le X\le 2)$는? [3점]

① $\dfrac{1}{6}$ ② $\dfrac{1}{5}$ ③ $\dfrac{1}{4}$
④ $\dfrac{1}{3}$ ⑤ $\dfrac{1}{2}$

05

확률변수 X가 정규분포 $N(58, 4^2)$을 따를 때, $P(X\le 66)$을 오른쪽 표준정규분포표를 이용하여 구한 것은? [3점]

z	$P(0\le Z\le z)$
0.5	0.1915
1.0	0.3413
1.5	0.4332
2.0	0.4772

① 0.9104   ② 0.9332   ③ 0.9710
④ 0.9772   ⑤ 0.9938

06

확률변수 X가 정규분포 $N(6, 2^2)$을 따를 때, $P(X^2-13X+22\le 0)$을 오른쪽 표준정규분포표를 이용하여 구한 것은? [3점]

z	$P(0\le Z\le z)$
1.0	0.3413
1.5	0.4332
2.0	0.4772
2.5	0.4938

① 0.9104   ② 0.9270   ③ 0.9710
④ 0.9725   ⑤ 0.9759

07

확률변수 X가 정규분포 $N(30, 2^2)$을 따를 때, $P(27 \leq X \leq a) = 0.7745$를 만족시키는 실수 a의 값을 오른쪽 표준정규분포표를 이용하여 구한 것은? [3점]

z	$P(0 \leq Z \leq z)$
0.5	0.1915
1.0	0.3413
1.5	0.4332
2.0	0.4772

① 24   ② 26   ③ 28
④ 30   ⑤ 32

08

아래 표는 어느 고등학교 2학년 학생들의 국어, 수학, 영어 시험 성적의 평균과 표준편차 및 동환이의 성적을 나타내고 있다. 각 과목의 성적이 정규분포를 따를 때, 다른 학생과 비교하여 상대적으로 동환이의 성적이 좋은 과목부터 순서대로 나타낸 것은? [3점]

(단위 : 점)

과목	국어	수학	영어
평균	65	56	68
표준편차	10	12	10
동환이의 성적	70	66	76

① 국어, 수학, 영어   ② 국어, 영어, 수학
③ 수학, 국어, 영어   ④ 수학, 영어, 국어
⑤ 영어, 수학, 국어

09

확률변수 X가 정규분포 $N(8, \sigma^2)$을 따를 때, $P(a+4 \leq X \leq 2a+3)$의 값이 최대가 되도록 하는 실수 a의 값은? [3점]

① 1   ② 2   ③ 3
④ 4   ⑤ 5

10

정규분포 $N(m, 6^2)$을 따르는 확률변수 X의 확률밀도함수 $f(x)$가 모든 실수 x에 대하여 $f(80-x)=f(80+x)$를 만족시킨다. 이때 $P(X \leq 89)$를 오른쪽 표준정규분포표를 이용하여 구한 것은? [3점]

z	$P(0 \leq Z \leq z)$
1.0	0.3413
1.5	0.4332
2.0	0.4772

① 0.9104   ② 0.9332   ③ 0.9710
④ 0.9772   ⑤ 0.9938

11

정규분포 $N(m, \sigma^2)$을 따르는 확률변수 X에 대하여 확률밀도함수 $f(x)$가 모든 실수 x에 대하여 $f(50-x)=f(50+x)$를 만족시킨다. $P(m-4 \leq X \leq m+4) = 0.6826$일 때, 오른쪽 표준정규분포표를 이용하여 $P(44 \leq X \leq 60)$을 구한 것은? [3점]

z	$P(0 \leq Z \leq z)$
1.0	0.3413
1.5	0.4332
2.0	0.4772
2.5	0.4938

① 0.9104   ② 0.9270   ③ 0.9710
④ 0.9725   ⑤ 0.9759

12

확률변수 X가 정규분포 $N(m, \sigma^2)$을 따를 때, $P(|X-m| \leq a) = 0.8904$이다. 이때 $P\left(|X-m| \leq \dfrac{a}{2}\right)$의 값은? (단, a는 상수이고, $P(0 \leq Z \leq 1.6) = 0.4452$, $P(0 \leq Z \leq 0.8) = 0.2881$로 계산한다.) [3점]

① 0.1586   ② 0.3108   ③ 0.4514
④ 0.5762   ⑤ 0.6826

13

어떤 생과일 음료 전문점에서 판매되는 딸기 주스 한 잔의 양은 평균이 200mL, 표준편차가 3mL인 정규분포를 따른다고 한다. 이 생과일 음료 전문점에서 구매한 딸기 주스 한 잔의 양이 203mL 이하일 확률은? (단, $P(0 \leq Z \leq 1) = 0.3413$으로 계산한다.) [3점]

① 0.4514 ② 0.5762 ③ 0.6826
④ 0.8413 ⑤ 0.9332

14

어느 고등학교 2학년 학생 300명의 수학 성적은 평균이 65점, 표준편차가 6점인 정규분포를 따른다고 한다. 이때 수학 성적이 71점 이상인 학생 수를 구하시오. (단, $P(0 \leq Z \leq 1) = 0.34$로 계산한다.) [3점]

15

필기시험과 실기시험으로 구성된 어떤 자격시험에 2400명이 응시하였다. 응시자의 필기시험 점수는 평균이 54점, 표준편차가 20점인 정규분포를 따른다고 한다.

z	$P(0 \leq Z \leq z)$
0.7	0.26
0.8	0.29
0.9	0.32

이 필기시험에서 70점 이상인 사람들에게 실기시험 응시 자격이 주어진다고 할 때, 실기시험 응시 자격이 주어진 사람은 약 몇 명인가를 오른쪽 표준정규분포표를 이용하여 구한 것은? [3점]

① 432명 ② 504명 ③ 576명
④ 648명 ⑤ 744명

16

한 개의 주사위를 288번 던질 때, 3의 배수의 눈이 108번 이상 116번 이하로 나올 확률을 오른쪽 표준정규분포표를 이용하여 구한 것은? [3점]

z	$P(0 \leq Z \leq z)$
1.5	0.4332
2.0	0.4772
2.5	0.4938

① 0.0215 ② 0.0359 ③ 0.0525
④ 0.0574 ⑤ 0.0606

17

어느 조사에 의하면 고등학교 2학년 학생 중 20%가 인터넷 강의를 이용하여 공부한다고 한다. 어느 고등학교 2학년 400명의 학생 중에서 인터넷 강의를 이용하

z	$P(0 \leq Z \leq z)$
0.5	0.1915
1	0.3413
1.5	0.4332

는 학생이 72명 이상일 확률을 오른쪽 표준정규분포표를 이용하여 구한 것은? [3점]

① 0.6915 ② 0.7745 ③ 0.8185
④ 0.8413 ⑤ 0.9332

18

다음 표는 어느 백화점에서 판매하는 등산화에 대한 제조 회사별 고객의 선호도를 조사한 것이다.

제조 회사	A	B	C	D	합계
선호도(%)	20	28	25	27	100

192명의 고객이 각각 한 켤레씩 등산화를 산다고 할 때, C회사 제품을 선택할 고객이 42명 이상일 확률을 오른쪽 표준정규분포표를 이용하여 구한 것은? [3점]

z	$P(0 \leq Z \leq z)$
1.0	0.3413
1.5	0.4332
2.0	0.4772

① 0.6915 ② 0.7745 ③ 0.8256
④ 0.8332 ⑤ 0.8413

10 통계적 추정

출제경향 최근에 거의 매년 출제되는 유형으로 표본평균의 평균, 분산, 표준편차, 모평균과 모표준편차가 주어진 표본평균의 확률, 모평균의 추정, 신뢰구간에 대한 문제가 출제된다. 난이도는 높지만 매년 같은 패턴의 문제가 출제되므로 연습을 충분히 해야 한다.

핵심개념 1 　　모집단과 표본

(1) **모집단** : 통계 조사에서 조사의 대상이 되는 집단 전체

(2) **표본** : 모집단에서 뽑은 일부분

(3) **임의추출** : 모집단의 각 대상이 표본에 포함될 확률이 모두 같도록 표본을 추출하는 방법

(4) **복원추출과 비복원추출** : 모집단에서 표본을 추출할 때, 한 번 추출된 자료를 다시 되돌려 놓은 후 다음 자료를 추출하는 것을 복원추출, 되돌려 놓지 않고 다음 자료를 추출하는 것을 비복원추출이라 한다.

01 1, 3, 5, 7, 9의 숫자가 각각 하나씩 적힌 5개의 공이 들어 있는 주머니가 있다. 복원추출로 한 개씩 2번 꺼내는 경우의 수를 a, 비복원추출로 한 개씩 2번 꺼내는 경우의 수를 b라 할 때, $a+b$의 값은? [3점]

① 40　　　　　② 45　　　　　③ 50　　　　　④ 55　　　　　⑤ 60

핵심개념 2 　　모평균과 표본평균

(1) **모평균, 모분산, 모표준편차** : 모집단에서 조사하고자 하는 특성을 나타내는 확률변수를 X라 할 때, X의 평균, 분산, 표준편차를 각각 모평균, 모분산, 모표준편차라 하고, 이것을 기호로 각각 m, σ^2, σ와 같이 나타낸다.

(2) **표본평균, 표본분산, 표본표준편차** : 모집단에서 임의추출한 크기가 n인 표본을 X_1, X_2, $\cdots$, X_n이라 할 때, 이들의 평균, 분산, 표준편차를 각각 표본평균, 표본분산, 표본표준편차라 하고, 이것을 기호로 각각 $\overline{X}$, S^2, S와 같이 나타낸다.

① $\overline{X} = \dfrac{1}{n}(X_1 + X_2 + \cdots + X_n)$

② $S^2 = \dfrac{1}{n-1}\{(X_1 - \overline{X})^2 + (X_2 - \overline{X})^2 + \cdots + (X_n - \overline{X})^2\}$

③ $S = \sqrt{S^2}$

참고 표본분산을 정의할 때는 모분산을 정의할 때와는 달리 편차의 제곱의 합을 $n-1$로 나눈다.

02 어느 모집단의 확률분포를 표로 나타내면 다음과 같다.

X	3	4	5	합계
$P(X=x)$	$\dfrac{1}{2}$	$\dfrac{1}{3}$	$\dfrac{1}{6}$	1

이 모집단에서 크기가 2인 표본을 복원추출하여 구한 표본평균을 $\overline{X}$라 할 때, $P(\overline{X}=4)$는? [3점]

① $\dfrac{5}{18}$　　　　② $\dfrac{11}{36}$　　　　③ $\dfrac{1}{3}$　　　　④ $\dfrac{13}{36}$　　　　⑤ $\dfrac{7}{18}$

핵심개념 3 | **표본평균 $\overline{X}$의 분포**

(1) 표본평균의 평균, 분산, 표준편차

모평균이 m, 모분산이 σ^2인 모집단에서 크기가 n인 표본을 임의추출할 때, 표본평균 $\overline{X}$에 대하여 다음이 성립한다.

$$E(\overline{X})=m, \ V(\overline{X})=\frac{\sigma^2}{n}, \ \sigma(\overline{X})=\frac{\sigma}{\sqrt{n}}$$

(2) 모집단이 정규분포 $N(m, \sigma^2)$을 따르면 표본평균 $\overline{X}$는 정규분포 $N\left(m, \dfrac{\sigma^2}{n}\right)$을 따른다.

(3) 모집단의 분포가 정규분포가 아닐 때도 표본의 크기 n이 충분히 크면 $\overline{X}$는 근사적으로 정규분포 $N\left(m, \dfrac{\sigma^2}{n}\right)$을 따른다.

> **참고** 보통 $n \geq 30$이면 충분히 큰 것으로 보며, 특별한 언급이 없는 한 모집단의 크기는 충분히 큰 것으로 생각한다.

03 어느 농장에서 재배한 가지의 길이는 평균이 25cm, 표준편차가 2cm인 정규분포를 따른다고 한다. 이 중에서 100개를 임의추출할 때, 표본평균 $\overline{X}$의 평균은 a, 표준편차는 b이다. 이때 ab의 값은? [2점]

① 2   ② 3   ③ 4   ④ 5   ⑤ 6

핵심개념 4 | **모평균의 추정과 신뢰구간**

(1) 추정 : 표본에서 얻은 정보를 이용하여 모집단의 특성을 나타내는 값인 모평균, 모표준편차 등을 추측하는 것을 추정이라 한다.

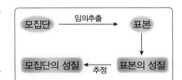

(2) 모평균 m의 신뢰구간

정규분포 $N(m, \sigma^2)$을 따르는 모집단에서 임의추출한 크기가 n인 표본의 표본평균 $\overline{X}$의 값이 $\overline{x}$일 때, 모평균 m의 신뢰도 $a\%$인 신뢰구간은 $\overline{x}-k\dfrac{\sigma}{\sqrt{n}} \leq m \leq \overline{x}+k\dfrac{\sigma}{\sqrt{n}}$이다. $\left(\text{단, } P(|Z| \leq k)=\dfrac{a}{100}\right)$

① 신뢰도 95%인 신뢰구간 : $\overline{x}-1.96\dfrac{\sigma}{\sqrt{n}} \leq m \leq \overline{x}+1.96\dfrac{\sigma}{\sqrt{n}}$

② 신뢰도 99%인 신뢰구간 : $\overline{x}-2.58\dfrac{\sigma}{\sqrt{n}} \leq m \leq \overline{x}+2.58\dfrac{\sigma}{\sqrt{n}}$

> **참고** 모평균의 신뢰구간을 구할 때 모표준편차 σ의 값을 알 수 없는 경우 표본의 크기 n이 충분히 크면($n \geq 30$) 모표준편차 대신 표본표준편차를 사용할 수 있다.

[2005학년도 교육청]

04 어느 과수원에서 수확한 배의 무게는 정규분포를 따른다고 한다. 이 과수원에서 수확한 배 100개를 임의추출하여 무게를 달아 보았더니 평균이 274g, 표준편차가 45g이었다. 이 과수원에서 수확한 배의 무게의 평균 m(g)을 신뢰도 95%로 추정하면 $a \leq m \leq b$이다. 이때 자연수 b의 값은? (단, $P(0 \leq Z \leq 2)=0.475$로 계산한다.) [3점]

① 275   ② 279   ③ 283   ④ 287   ⑤ 291

유형따라잡기

[2011학년도 수능 모의평가]

다음은 어느 모집단의 확률분포표이다.

X	-2	0	1	합계
$P(X=x)$	$\dfrac{1}{4}$	a	$\dfrac{1}{2}$	1

이 모집단에서 크기가 16인 표본을 임의추출할 때, 표본평균 $\overline{X}$의 표준편차는? (단, a는 상수이다.) [3점]

① $\dfrac{\sqrt{6}}{8}$ ② $\dfrac{\sqrt{6}}{6}$ ③ $\dfrac{\sqrt{6}}{4}$ ④ $\dfrac{\sqrt{6}}{2}$ ⑤ $\sqrt{6}$

Act ❶
모집단의 확률분포에서 모평균, 모표준편차를 구하고 $\sigma(\overline{X})=\dfrac{\sigma}{\sqrt{n}}$임을 이용한다.

해결의 실마리

모평균이 m, 모분산이 σ^2인 모집단에서 크기가 n인 표본을 임의추출할 때, 표본평균 $\overline{X}$에 대하여

① $E(\overline{X})=m$ ② $V(\overline{X})=\dfrac{\sigma^2}{n}$ ③ $\sigma(\overline{X})=\dfrac{\sigma}{\sqrt{n}}$

01
[2016학년도 수능]

모표준편차가 14인 모집단에서 크기가 n인 표본을 임의추출하여 구한 표본평균을 $\overline{X}$라 하자. $\sigma(\overline{X})=2$일 때, n의 값은? [3점]

① 9 ② 16 ③ 25
④ 36 ⑤ 49

02
[2017학년도 교육청]

어느 모집단의 확률분포를 표로 나타내면 다음과 같다.

X	-2	0	1	합계
$P(X=x)$	$\dfrac{1}{3}$	$\dfrac{1}{2}$	a	1

이 모집단에서 크기가 16인 표본을 임의추출하여 구한 표본평균을 $\overline{X}$라 할 때, $V(\overline{X})$의 값은? [4점]

① $\dfrac{5}{64}$ ② $\dfrac{7}{64}$ ③ $\dfrac{9}{64}$
④ $\dfrac{11}{64}$ ⑤ $\dfrac{13}{64}$

03
[2019학년도 수능 모의평가]

어느 모집단의 확률변수 X의 확률분포가 다음 표와 같다.

X	0	2	4	합계
$P(X=x)$	$\dfrac{1}{6}$	a	b	1

$E(X^2)=\dfrac{16}{3}$일 때, 이 모집단에서 임의추출한 크기가 20인 표본의 표본평균 $\overline{X}$에 대하여 $V(\overline{X})$의 값은? [3점]

① $\dfrac{1}{60}$ ② $\dfrac{1}{30}$ ③ $\dfrac{1}{20}$ ④ $\dfrac{1}{15}$ ⑤ $\dfrac{1}{12}$

04
[2009학년도 수능]

다음은 어떤 모집단의 확률분포표이다.

X	10	20	30	합계
$P(X=x)$	$\dfrac{1}{2}$	a	$\dfrac{1}{2}-a$	1

이 모집단에서 크기가 2인 표본을 복원추출하여 구한 표본평균을 $\overline{X}$라 하자. $\overline{X}$의 평균이 18일 때, $P(\overline{X}=20)$의 값은? [4점]

① $\dfrac{2}{5}$ ② $\dfrac{19}{50}$ ③ $\dfrac{9}{25}$ ④ $\dfrac{17}{50}$ ⑤ $\dfrac{8}{25}$

기출유형 02 | 표본평균 $\overline{X}$ 의 확률

어느 항공편 탑승객들의 1인당 수하물 무게는 평균이 15kg, 표준편차가 4kg인 정규분포를 따른다고 한다. 이 항공편 탑승객들을 대상으로 16명을 임의추출하여 조사한 1인당 수하물 무게의 평균이 17kg 이상일 확률을 오른쪽 표준정규분포표를 이용하여 구한 것은? [3점]

① 0.0228　　② 0.0668　　③ 0.1587
④ 0.3085　　⑤ 0.3413

[2016학년도 교육청]

z	$P(0 \leq Z \leq z)$
0.5	0.1915
1.0	0.3413
1.5	0.4332
2.0	0.4772

Act ①

표본평균 $\overline{X}$ 가 따르는 정규분포 $N\left(m, \dfrac{\sigma^2}{n}\right)$ 을 구하고 $Z = \dfrac{\overline{X} - m}{\dfrac{\sigma}{\sqrt{n}}}$ 으로 표준화하여 확률을 구한다.

해결의 실마리

정규분포 $N(m, \sigma^2)$ 을 따르는 모집단에서 크기가 n인 표본을 임의추출하면 표본평균 $\overline{X}$ 는 정규분포 $N\left(m, \dfrac{\sigma^2}{n}\right)$ 을 따른다.

05

[2016학년도 수능 모의평가]

어느 지역의 1인 가구의 월 식료품 구입비는 평균이 45만 원, 표준편차가 8만 원인 정규분포를 따른다고 한다. 이 지역의 1인 가구 중에서 임의로 추출한 16가구의 월 식료품 구입비의 표본평균이 44만 원 이상이고 47만 원 이하일 확률을 오른쪽 표준정규분포표를 이용하여 구한 것은? [3점]

z	$P(0 \leq Z \leq z)$
0.5	0.1915
1.0	0.3413
1.5	0.4332
2.0	0.4772

① 0.3830　　② 0.5328　　③ 0.6915
④ 0.8185　　⑤ 0.8413

06

[2018학년도 수능]

어느 공장에서 생산하는 화장품 1개의 내용량은 평균이 201.5g이고 표준편차가 1.8g인 정규분포를 따른다고 한다. 이 공장에서 생산한 화장품 중 임의추출한 9개의 화장품 내용량의 표본평균이 200g 이상일 확률을 오른쪽 표준정규분포표를 이용하여 구한 것은? [4점]

z	$P(0 \leq Z \leq z)$
1.0	0.3413
1.5	0.4332
2.0	0.4772
2.5	0.4938

① 0.7745　　② 0.8413　　③ 0.9332
④ 0.9772　　⑤ 0.9938

[2014학년도 수능]

어느 약품 회사가 생산하는 약품 1병의 용량은 평균이 m, 표준편차가 10인 정규분포를 따른다고 한다. 이 회사가 생산한 약품 중에서 임의로 추출한 25병의 용량의 표본평균이 2000 이상일 확률이 0.9772일 때, m의 값을 오른쪽 표준정규분포표를 이용하여 구한 것은? (단, 용량의 단위는 mL이다.) [3점]

z	$P(0 \leq Z \leq z)$
1.5	0.4332
2.0	0.4772
2.5	0.4938
3.0	0.4987

Act ①
표본평균 $\overline{X}$가 따르는 정규분포 $N\left(m, \dfrac{\sigma^2}{n}\right)$을 구하고 $Z = \dfrac{\overline{X}-m}{\frac{\sigma}{\sqrt{n}}}$으로 표준화하여 주어진 확률을 만족시키는 m의 값을 구한다.

① 2003　　② 2004　　③ 2005　　④ 2006　　⑤ 2007

해결의 실마리

표본평균 $\overline{X}$의 확률을 만족시키는 표본의 크기

⇨ 표본평균 $\overline{X}$가 따르는 정규분포 $N\left(m, \dfrac{\sigma^2}{n}\right)$을 구하고 $Z = \dfrac{\overline{X}-m}{\frac{\sigma}{\sqrt{n}}}$으로 표준화하여 주어진 확률을 만족시키는 미지수의 값을 구한다.

07

[2018학년도 수능 모의평가]

대중교통을 이용하여 출근하는 어느 지역 직장인의 월 교통비는 평균이 8이고 표준편차가 1.2인 정규분포를 따른다고 한다. 대중교통을 이용하여 출근하는 이 지역 직장인 중 임의추출한 n명의 월 교통비의 표본평균을 $\overline{X}$라 할 때,

$$P(7.76 \leq \overline{X} \leq 8.24) \geq 0.6826$$

이 되기 위한 n의 최솟값을 오른쪽 표준정규분포표를 이용하여 구하시오. (단, 교통비의 단위는 만 원이다.) [4점]

z	$P(0 \leq Z \leq z)$
0.5	0.1915
1.0	0.3413
1.5	0.4332
2.0	0.4772

08

[2008학년도 수능 모의평가]

어느 공장에서 생산되는 건전지의 수명은 평균 m시간, 표준편차 3시간인 정규분포를 따른다고 한다. 이 공장에서 생산된 건전지 중 크기가 n인 표본을 임의추출하여 건전지의 수명에 대한 표본평균을 $\overline{X}$라 하자.

$$P(m-0.5 \leq \overline{X} \leq m+0.5) = 0.8664$$

를 만족시키는 표본의 크기 n의 값을 오른쪽 표준정규분포표를 이용하여 구한 것은? [3점]

z	$P(0 \leq Z \leq z)$
1.0	0.3413
1.5	0.4332
2.0	0.4772
2.5	0.4938

① 49　　② 64　　③ 81
④ 100　　⑤ 121

기출유형 **04** 모평균의 추정

[2012학년도 수능]

Act ❶
모평균 m의 신뢰도 $\alpha\%$인 신뢰
구간은
$$\overline{x}-k\frac{\sigma}{\sqrt{n}} \leq m \leq \overline{x}+k\frac{\sigma}{\sqrt{n}}$$
$\left(\text{단}, \mathrm{P}(|Z| \leq k) = \frac{\alpha}{100}\right)$임을
이용한다.

어느 회사에서 생산하는 음료수 1병에 들어 있는 칼슘 함유량은 모평균이 m, 모표준편차가 σ인 정규분포를 따른다고 한다. 이 회사에서 생산한 음료수 16병을 임의추출하여 칼슘 함유량을 측정한 결과 표본평균이 12.34이었다. 이 회사에서 생산한 음료수 1병에 들어 있는 칼슘 함유량의 모평균 m에 대한 신뢰도 95%의 신뢰구간이 $11.36 \leq m \leq a$일 때, $a+\sigma$의 값은? (단, Z가 표준정규분포를 따를 때 $\mathrm{P}(0 \leq Z \leq 1.96) = 0.4750$ 이고, 칼슘 함유량의 단위는 mg이다.) [3점]

① 14.32   ② 14.82   ③ 15.32   ④ 15.82   ⑤ 16.32

해결의 실마리

정규분포 $\mathrm{N}(m, \sigma^2)$을 따르는 모집단에서 임의추출한 크기가 n인 표본의 표본평균 $\overline{X}$의 값이 $\overline{x}$일 때, 모평균 m의 신뢰도 $\alpha\%$인 신뢰구간은

$\Rightarrow \overline{x}-k\frac{\sigma}{\sqrt{n}} \leq m \leq \overline{x}+k\frac{\sigma}{\sqrt{n}} \left(\text{단}, \mathrm{P}(|Z| \leq k) = \frac{\alpha}{100}\right)$

09

[2019학년도 수능]

어느 마을에서 수확하는 수박의 무게는 평균이 $m\mathrm{kg}$, 표준편차가 1.4kg인 정규분포를 따른다고 한다. 이 마을에서 수확한 수박 중에서 49개를 임의추출하여 얻은 표본평균을 이용하여, 이 마을에서 수확하는 수박의 무게의 평균 m에 대한 신뢰도 95%의 신뢰구간을 구하면 $a \leq m \leq 7.992$이다. a의 값은? (단, Z가 표준정규분포를 따르는 확률변수일 때, $\mathrm{P}(|Z| \leq 1.96) = 0.95$로 계산한다.) [3점]

① 7.198   ② 7.208   ③ 7.218
④ 7.228   ⑤ 7.238

10

[2017학년도 수능]

어느 농가에서 생산하는 석류의 무게는 평균이 m, 표준편차가 40인 정규분포를 따른다고 한다. 이 농가에서 생산하는 석류 중에서 임의추출한, 크기가 64인 표본을 조사하였더니 석류 무게의 표본평균의 값이 $\overline{x}$이었다. 이 결과를 이용하여, 이 농가에서 생산하는 석류 무게의 평균 m에 대한 신뢰도 99%의 신뢰구간을 구하면 $\overline{x}-c \leq m \leq \overline{x}+c$이다. c의 값은? (단, 무게의 단위는 g이고, Z가 표준정규분포를 따르는 확률변수일 때 $\mathrm{P}(0 \leq Z \leq 2.58) = 0.495$로 계산한다.) [4점]

① 25.8   ② 21.5   ③ 17.2
④ 12.9   ⑤ 8.6

[2007학년도 교육청]

어떤 도시에 있는 전체 고등학교 학생들의 몸무게는 표준편차가 5kg인 정규분포를 따른다고 한다. 이 도시의 고등학교 학생 전체에 대한 몸무게의 평균을 신뢰도 95%로 추정할 때, 신뢰구간의 길이를 1kg 이하가 되도록 하려고 한다. 조사하여야 할 표본의 크기의 최솟값을 구하시오. (단, $P(0 \le Z \le 1.96) = 0.4750$이다.) [3점]

Act ①

모평균 m을 신뢰도 α%로 추정한 신뢰구간의 길이는

$2k\dfrac{\sigma}{\sqrt{n}}$ $\left(단, P(|Z| \le k) = \dfrac{\alpha}{100}\right)$

임을 이용한다.

해결의 실마리

정규분포 $N(m, \sigma^2)$을 따르는 모집단에서 크기가 n인 표본을 임의추출할 때, 모평균 m을 신뢰도 α%로 추정한 신뢰구간의 길이는

$\Rightarrow 2k\dfrac{\sigma}{\sqrt{n}}$ $\left(단, P(|Z| \le k) = \dfrac{\alpha}{100}\right)$

11

[2016학년도 수능 모의평가]

어느 회사 직원들의 하루 여가 활동 시간은 모평균이 m, 모표준편차가 10인 정규분포를 따른다고 한다. 이 회사 직원 중 n명을 임의추출하여 신뢰도 95%로 추정한 모평균 m에 대한 신뢰구간이 [38.08, 45.92]일 때, n의 값은? (단, 시간의 단위는 분이고, Z가 표준정규분포를 따르는 확률변수일 때 $P(0 \le Z \le 1.96) = 0.475$로 계산한다.) [3점]

① 25   ② 36   ③ 49

④ 64   ⑤ 81

12

[2008학년도 교육청]

정규분포 $N(m, 4)$를 따르는 모집단에서 크기 n인 표본을 임의추출하여 조사한 결과 표본평균이 $\overline{X}$이었다. 모평균 m을 95%의 신뢰도로 추정한 신뢰구간이 $9.608 \le m \le 10.392$일 때, $n + \overline{X}$의 값을 구하시오.

(단, $P(0 \le Z \le 1.96) = 0.475$) [3점]

Very Important Test

01

정규분포를 따르는 모집단에서 크기가 25인 표본을 임의추출하여 구한 표본평균 $\overline{X}$의 분산이 $V(\overline{X})=4$일 때, $\sigma(X)$의 값은? [3점]

① 2   ② 4   ③ 6

④ 8   ⑤ 10

02

정규분포 $N(90,\ 10^2)$을 따르는 모집단에서 크기가 n인 표본을 임의추출할 때, 표본평균 $\overline{X}$의 표준편차가 2이었다. 이때 n의 값을 구하시오. [3점]

03

1, 1, 1, 2, 2, 3의 숫자가 각각 하나씩 적힌 6개의 공이 들어 있는 주머니에서 4개의 공을 임의추출할 때, 4개의 공에 적힌 숫자의 평균을 $\overline{X}$라 하자. 이때 $E(9\overline{X})$의 값은? [3점]

① 12   ② 13   ③ 14

④ 15   ⑤ 16

04

10, 20, 30의 수가 각각 하나씩 적힌 카드가 3장, 4장, 3장씩 들어 있는 상자에서 크기가 n인 표본을 임의추출할 때, 꺼낸 n장의 카드에 적힌 수의 평균을 $\overline{X}$라고 하자. $V(\overline{X})=15$일 때, 자연수 n의 값을 구하시오. [3점]

05

정규분포 $N(80,\ 6^2)$을 따르는 모집단에서 크기가 4인 표본을 임의추출할 때, 표본평균 $\overline{X}$에 대하여 $P(\overline{X}\geq 83)$을 오른쪽 표준정규분포표를 이용하여 구한 것은? [3점]

z	$P(0\leq Z\leq z)$
1.0	0.3413
2.0	0.4772
3.0	0.4987

① 0.0668   ② 0.1587   ③ 0.2255

④ 0.3085   ⑤ 0.3753

06

어느 회사에서 생산되는 제품 한 개의 무게는 평균이 180 g, 표준편차가 8 g인 정규분포를 따른다고 한다. 이 제품 중에서 임의추출한 16개의 무게의 평균이 178 g 이상 184 g 이하일 확률은? (단, Z가 표준정규분포를 따르는 확률변수일 때, $P(0\leq Z\leq 1)=0.3413$, $P(0\leq Z\leq 2)=0.4772$로 계산한다.) [3점]

① 0.5328   ② 0.6247   ③ 0.6678

④ 0.8185   ⑤ 0.9104

07

어느 공장에서 생산되는 건전지의 수명은 평균이 250시간, 표준편차가 5시간인 정규분포를 따른다고 한다. 이 공장에서 생산된 건전지 중에서 크기가 100인 표본을 임의추출하여 구한 표본평균을 $\overline{X}$라 할 때, $P(\overline{X} \geq a) = 0.9772$를 만족시키는 상수 a의 값은? (단, Z가 표준정규분포를 따르는 확률변수일 때, $P(0 \leq Z \leq 2) = 0.4772$로 계산한다.) [3점]

① 247　　　② 249　　　③ 251
④ 253　　　⑤ 255

08

어느 공장에서 생산하는 과자 하나의 무게는 평균 14 g이고 표준편차가 1 g인 정규분포를 따른다고 한다. 이 과자를 4개씩 포장하여 완제품을 만드는데, 완제품 중 그 무게가 52g 이하인 것은 불량품으로 처리한다고 할 때, 이 공장의 제품의 불량률을 오른쪽 표준정규분포를 이용하여 구한 것은? [3점]

z	$P(0 \leq Z \leq z)$
1	0.3413
2	0.4772
3	0.4987

① 0.0228　　　② 0.5328　　　③ 0.6247
④ 0.6678　　　⑤ 0.8185

09

모표준편차가 10인 정규분포를 따르는 모집단에서 크기가 400인 표본을 임의추출하였을 때, 모평균 m에 대한 신뢰도 99 %의 신뢰구간이 $a \leq m \leq b$이다. $a+b=160$일 때, 상수 a의 값은? (단, Z가 표준정규분포를 따르는 확률변수일 때, $P(0 \leq Z \leq 2.58) = 0.495$로 계산한다.) [3점]

① 76.13　　　② 77.42　　　③ 78.71
④ 80　　　⑤ 81.29

10

어느 공장의 기계의 작동 시간은 정규분포를 따른다고 한다. 임의추출한 400대의 기계의 작동 시간을 조사한 결과 평균은 2000시간이고 표준편차는 300시간이었다. 전체 기계의 평균 작동 시간을 신뢰도 95%로 추정한 신뢰구간이 a시간 이상 b시간 이하일 때, $b-a$의 값은? (단, Z가 표준정규분포를 따르는 확률변수일 때, $P(|Z| \leq 2) = 0.95$로 계산한다.) [3점]

① 50　　　② 55　　　③ 60
④ 65　　　⑤ 70

11

모표준편차가 4로 알려진 모집단의 평균을 신뢰도 95 %로 추정하려고 한다. 신뢰구간의 길이가 2 이하가 되도록 할 때, 표본의 크기의 최솟값을 구하시오. (단, Z가 표준정규분포를 따르는 확률변수일 때, $P(|Z| \leq 2) = 0.95$로 계산한다.) [3점]

12

정규분포를 따르는 어느 모집단에서 크기가 5인 표본을 임의추출하여 모평균을 신뢰도 α %로 추정하였더니 신뢰구간의 길이가 20이었다. 동일한 신뢰도로 추정한 신뢰구간의 길이가 5가 되도록 할 때, 표본의 크기는? [3점]

① 20　　　② 40　　　③ 80
④ 125　　　⑤ 160

참 쉬운 3점

정답과 해설

확률과 통계

참 쉬운 3점

정답과 해설

확률과 통계

I 경우의 수

01 여러 가지 순열

pp. 6~7

01. 6 **02.** 4 **03.** 25 **04.** 28 **05.** ③
06. 18

01 4명이 원탁에 둘러앉는 경우의 수는 원순열의 수이므로
$(4-1)!=3!=6$　　　　　　　　　　　　　　답 6

02 부모를 한 묶음으로 생각하여 3명이 원형의 탁자에 둘러앉는 경우의 수는 $(3-1)!=2$
그 각각의 경우에 대하여 부모가 자리를 바꾸어 앉는 경우가 2!가지씩 있으므로
구하는 경우의 수는 $2 \times 2=4$　　　　　　　답 4

03 $_5\Pi_2=5^2=25$　　　　　　　　　　　　답 25

04 $_4P_2+_4\Pi_2=4 \times 3+4^2=12+16=28$　　답 28

05 7개의 문자 중 c가 2개, s가 2개 있으므로 구하는 경우의
수는 $\dfrac{7!}{2!2!}=1260$　　　　　　　　　　답 ③

06 A지점에서 C지점까지 최단 거리로 가는 경우의 수는
$\dfrac{3!}{2!1!}=3$이고
C지점에서 B지점까지 최단 거리로 가는 경우의 수는
$\dfrac{4!}{2!2!}=6$이므로
구하는 경우의 수는 $3 \times 6=18$　　　　　　답 18

유형따라잡기
pp. 8~13

기출유형 **01** ④	**01.** ②	**02.** ②	**03.** 720	**04.** ④
기출유형 **02** ④	**05.** ②	**06.** ②	**07.** ③	**08.** ⑤
기출유형 **03** ③	**09.** ②	**10.** 30	**11.** ③	**12.** 12
기출유형 **04** ①	**13.** ③	**14.** ④	**15.** 64	**16.** ③
기출유형 **05** ①	**17.** 60	**18.** ②	**19.** 73	**20.** ⑤
기출유형 **06** ④	**21.** ⑤	**22.** 24	**23.** ②	**24.** ①

기출유형 **01**

Act ① 서로 다른 n개를 원형으로 배열하는 원순열의 수는
$(n-1)!$임을 이용한다.

서로 다른 5개의 접시를 원형으로 배열하는 경우의 수는
$(5-1)!=4!=24$　　　　　　　　　　　　답 ④

01 **Act ①** 부모를 한 묶음으로 생각하여 원순열의 수를 구하고 부모끼리 바꾸어 앉는 경우의 수를 곱한다.
부모는 이웃하므로 한 묶음으로 생각하여 4명이 원탁에 둘러앉는 경우의 수는
$(4-1)!=6$
부모가 자리를 바꾸는 경우의 수는 $2!=2$
따라서 구하는 경우의 수는
$6 \times 2=12$　　　　　　　　　　　　　　답 ②

02 **Act ①** 이웃하는 것을 한 묶음으로 생각하여 원순열의 수를 구하고 A, B가 자리를 바꾸는 경우의 수를 곱한다.
A와 B를 한 묶음으로 생각해서 5개를 원형으로 배열하는 경우의 수는
$(5-1)!=4!=24$
A와 B가 자리를 바꾸는 경우의 수는 $2!=2$이므로
구하는 경우의 수는
$24 \times 2=48$　　　　　　　　　　　　　답 ②

03 **Act ①** 회장의 자리가 결정되면 부회장의 자리도 결정된다.
회장의 자리가 결정되면 부회장의 자리는 마주 보는 자리로 고정되므로 구하는 경우의 수는 7명이 원탁에 둘러앉는 경우의 수와 같다.
따라서 구하는 경우의 수는
$(7-1)!=720$　　　　　　　　　　　　답 720

[다른 풀이]
회장과 부회장이 마주 보고 앉은 후 나머지 6개의 자리에 6명이 앉으면 되므로 구하는 경우의 수는
$6!=720$

04 **Act ①** 이웃하지 않게 배열하는 경우는 이웃해도 되는 것을 원형으로 먼저 배열한 후 그 사이에 이웃하지 않아야 하는 것을 배열한다.
여학생 4명이 원탁에 둘러앉는 경우의 수는
$(4-1)!=6$
여학생 4명 사이의 4개의 자리 중에서 2개의 자리에 남학생이 앉는 경우의 수는
$_4P_2=12$
따라서 구하는 경우의 수는
$6 \times 12=72$　　　　　　　　　　　　답 ④

기출유형 **02**

Act ① 정삼각형 모양의 탁자에 둘러앉는 경우는 원형으로 둘러앉는 한 가지 경우에 대하여 몇 가지의 다른 경우가 있는지 생각해 본다.
6명의 학생이 원형으로 둘러앉는 경우의 수는
$(6-1)!=120$

이때 다음 그림과 같이 정삼각형 모양의 탁자에 둘러앉는
경우는 원형으로 둘러앉는 한 가지 경우에 대하여 2가지의
서로 다른 경우가 있다.

따라서 구하는 경우의 수는
$120 \times 2 = 240$

답 ④

05 Act❶ 직사각형 모양의 탁자에 둘러앉는 경우는 원형으로 둘러앉
는 한 가지 경우에 대하여 몇 가지의 다른 경우가 있는지 생각해
본다.

6명이 원형으로 둘러앉는 경우의 수는
$(6-1)! = 120$

이때 다음 그림과 같이 직사각형 모양의 탁자에 둘러앉는
경우는 원형으로 둘러앉는 한 가지 경우에 대하여 3가지의
서로 다른 경우가 있다.

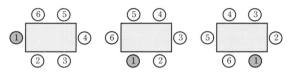

따라서 구하는 경우의 수는
$120 \times 3 = 360$

답 ②

06 Act❶ 정사각형 모양의 탁자에 둘러앉는 경우는 원형으로 둘러앉
는 한 가지 경우에 대하여 몇 가지의 다른 경우가 있는지 생각해
본다.

8명이 원형으로 둘러앉는 경우의 수는
$(8-1)! = 5040$

이때 다음 그림과 같이 정사각형 모양의 탁자에 둘러앉는
경우는 원형으로 둘러앉는 한 가지 경우에 대하여 2가지의
서로 다른 경우가 있다.

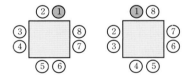

따라서 구하는 경우의 수는
$5040 \times 2 = 10080$

답 ②

07 Act❶ 육각형 모양의 탁자에 둘러앉는 경우는 원형으로 둘러앉
는 한 가지 경우에 대하여 몇 가지의 다른 경우가 있는지 생각해 본
다.

8명이 원형으로 둘러앉는 경우의 수는
$(8-1)! = 5040$

이때 다음 그림과 같이 육각형 모양의 탁자에 둘러앉는 경
우는 원형으로 둘러앉는 한 가지 경우에 대하여 4가지의 서
로 다른 경우가 있다.

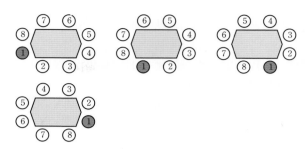

따라서 구하는 경우의 수는
$5040 \times 4 = 20160$

답 ③

08 Act❶ 반원 모양의 탁자에 둘러앉는 경우는 원형으로 둘러앉는
한 가지 경우에 대하여 몇 가지의 다른 경우가 있는지 생각해 본
다.

7명이 원형으로 둘러앉는 경우의 수는
$(7-1)! = 720$

이때 다음 그림과 같이 반원 모양의 탁자에 둘러앉는 경우
는 원형으로 둘러앉는 한 가지 경우에 대하여 7가지의 서로
다른 경우가 있다.

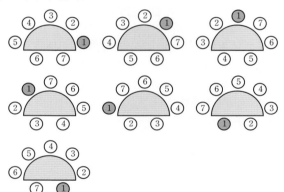

따라서 구하는 경우의 수는
$720 \times 7 = 5040$

답 ⑤

기출유형 03

Act❶ 먼저 기준이 되는 영역을 칠하는 경우의 수를 구하고, 원
순열을 이용하여 나머지 영역을 칠하는 경우의 수를 구한다.

주어진 그림에서 가운데 영역을 칠하는 경우의 수는 5이다.
이때 나머지 영역을 칠하는 경우의 수는 가운데 영역에 칠
한 색을 제외한 나머지 4가지 색을 원형으로 배열하는 원순
열의 수와 같으므로
$(4-1)! = 6$
따라서 구하는 경우의 수는
$5 \times 6 = 30$

답 ③

09 Act❶ 원의 내부에 4가지 색을 칠하는 방법의 수와 나머지 색을
원의 외부에 칠하는 방법의 수를 구해서 곱한다.

(i) 원의 내부 영역에 칠할 4가지 색을 선택하고 칠하는 방
법의 수는 $_8C_4 \times (4-1)!$

(ii) 나머지 4가지 색을 원의 외부 영역에 칠하는 방법의 수
는 4!

(i), (ii)에 의하여 $_8C_4 \times (4-1)! \times 4! = \dfrac{8!}{4}$ 　　　　답 ②

10 **Act ①** 특정한 색을 밑면에 칠하고 원순열을 이용하여 옆면을 칠하는 경우의 수를 구한다.

정사각뿔의 밑면을 칠하는 경우의 수는 5이고, 밑면에 칠한 색을 제외한 나머지 4가지 색을 옆면에 칠하는 경우의 수는 $(4-1)! = 6$

따라서 구하는 경우의 수는 $5 \times 6 = 30$ 　　　　답 30

11 **Act ①** 빨간색이 칠해지는 자리가 결정되면 파란색이 칠해지는 자리도 결정된다.

빨간색이 칠해지는 자리가 결정되면 파란색이 칠해지는 자리는 맞은편의 자리로 고정되므로 구하는 경우의 수는 서로 다른 5개의 색을 원형으로 칠하는 경우의 수와 같다.

따라서 구하는 경우의 수는

$(5-1)! = 24$ 　　　　답 ③

12 **Act ①** 순열을 이용하여 원판에 나머지 4가지 색을 칠하는 경우의 수를 구하고, 회전하여 같은 경우가 되는 것은 한 가지 방법으로 센다.

8등분된 원판에서 이미 색이 칠해진 A, B를 제외하고 나머지 4개 영역에 4가지 색을 칠하는 방법의 수는 4!

각 경우에 대하여 회전하여 같은 경우가 되는 것은 다음과 같이 2가지 경우가 있다.

따라서 구하는 경우의 수는 $\dfrac{4!}{2} = 12$ 　　　　답 12

기출유형 04

Act ① 서로 다른 4개에서 중복을 허락하여 5개를 택하여 일렬로 나열하는 중복순열의 수와 같다.

서로 다른 종류의 연필 5자루를 4명의 학생 A, B, C, D에게 나누어 주는 경우의 수는 A, B, C, D에서 5개를 택하는 중복순열의 수와 같으므로

$_4\Pi_5 = 4^5 = 1024$ 　　　　답 ①

13 **Act ①** 5의 배수는 일의 자리의 수가 5이고 나머지 3자리에 들어갈 수 있는 수는 모두 5개씩이다.

일의 자리 수는 5이어야 하고 나머지 3자리에 들어갈 수 있는 수의 개수는 중복을 허락하므로 모두 5개씩이다.

따라서 구하는 경우의 수는 $_5\Pi_3 = 5^3 = 125$ 　　　　답 ③

14 **Act ①** 세 자리 자연수가 홀수이려면 일의 자리의 숫자는 홀수이어야 함을 이용한다.

세 자리 자연수가 홀수이려면 일의 자리의 숫자는 홀수이어야 하므로

일의 자리의 숫자를 택하는 경우의 수는 $_3C_1$

백의 자리와 십의 자리의 숫자를 택하는 경우의 수는 $_5\Pi_2$

따라서 세 자리 자연수가 홀수인 경우의 수는

$_3C_1 \times _5\Pi_2 = 3 \times 5^2 = 75$ 　　　　답 ④

15 **Act ①** 주어진 조건 중에서 중복이 가능한 것의 개수를 찾아 n으로 놓고, 중복순열의 수 $_n\Pi_r$를 이용한다.

6명이 2명의 후보에게 투표하는 경우의 수는 서로 다른 2개에서 6개를 택하는 중복순열의 수와 같으므로

$_2\Pi_6 = 2^6 = 64$ 　　　　답 64

16 **Act ①** $n(X) = a$, $n(Y) = b$일 때, X에서 Y로의 함수의 개수는 $_b\Pi_a$, 일대일함수의 개수는 $_bP_a$ ($b \geq a$)임을 이용한다.

(i) X에서 Y로의 함수의 개수는 Y의 원소 a, b, c, d, e의 5개에서 3개를 택하는 중복순열의 수와 같으므로

　　$m = _5\Pi_3 = 5^3 = 125$

(ii) X에서 Y로의 일대일함수의 개수는 Y의 원소 a, b, c, d, e의 5개에서 3개를 택하는 순열의 수와 같으므로

　　$n = _5P_3 = 60$

(i), (ii)에서 $m - n = 125 - 60 = 65$ 　　　　답 ③

기출유형 05

Act ① n개 중에서 같은 것이 각각 p개, q개씩 있을 때, n개를 모두 일렬로 나열하는 순열의 수는 $\dfrac{n!}{p!q!}$ (단, $p+q=n$)임을 이용한다.

양 끝에 흰색이 놓이면, 가운데 5개는 흰색 깃발 3개, 파란색 깃발 5개를 일렬로 나열해야 하므로 구하는 경우의 수는

$\dfrac{8!}{3!5!} = \dfrac{8 \times 7 \times 6}{3 \times 2 \times 1} = 56$ 　　　　답 ①

17 **Act ①** 순서가 정해져 있는 숫자 또는 문자를 모두 같은 것으로 생각한다.

4, 5, 6의 순서가 6, 5, 4로 정해져 있으므로 4, 5, 6을 모두 a로 생각하여 2, 2, 3, a, a, a를 일렬로 나열한 후, 첫 번째 a는 6, 두 번째 a는 5, 세 번째 a는 4로 바꾸면 된다.

따라서 구하는 경우의 수는

$\dfrac{6!}{2!3!} = 60$ 　　　　답 60

18 **Act ①** 순서가 정해져 있는 숫자 또는 문자를 모두 같은 것으로 생각한다.

2, 4는 순서가 2, 4로 정해져 있으므로 2, 4를 모두 a로 생각하고, 홀수 1, 3, 5도 순서가 1, 3, 5로 정해져 있으므로 b, b, b로 생각하여 나열한 경우의 수와 같다.

따라서 구하는 경우의 수는

2, 4를 a, a로, 1, 3, 5를 b, b, b로 치환하여

a, a, b, b, b, 6을 일렬로 배열한 경우의 수와 같다.

$$\therefore \frac{6!}{2!3!}=60$$

답 ②

[다른 풀이]
□□□□□□에 대하여 2, 4와 1, 3, 5의 순서가 정해진 나열이므로
6개의 자리에서 2, 4가 들어갈 2개를 선택하는 경우의 수: $_6C_2$
남은 4개의 자리에서 1, 3, 5가 들어갈 3개를 선택하는 경우의 수: $_4C_3$
$\therefore _6C_2 \times _4C_3 = 15 \times 4 = 60$

19 Act① 포함되는 A의 개수에 따라 경우의 수를 구한다.

A의 개수에 따라 분류하면
A가 3개인 경우의 수는 1
A가 2개인 경우의 수는 $_4C_1 \times \frac{3!}{2!}=12$
A가 1개인 경우의 수는 $_4C_2 \times 3! = 36$
A가 0개인 경우의 수는 $_4P_3 = 24$
따라서 구하는 경우의 수는
$1+12+36+24=73$

답 73

20 Act① 짝수를 먼저 배열하고 나머지 자리에 홀수를 배열하는 경우의 수를 구한다.

짝수 번째 자리 3곳 중 2곳에 2, 2를 배열하는 경우의 수는 $_3C_2$
2곳을 제외한 나머지 4곳에 1, 3, 3, 3을 배열하는 경우의 수는 $\frac{4!}{3!}$
따라서 구하는 경우의 수는 $_3C_2 \times \frac{4!}{3!}=12$

답 ⑤

기출유형 **06**

Act① 반드시 지나야 하는 지점을 경계로 나누어 생각한다.

A지점에서 C지점까지 최단 거리로 가는 경우의 수는
$\frac{4!}{2!2!}=6$
C지점에서 B지점까지 최단 거리로 가는 경우의 수는
$\frac{4!}{2!2!}=6$
따라서 구하는 경우의 수는 $6 \times 6 = 36$

답 ④

21 Act① 반드시 지나야 하는 지점 P를 경계로 나누어 생각한다.

A지점에서 P지점까지 최단 거리로 가는 경우의 수는
$\frac{4!}{2!2!}=6$
P지점에서 B지점까지 최단 거리로 가는 경우의 수는
$\frac{4!}{3!1!}=4$

따라서 구하는 경우의 수는
$6 \times 4 = 24$

답 ⑤

22 Act① 반드시 지나야 하는 지점 P, Q를 경계로 나누어 생각한다.

A지점에서 P지점까지 최단 거리로 가는 경우의 수는 2
P지점에서 Q지점까지 최단 거리로 가는 경우의 수는 2
Q지점에서 B지점까지 최단 거리로 가는 경우의 수는
$\frac{4!}{2!2!}=6$
따라서 구하는 경우의 수는
$2 \times 2 \times 6 = 24$

답 24

23 Act① A지점에서 C, D지점을 지나지 않고 B지점까지 가기 위해 반드시 지나야 하는 지점을 찾는다.

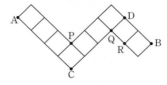

그림과 같이 C지점과 D지점을 지나지 않으려면 P지점과 Q지점은 반드시 지나야 한다.
A → P로 가는 경우의 수는 $\frac{4!}{3!1!}=4$
P → Q로 가는 경우의 수는 $\frac{3!}{2!1!}=3$
Q → R로 가는 경우의 수는 1
R → B로 가는 경우의 수는 2
따라서 구하는 경우의 수는
$4 \times 3 \times 1 \times 2 = 24$

답 ②

24 Act① 끊어져 있는 부분을 연결하여 경우의 수를 구한 다음 연결한 부분을 거쳐서 가는 경우의 수를 뺀다.

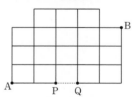

선분 PQ가 연결되었을 때, A에서 B까지 최단 거리로 가는 경우의 수는 $\frac{8!}{5! \times 3!} = \frac{8 \times 7 \times 6}{3 \times 2 \times 1} = 56$
이때 A에서 선분 PQ를 거쳐 B까지 최단 거리로 가려면
A → P → Q → B로 이동해야 하므로 경우의 수는
$1 \times 1 \times \frac{5!}{2!3!} = 10$
따라서 구하는 방법의 수는
(A에서 B까지 최단 거리로 가는 경우의 수)−(A에서 선분 PQ를 거쳐서 B까지 최단 거리로 가는 경우의 수)이므로
$56 - 10 = 46$

답 ①

01

남학생 6명 중 2명을 뽑는 경우의 수는 $_6C_2$

뽑힌 남학생 2명을 한 명으로 생각하여 4명을 원탁에 앉히는 원순열의 수는 3!

남학생끼리 자리를 바꾸어 앉는 경우의 수는 2!

따라서 구하는 경우의 수는 $_6C_2 \times 3! \times 2! = 180$

답 ③

02

남자 5명이 원탁에 둘러앉은 뒤 여자 3명이 남학생들 사이에 앉으면 된다. 남학생들이 앉는 경우의 수는

$(5-1)! = 24$

여학생들이 남학생들 사이에 앉는 경우의 수는 $_5P_3 = 60$

따라서 구하는 경우의 수는

$24 \times 60 = 1440$

답 ③

03

A, B를 한 사람으로 생각하고 D, E, F, G와 같이 원형의 탁자에 둘러앉는 경우의 수는

$(5-1)! = 4!$

그 각각의 경우에 대하여 A와 B가 서로 자리를 바꾸어 앉는 경우의 수는 2!

그 각각의 경우에 대하여 그 사이사이에 C가 A와 이웃하지 않게 앉을 수 있는 경우의 수는 4

따라서 구하는 경우의 수는

$4! \times 2! \times 4 = 192$

답 ①

04

5통의 편지를 3개의 우체통에 넣는 방법의 수는 중복순열이므로

$_3\Pi_5 = 3^5 = 243$

답 ⑤

05

두 개 이상의 봉지가 비어 있을 수 없으므로 전체 경우의 수에서 한 봉지에 사탕이 모두 들어가는 경우의 수를 빼면

$_3\Pi_5 - 3 = 240$

답 ⑤

06

성은이와 동환이를 한 명으로 생각하면, 6명의 학생이 A, B, C 반으로 가는 경우의 수이므로 $_3\Pi_6 = 3^6 = 729$

답 ⑤

07

천의 자리 숫자가 될 수 있는 것은

1, 2, 3, 4, 5의 5개

백의 자리, 십의 자리 숫자가 될 수 있는 것은 0, 1, 2, 3, 4, 5의 6개이므로 그 경우의 수는 $_6\Pi_2$

일의 자리 숫자가 될 수 있는 것은 0, 2, 4의 3개

따라서 구하는 짝수의 개수는

$5 \times _6\Pi_2 \times 3 = 5 \times 6^2 \times 3 = 540$

답 540

08

빨간 구슬 3개, 파란 구슬 4개, 노란 구슬 1개를 일렬로 나열하는 경우의 수이므로 $\dfrac{8!}{3! \times 4!} = 280$

답 ④

09

N, E, T를 하나로 묶으면 모두 6개이고 그 중에 O가 세 개이므로 이를 일렬로 배열하는 경우의 수는 $\dfrac{6!}{3!}$ 이고, N, E, T를 일렬로 배열하는 경우의 수는 3!이다.

따라서 구하는 경우의 수는

$\dfrac{6!}{3!} \times 3! = 720$

답 ⑤

10

숫자 1, 2, 3이 순서대로 배열되어야 하므로 숫자를 모두 같은 것으로 생각하고, 알파벳 a, b, c도 모두 같은 것으로 생각하여 1, 1, 1, a, a, a를 일렬로 나열한 후 두 번째 1은 2로, 세 번째 1은 3으로 바꾸고, 두 번째 a는 b로, 세 번째 a는 c로 바꾸면 된다.

따라서 구하는 경우의 수는

$\dfrac{6!}{3! \times 3!} = 20$

답 ①

11

일의 자리 수가 0일 때 $\dfrac{6!}{2! \times 3!} = 60$

일의 자리 수가 2일 때 0은 맨 앞에 올 수 없으므로

$\dfrac{6!}{2! \times 2!} - \dfrac{5!}{2! \times 2!} = 150$

따라서 구하는 방법의 수는

$60 + 150 = 210$

답 ③

12

그림에서 A에서 B로 가는 최단 경로의 수는

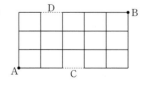

$\dfrac{8!}{5! \times 3!} = 56$

A에서 C를 거쳐서 B로 가는 최단 경로의 수는 $\dfrac{5!}{2! \times 3!} = 10$

A에서 D를 거쳐서 B로 가는 최단 경로의 수는 $\dfrac{4!}{3!} = 4$

따라서 구하는 경로의 수는

$56 - 10 - 4 = 42$

답 ①

02 중복조합

01. 10	**02.** 5	**03.** 126	**04.** 28	**05.** 56
06. 171	**07.** 20	**08.** 35		

01 $_4H_2={}_{4+2-1}C_2={}_5C_2=10$ 답 10

02 $_3H_n={}_{3+n-1}C_n={}_{n+2}C_n={}_{n+2}C_2=\dfrac{(n+2)(n+1)}{2}=21$이므로

$n^2+3n-40=0$

$(n-5)(n+8)=0$

n이 자연수이므로 $n=5$ 답 5

03 $_3H_r={}_{3+r-1}C_r={}_{r+2}C_r={}_7C_2$

$\therefore r=5$

$_5H_5={}_{5+5-1}C_5={}_9C_5={}_9C_4=\dfrac{9\times8\times7\times6}{4\times3\times2\times1}=126$ 답 126

04 구하는 항의 개수는 3개의 문자 a, b, c 중에서 6개를 택하는 중복조합의 수와 같으므로

$_3H_6={}_{3+6-1}C_6={}_8C_6={}_8C_2=28$ 답 28

05 구하는 항의 개수는 4개의 문자 a, b, c, d 중에서 5개를 택하는 중복조합의 수와 같으므로

$_4H_5={}_{4+5-1}C_5={}_8C_5={}_8C_3=56$ 답 56

06 순서쌍 (x, y, z)의 개수는 서로 다른 세 문자 x, y, z에서 중복을 허락하여 17개를 뽑는 중복조합의 수와 같으므로

$_3H_{17}={}_{3+17-1}C_{17}={}_{19}C_{17}={}_{19}C_2=171$ 답 171

07 Y의 원소 1, 2, 3, 4, 5, 6 중에서 3개를 택하여

$f(1)<f(2)<f(3)$

으로 놓으면 되므로 서로 다른 6개 중에서 3개를 택하는 조합의 수와 같다.

$\therefore {}_6C_3=\dfrac{6\times5\times4}{3\times2\times1}=20$ 답 20

08 Y의 원소 1, 2, 3, 4, 5 중에서 중복을 허용하여 3개를 택하여 $f(1)\le f(2)\le f(3)$으로 놓으면 되므로 서로 다른 5개 중에서 중복을 허용하여 3개를 택하는 중복조합의 수와 같다.

$\therefore {}_5H_3={}_7C_3=\dfrac{7\times6\times5}{3\times2\times1}=35$ 답 35

유형따라잡기

기출유형 **01** 15	**01.** ②	**02.** ⑤	**03.** 8	**04.** ④
기출유형 **02** ②	**05.** ②	**06.** ①	**07.** 130	**08.** 84
기출유형 **03** 35	**09.** ①	**10.** ③	**11.** ③	**12.** ④
기출유형 **04** 20	**13.** 6	**14.** 12	**15.** ①	

Act① 서로 다른 n개에서 r개를 택하는 중복조합의 수는 $_nH_r={}_{n+r-1}C_r$임을 이용한다.

서로 다른 3개에서 중복을 허용하여 4개를 택하는 중복조합의 수와 같으므로

$_3H_4={}_{3+4-1}C_4={}_6C_4={}_6C_2=\dfrac{6\times5}{2}=15$ 답 15

01 **Act①** 중복조합을 이용하여 각 종류의 구슬을 서로 다른 세 상자에 나누어 담는 경우의 수를 구한다.

(ⅰ) 같은 종류의 검은 구슬 5개를 서로 다른 세 상자에 모두 넣는 경우의 수는 서로 다른 3개에서 5개를 택하는 중복조합의 수와 같으므로

$_3H_5={}_{3+5-1}C_5={}_7C_5={}_7C_2=21$

(ⅱ) 같은 종류의 흰 구슬 2개를 서로 다른 세 상자에 모두 넣는 경우의 수는 서로 다른 3개에서 2개를 택하는 중복조합의 수와 같으므로

$_3H_2={}_{3+2-1}C_2={}_4C_2=6$

(ⅰ), (ⅱ)에 의하여 구하는 경우의 수는 $21\times6=126$ 답 ②

02 **Act①** 중복조합을 이용하여 각각의 음료수를 나누어 주는 경우의 수를 구한다.

(ⅰ) 같은 종류의 주스 4병을 3명에게 남김없이 나누어 주는 경우의 수는 서로 다른 3개에서 4개를 택하는 중복조합의 수와 같으므로

$_3H_4={}_{3+4-1}C_4={}_6C_4={}_6C_2=\dfrac{6\times5}{2\times1}=15$

(ⅱ) 같은 종류의 생수 2병을 3명에게 남김없이 나누어 주는 경우의 수는 서로 다른 3개에서 2개를 택하는 중복조합의 수와 같으므로

$_3H_2={}_{3+2-1}C_2={}_4C_2=\dfrac{4\times3}{2\times1}=6$

(ⅲ) 우유 1병을 3명에게 남김없이 나누어 주는 경우의 수는

$_3C_1=3$

(ⅰ)~(ⅲ)에 의하여 구하는 경우의 수는 $15\times6\times3=270$ 답 ⑤

03 **Act①** 7개의 공을 B, C에게 남김없이 나누어 주는 경우의 수를 구한다.

A가 공을 3개만 받도록 나누어 주는 경우의 수는 공 10개 중에서 A가 받은 3개를 제외한 7개의 공을 B, C 두 사람에게 나누어 주는 경우의 수와 같으므로

$_2H_7={}_{2+7-1}C_7={}_8C_7={}_8C_1=8$ 답 8

04 **Act①** 숫자 4가 한 개 포함된 경우와 포함되지 않는 경우로 나누어 구한다.

(ⅰ) 숫자 4가 한 개 포함된 경우

1, 2, 3에서 4개를 택하는 중복조합의 수와 같으므로 이 경우의 수는

$_3H_4={}_{3+4-1}C_4={}_6C_4={}_6C_2=15$

(ⅱ) 숫자 4가 포함되지 않는 경우

1, 2, 3에서 5개를 택하는 중복조합의 수와 같으므로 이

친절한 해설 • **7**

경우의 수는
$$_3H_5 =_{3+5-1}C_5 =_7C_5 =_7C_2 = 21$$
(i), (ii)에 의하여 구하는 경우의 수는
$$15+21=36$$ 답 ④

기출유형 02

Act❶ 3종류에서 각각 1개씩 뽑은 후 3종류에서 5개를 뽑는 중복조합의 수를 이용한다.

8개의 아이스크림 중 각 종류의 아이스크림을 1개씩 고르고 난 후 3종류의 아이스크림 중에서 5개의 아이스크림을 중복을 허용하여 고르면 되므로
$$_3H_5 =_{3+5-1}C_5 =_7C_5 =_7C_2 = \frac{7\times6}{2\times1} = 21$$ 답 ②

05 **Act❶** 중복조합을 이용하여 m의 값을 구하고 3종류를 적어도 하나씩 포함하여 m개를 뽑는 중복조합의 수를 구한다.

고구마피자, 새우피자, 불고기피자 중에서 m개를 주문하는 경우의 수는 고구마피자, 새우피자, 불고기피자 중에서 m개를 택하는 중복조합의 수와 같으므로
$$_3H_m =_{3+m-1}C_m =_{m+2}C_m =_{m+2}C_2$$
$$=_{m+2}C_2 = \frac{(m+2)(m+1)}{2\times1}$$
즉 $\frac{(m+2)(m+1)}{2\times1} = 36$이므로
$$m^2+3m+2=72, \ m^2+3m-70=0$$
$$(m+10)(m-7)=0$$
$$\therefore m=7 \ (\because m은 \ 자연수)$$
이때 고구마피자, 새우피자, 불고기피자를 적어도 하나씩 포함하여 7개를 주문하는 경우의 수는 서로 다른 세 종류에서 4개를 택하는 중복조합의 수와 같으므로
$$_3H_4 =_{3+4-1}C_4 =_6C_4 =_6C_2$$
$$=\frac{6\times5}{2\times1} = 15$$ 답 ②

06 **Act❶** 중복조합을 이용하여 2명의 학생에게 선물 4개를 나누어 주는 경우의 수를 구한다.

4명의 학생 중에서 선물을 받을 2명을 택하는 경우의 수는
$$_4C_2 = 6$$
위에서 택한 2명에게 4개의 선물을 적어도 하나씩 나누어 주는 방법의 수는 각각 하나씩 나누어 주고 남은 2개에서 2개를 택하는 중복조합의 수와 같으므로
$$_2H_2 =_{2+2-1}C_2 =_3C_2 =_3C_1 = 3$$
따라서 구하는 경우의 수는 $6\times3=18$ 답 ①

07 **Act❶** 중복조합을 이용하여 전체 경우의 수에서 모두 1개 이상을 받는 경우의 수를 뺀다.

4명의 학생에게 8자루의 연필 모두를 중복을 허용하여 나누어 주는 경우의 수는
$$_4H_8 =_{4+8-1}C_8 =_{11}C_8 =_{11}C_3 = 165$$
4명의 학생이 연필을 한 자루 이상 받는 경우는 한 자루씩 나누어 준 후 나머지 4자루를 4명에게 중복하여 나누어 주

면 되므로 경우의 수는 $_4H_4 =_{4+4-1}C_4 =_7C_4 =_7C_3 = 35$
따라서 구하는 경우의 수는
$$165-35=130$$ 답 130

08 **Act❶** 빈 상자를 선택하고 다른 3개의 상자에는 적어도 1개 이상의 공이 들어 있음을 이용한다.

서로 다른 4개의 상자 중 빈 상자를 선택하는 경우의 수는 4
이때 다른 3개의 상자에 1개씩 공을 넣은 후 나머지 5개의 공을 중복을 허용하여 3개의 상자에 넣는 경우의 수는
$$_3H_5 =_7C_5 =_7C_2 = 21$$
따라서 구하는 경우의 수는
$$4\times21=84$$ 답 84

기출유형 03

Act❶ $x_1+x_2+\cdots+x_n=r$ (r는 자연수)의 음이 아닌 정수해의 개수는 $_nH_r$임을 이용한다.

순서쌍 (x, y, z, w)의 개수는 서로 다른 4문자 x, y, z, w 중에서 중복을 허락하여 4개를 택하는 중복조합의 수와 같으므로
$$_4H_4 =_{4+4-1}C_4 =_7C_4 =_7C_3 = \frac{7\times6\times5}{3\times2\times1} = 35$$ 답 35

09 **Act❶** $x_1+x_2+\cdots+x_n=r$ (r는 자연수)의 양의 정수해의 개수는 $_nH_{r-n}$임을 이용한다.

$x+y+z=7$의 양의 정수해의 개수는
$(x'+1)+(y'+1)+(z'+1)=7$의 음이 아닌 정수해의 개수와 같으므로
$$_3H_4 =_{3+4-1}C_4 =_6C_4 =_6C_2 = 15$$ 답 ①

10 **Act❶** 음이 아닌 정수해의 개수를 구할 수 있도록 식을 변형한다.

방정식 $x+y+z=4$를 만족시키는 -1 이상의 정수해의 개수는 $(x'-1)+(y'-1)+(z'-1)=4$의 음이 아닌 정수 정수해의 개수와 같으므로
$$_3H_7 =_{3+7-1}C_7 =_9C_7 =_9C_2$$
$$=\frac{9\times8}{2\times1} = 36$$ 답 ③

11 **Act❶** $w=1$, $w=2$인 경우로 나누어 $x_1+x_2+\cdots+x_n=r$ (r는 자연수)의 양의 정수해의 개수는 $_nH_{r-n}$임을 이용한다.

$w=1$일 때 $x+y+z=9$ (x, y, z는 자연수)이므로
$$_3H_6 =_{3+6-1}C_6 =_8C_6 =_8C_2 = 28$$
$w=2$일 때 $x+y+z=4$ (x, y, z는 자연수)이므로
$$_3H_1 =_3C_1 = 3$$
따라서 구하는 순서쌍의 개수는 $28+3=31$ 답 ③

12 **Act❶** 구하는 순서쌍의 개수는 3부터 10까지 8개의 자연수에서 4개를 택하는 중복조합의 수임을 생각한다.

구하는 순서쌍 (a, b, c, d)의 개수는 3부터 10까지 8개의 자연수에서 중복을 허용하여 4개를 택해 $a\le b\le c\le d$로 놓으면 되므로 서로 다른 8개에서 4개를 택하는 중복조합의 수와 같다.

$$\therefore {}_8H_4={}_{8+4-1}C_4={}_{11}C_4$$
$$=\frac{11\times10\times9\times8}{4\times3\times2\times1}=330$$

답 ④

기출유형 04

Act❶ $n(X)=m$, $n(Y)=n$일 때 $i<j$이면 $f(i)\le f(j)$인 함수의 개수는 ${}_nH_m$임을 이용한다. (단, $i\in X$, $j\in X$)

Y의 원소 1, 2, 3, 4 중에서 중복을 허용하여 3개를 택하여 $f(1)\le f(2)\le f(3)$으로 놓으면 되므로 서로 다른 4개에서 중복을 허용하여 3개를 택하는 중복조합의 수와 같다.

$$\therefore {}_4H_3={}_6C_3=\frac{6\times5\times4}{3\times2\times1}=20$$

답 20

13 **Act❶** $n(X)=m$, $n(Y)=n$일 때 $i<j$이면 $f(i)\le f(j)$인 함수의 개수는 ${}_nH_m$임을 이용한다. (단, $i\in X$, $j\in X$)

n개에서 중복을 허용하여 3개를 택하는 중복조합의 개수가 56이므로

$$_nH_3={}_{n+3-1}C_3=\frac{(n+2)(n+1)n}{3\times2\times1}=56$$
$$(n+2)(n+1)n=56\times6=8\times7\times6$$
$$\therefore n=6$$

답 6

14 **Act❶** $f(1)\le f(2)=5\le f(3)\le f(4)$를 만족하는 중복조합의 수를 구한다.

주어진 조건에 의하여
$$f(1)\le f(2)=5\le f(3)\le f(4)$$
이므로 $f(1)$의 값은 Y의 원소 4, 5 중에서 하나를 택하고 $f(3)$, $f(4)$의 값은 Y의 원소 5, 6, 7 중에서 중복을 허용하여 2개를 택하여 크기순으로 대응시키면 된다.

따라서 구하는 함수 f의 개수는
$$2\times{}_3H_2=2\times{}_4C_2=12$$

답 12

15 **Act❶** $f(1)\le f(2)\le f(3)=5\le f(4)\le f(5)$를 만족하는 중복조합의 수를 구한다.

주어진 조건에 의하여
$$f(1)\le f(2)\le f(3)=5\le f(4)\le f(5)$$
이므로 $f(1)$, $f(2)$의 값은 Y의 원소 1, 2, 3, 4, 5 중에서 중복을 허용하여 2개를 택하여 크기순으로 대응시키고, $f(4)$, $f(5)$의 값은 Y의 원소 5, 6, 7, 8, 9 중에서 중복을 허용하여 2개를 택하여 크기순으로 대응시키면 된다.

따라서 구하는 함수 f의 개수는
$$_5H_2\times{}_5H_2={}_{5+2-1}C_2\times{}_{5+2-1}C_2$$
$$={}_6C_2\times{}_6C_2=15\times15=225$$

답 ①

VIT **V**ery **I**mportant **T**est　　pp. 22~23

01. ③	02. ②	03. ④	04. 28	05. ③
06. ④	07. ②	08. 21	09. ③	10. ③
11. 75	12. 25			

01

$(a+b)^8(p+q+r)^6$의 전개식에서 서로 다른 항의 개수는
$$_2H_8\times{}_3H_6={}_9C_8\times{}_8C_6={}_9C_1\times{}_8C_2$$
$$=9\times28=252$$

답 ③

02

8개의 공을 서로 다른 4개의 상자에 넣는 방법의 수는 4개의 서로 다른 것에서 중복을 허락하여 8개를 택하는 중복조합의 수이므로
$$_4H_8={}_{4+8-1}C_8={}_{11}C_8={}_{11}C_3=165$$

답 ②

03

먼저 각 상자에 사탕을 한 개씩 넣은 후에 나머지 7개의 사탕을 3개의 상자에 넣으면 된다. 이는 서로 다른 3개에서 중복을 허락하여 7개를 뽑는 중복조합의 수와 같으므로
$$_3H_7={}_{3+7-1}C_7={}_9C_7={}_9C_2=36$$

답 ④

04

먼저 세 명의 학생에게 각각 3자루씩 나누어 준 후 나머지 6자루를 3명의 학생에게 나누어 주면 된다. 이는 서로 다른 3개에서 중복을 허락하여 6개를 뽑는 중복조합의 수와 같으므로
$$_3H_6={}_8C_6={}_8C_2=28$$

답 28

05

서로 다른 2개의 공을 서로 다른 4개의 상자에 나누어 넣는 방법의 수는
$$_4\Pi_2=4^2=16$$
서로 구별이 안 되는 4개의 구슬을 서로 다른 4개의 상자에 나누어 넣는 방법의 수는
$$_4H_4={}_{4+4-1}C_3={}_7C_3=\frac{7\times6\times5}{3\times2\times1}=35$$
따라서 구하는 방법의 수는
$$16\times35=560$$

답 ③

06

볼펜 5개를 3명에게 나누어 주는 경우의 수는 서로 다른 3개에서 5개를 선택하는 중복조합의 수이므로
$$_3H_5={}_{3+5-1}C_5={}_7C_5={}_7C_2=\frac{7\times6}{2\times1}=21$$
연필 4개를 3명에게 나누어 주는 경우의 수는 서로 다른 3개에서 4개를 선택하는 중복조합의 수이므로
$$_3H_4={}_{3+4-1}C_4={}_6C_4={}_6C_2=\frac{6\times5}{2\times1}=15$$
따라서 구하는 경우의 수는
$$21\times15=315$$

답 ④

07

$_3H_n={}_{n+2}C_n={}_{n+2}C_2$에서
$_{n+2}C_2=136$이므로
$$\frac{(n+2)(n+1)}{2}=136,\ (n+2)(n+1)=272$$

$n^2+3n-270=0$, $(n+18)(n-15)=0$
$\therefore n=15$ 　　　　　　　　　　　　　　　　답 ②

08

$x=2l$, $y=2m$, $z=2n$ (단, l, m, n은 자연수)라 하면,
$l+m+n=8$이 된다.
따라서 조건을 만족시키는 순서쌍 $(l$, m, $n)$의 개수는 방정식
$(l'+1)+(m'+1)+(n'+1)=8$을 만족시키는 음이 아닌 정수
해의 순서쌍 $(l'$, m', $n')$의 개수와 같으므로
${}_3H_5={}_{3+5-1}C_5={}_7C_5={}_7C_2=21$ 　　　　　　답 21

09

$x+y+z=12$ $(x\geq1$, $y\geq2$, $z\geq3$인 정수)를 만족시키는 정수해
의 개수는
$(x'+1)+(y'+2)+(z'+3)=12$를 만족시키는 음이 아닌 정수
해의 개수와 같으므로
${}_3H_6={}_{3+6-1}C_6={}_8C_6={}_8C_2=28$ 　　　　　　　답 ③

10

x, y는 홀수이고, z, w는 짝수이므로
$x=2x'+1$, $y=2y'+1$, $z=2z'+2$, $w=2w'+2$
(단, x', y', z', w'은 0 이상의 정수)
로 놓으면
$2x'+1+2y'+1+2z'+2+2w'+2=12$
$\therefore x'+y'+z'+w'=3$
따라서 조건을 만족시키는 순서쌍 $(x$, y, z, $w)$의 개수는 방정
식 $x'+y'+z'+w'=3$을 만족시키는 음이 아닌 정수해의 순서쌍
$(x'$, y', z', $w')$의 개수와 같으므로
${}_4H_3={}_6C_3=\dfrac{6\times5\times4}{3\times2\times1}=20$ 　　　　　　　답 ③

11

(ⅰ) $f(1)=2$, $f(4)=6$인 경우:
　　$f(2)$와 $f(3)$의 값은 2, 3, 4, 5, 6 중에서 중복을 허용하여 2
　　개를 택하여 크기순으로 대응시키고, $f(5)$와 $f(6)$의 값은 6,
　　7 중에서 중복을 허용하여 2개를 택하여 대응시키면 되므로
　　${}_5H_2\times{}_2H_2={}_6C_2\times{}_3C_2=15\times3=45$
(ⅱ) $f(1)=3$, $f(4)=4$인 경우:
　　$f(2)$와 $f(3)$의 값은 3, 4 중에서 중복을 허용하여 2개를 택하
　　여 크기순으로 대응시키고, $f(5)$와 $f(6)$의 값은 4, 5, 6, 7
　　중에서 중복을 허용하여 2개를 택하여 크기순으로 대응시키
　　면 되므로
　　${}_2H_2\times{}_4H_2={}_3C_2\times{}_5C_2=3\times10=30$
따라서 (ⅰ), (ⅱ)에 의하여 구하는 함수의 개수는
$45+30=75$ 　　　　　　　　　　　　　　　　　답 75

12

조건 (가), (나)에서 $f(2)+f(3)$의 값이 6이 되는 순서쌍
$(f(2)$, $f(3))$은 $(3, 3)$, $(4, 2)$, $(5, 1)$의 3가지이다.
(ⅰ) $f(2)=3$, $f(3)=3$일 때, 조건 (나)에 의하여
　　$f(1)\geq f(2)=f(3)=3\geq f(4)\geq f(5)$이므로 함수의 개수는

$3\times{}_3H_2=3\times{}_4C_2=18$
(ⅱ) $f(2)=4$, $f(3)=2$일 때, 조건 (나)에 의하여
　　$f(1)\geq f(2)=4\geq f(3)=2\geq f(4)\geq f(5)$이므로
　　함수의 개수는
　　$2\times{}_2H_2=2\times{}_3C_2=6$
(ⅲ) $f(2)=5$, $f(3)=1$일 때, 조건 (나)에 의하여
　　$f(1)\geq f(2)=5\geq f(3)=1\geq f(4)\geq f(5)$이므로
　　함수의 개수는
　　$f(1)=5$, $f(4)=f(5)=1$의 1
(ⅰ), (ⅱ), (ⅲ)에 의하여 구하는 함수 f의 개수는
$18+6+1=25$ 　　　　　　　　　　　　　　　답 25

03 이항정리
pp. 24~25

01. ②	02. 210	03. 100

01

$(1+x)^7$의 전개식의 일반항은 ${}_7C_r1^{7-r}x^r$
$(1+x)^7$의 전개식에서 x^4항은 $r=4$일 때이므로 x^4의 계수는
${}_7C_4=\dfrac{7!}{3!4!}=\dfrac{7\times6\times5}{3\times2\times1}=35$ 　　　　　답 ②

02

${}_3C_0+{}_4C_1+{}_5C_2+\cdots+{}_9C_6$
$={}_4C_0+{}_4C_1+{}_5C_2+\cdots+{}_9C_6$ $(\because {}_3C_0={}_4C_0)$
$={}_5C_1+{}_5C_2+\cdots+{}_9C_6$
$={}_6C_2+\cdots+{}_9C_6$
　　　　$\vdots$
$={}_9C_5+{}_9C_6$
$={}_{10}C_6={}_{10}C_4$
$=\dfrac{10\times9\times8\times7}{4\times3\times2\times1}=210$ 　　　　　　　답 210

03

${}_nC_0+{}_nC_1+{}_nC_2+\cdots+{}_nC_n=2^n$이므로
${}_{100}C_0+{}_{100}C_1+{}_{100}C_2+\cdots+{}_{100}C_{100}=2^{100}$
$\therefore \log_2({}_{100}C_0+{}_{100}C_1+{}_{100}C_2+\cdots+{}_{100}C_{100})=100$ 　답 100

유형따라잡기			pp. 26~29
기출유형 01 60	01. 40	02. ⑤	03. ④	04. ⑤
기출유형 02 25	05. ⑤	06. 102	07. ④	08. ④
기출유형 03 ⑤	09. ⑤	10. ⑤	11. ③	
기출유형 04 ⑤	12. 32	13. ②	14. ④	15. ⑤

기출유형 01

Act❶ $(a+b)^n$의 전개식의 일반항은 ${}_nC_ra^{n-r}b^r$임을 이용한다.
$(2x-1)^6$의 전개식의 일반항은
${}_6C_r(2x)^{6-r}(-1)^r={}_6C_r2^{6-r}(-1)^rx^{6-r}$
$(2x-1)^6$의 전개식에서 x^2항은 $r=4$일 때이므로 x^2의 계수는
${}_6C_4\times2^2\times(-1)^4={}_6C_2\times4=15\times4=60$ 　답 60

01 Act❶ $(a+b)^n$의 전개식의 일반항은 $_nC_ra^{n-r}b^r$임을 이용한다.

$(x^2+2)^5$의 전개식의 일반항은 $_5C_r(x^2)^{5-r}2^r=_5C_r2^rx^{10-2r}$

$(x^2+2)^5$의 전개식에서 x^6항은 $10-2r=6$에서 $r=2$일 때이므로 x^6의 계수는

$_5C_2\times2^2=10\times4=40$ 　　　　　　　　　답 40

02 Act❶ $(a+b)^n$의 전개식의 일반항은 $_nC_ra^{n-r}b^r$임을 이용한다.

$\left(x+\dfrac{2}{x}\right)^8$의 전개식의 일반항은

$_8C_rx^{8-r}\left(\dfrac{2}{x}\right)^r=_8C_r2^rx^{8-2r}$

$\left(x+\dfrac{2}{x}\right)^8$의 전개식에서 x^4항은 $8-2r=4$에서 $r=2$일 때이므로 x^4의 계수는

$_8C_2\times2^2=28\times4=112$ 　　　　　　　답 ⑤

03 Act❶ $(a+b)^n$의 전개식의 일반항은 $_nC_ra^{n-r}b^r$임을 이용한다.

$\left(x+\dfrac{1}{3x}\right)^6$의 전개식의 일반항은

$_6C_rx^{6-r}\left(\dfrac{1}{3x}\right)^r=_6C_r\left(\dfrac{1}{3}\right)^rx^{6-2r}$

$\left(x+\dfrac{1}{3x}\right)^6$의 전개식에서 x^2항은 $6-2r=2$에서 $r=2$일 때이므로 x^2의 계수는

$_6C_2\left(\dfrac{1}{3}\right)^2=15\times\dfrac{1}{9}=\dfrac{5}{3}$ 　　　　　답 ④

04 Act❶ $(a+b)^n$의 전개식의 일반항은 $_nC_ra^{n-r}b^r$임을 이용한다.

$(x+a)^5$의 전개식의 일반항은 $_5C_rx^{5-r}a^r$

$(x+a)^5$의 전개식에서 x^3항은 $r=2$일 때이므로 x^3의 계수는

$_5C_2a^2$

$_5C_2a^2=40$이므로 $10a^2=40$, $a^2=4$

x의 계수는 $r=4$일 때이므로 $_5C_4a^4=5\times4^2=80$ 　답 ⑤

기출유형 02

Act❶ $(1+2x)(1+x)^5=(1+x)^5+2x(1+x)^5$이므로 두 항에서 x^4의 계수를 각각 구하여 계산한다.

$(1+2x)(1+x)^5=(1+x)^5+2x(1+x)^5$이므로 $(1+2x)(1+x)^5$의 전개식에서 x^4의 계수는 $(1+x)^5$의 전개식에서 x^4의 계수와 $2x(1+x)^5$의 전개식에서 x^4의 계수를 각각 구해서 합한 것이다.

(i) $(1+x)^5$의 전개식의 일반항은 $_5C_rx^r$
　 $(1+x)^5$의 전개식에서 x^4항은 $r=4$일 때이므로 x^4의 계수는 $_5C_4=5$

(ii) $2x(1+x)^5$의 전개식의 일반항은
　 $2x_5C_rx^r=2_5C_rx^{r+1}$
　 $2x(1+x)^5$의 전개식에서 x^4항은 $r=3$일 때이므로 x^4의 계수는
　 $2_5C_3=2\times\dfrac{5\times4}{2}=20$

(i), (ii)에 의하여 구하는 x^4의 계수는 $5+20=25$ 　답 25

05 Act❶ $(1+2x)^6(1-x)=(1+2x)^6-x(1+2x)^6$이므로 두 항에서 x^4의 계수를 각각 구하여 계산한다.

$(1+2x)^6(1-x)=(1+2x)^6-x(1+2x)^6$이므로 $(1+2x)^6(1-x)$의 전개식에서 x^4의 계수는 $(1+2x)^6$의 전개식에서 x^4의 계수와 $x(1+2x)^6$의 전개식에서 x^4의 계수를 각각 구해서 뺀 것이다.

(i) $(1+2x)^6$의 전개식의 일반항은 $_6C_r(2x)^r=_6C_r2^rx^r$
　 $(1+2x)^6$의 전개식에서 x^4항은 $r=4$일 때이므로 x^4의 계수는
　 $_6C_42^4=_6C_22^4=\dfrac{6\times5}{2\times1}\times16=240$

(ii) $x(1+2x)^6$의 전개식의 일반항은
　 $x_6C_r(2x)^r=_6C_r2^rx^{r+1}$
　 $x(1+2x)^6$의 전개식에서 x^4항은 $r=3$일 때이므로 x^4의 계수는
　 $_6C_32^3=\dfrac{6\times5\times4}{3\times2\times1}\times8=160$

(i), (ii)에 의하여 구하는 x^4의 계수는 $240-160=80$

　　　　　　　　　　　　　　　　　　　　　답 ⑤

06 Act❶ $(a+b)^p(c+d)^q$의 전개식의 일반항은 $(a+b)^p$과 $(c+d)^q$의 전개식의 일반항의 곱과 같음을 이용한다.

$(1-x)^4$의 전개식의 일반항은 $_4C_r(-x)^r=_4C_r(-1)^rx^r$

$(2-x)^3$의 전개식의 일반항은
$_3C_s2^{3-s}(-x)^s=_3C_s2^{3-s}(-1)^sx^s$

따라서 $(1-x)^4(2-x)^3$의 전개식의 일반항은
$_4C_r(-1)^rx^r\times_3C_s2^{3-s}(-1)^sx^s$
$=_4C_r{_3}C_s2^{3-s}(-1)^{r+s}x^{r+s}$

이때 x^2항은 $r+s=2$일 때이고 r, s는 각각 $0\leq r\leq4$, $0\leq s\leq3$인 정수이므로

(i) $r=0$, $s=2$일 때, $_4C_0\times_3C_2\times2^{3-2}=6$

(ii) $r=1$, $s=1$일 때, $_4C_1\times_3C_1\times2^{3-1}=48$

(iii) $r=2$, $s=0$일 때, $_4C_2\times_3C_0\times2^{3-0}=48$

(i), (ii), (iii)에 의하여 x^2의 계수는 $6+48+48=102$

　　　　　　　　　　　　　　　　　　　답 102

07 Act❶ $(a+b)^p(c+d)^q$의 전개식의 일반항은 $(a+b)^p$과 $(c+d)^q$의 전개식의 일반항의 곱과 같음을 이용한다.

$(2+x)^3$의 전개식의 일반항은 $_3C_r2^{3-r}x^r$

$(1+2x)^4$의 전개식의 일반항은 $_4C_s(2x)^s=_4C_s2^sx^s$

따라서 $(2+x)^3(1+2x)^4$의 전개식의 일반항은
$_3C_r2^{3-r}x^r\times_4C_s2^sx^s=_3C_r{_4}C_s2^{3-r+s}x^{r+s}$

이때 x^2항은 $r+s=2$일 때이고 r, s는 각각 $0\leq r\leq3$, $0\leq s\leq4$인 정수이므로

(i) $r=0$, $s=2$일 때, $_3C_0\times_4C_2\times2^{3-0+2}=192$

(ii) $r=1$, $s=1$일 때, $_3C_1\times_4C_1\times2^{3-1+1}=96$

(iii) $r=2$, $s=0$일 때, $_3C_2\times_4C_0\times2^{3-2+0}=6$

(i), (ii), (iii)에 의하여 x^2의 계수는 $192+96+6=294$

　　　　　　　　　　　　　　　　　　　답 ④

08 Act❶ $(a+b)^p(c+d)^q$의 전개식의 일반항은 $(a+b)^p$과

$(c+d)^q$의 전개식의 일반항의 곱과 같음을 이용한다.

$(x+1)^4$의 전개식의 일반항은 $_4C_rx^{4-r}$

$(x+2)^3$의 전개식의 일반항은 $_3C_sx^{3-s}2^s$

따라서 $(x+1)^4(x+2)^3$의 전개식의 일반항은

$_4C_rx^{4-r}\times_3C_sx^{3-s}2^s=_4C_{r}{}_3C_s2^sx^{7-r-s}$

이때 x^2항은 $7-r-s=2$에서 $r+s=5$일 때이고 r, s는 각각 $0\le r\le4$, $0\le s\le3$인 정수이므로

(i) $r=4$, $s=1$일 때, $_4C_4\times_3C_1\times2=6$

(ii) $r=3$, $s=2$일 때, $_4C_3\times_3C_2\times2^2=48$

(iii) $r=2$, $s=3$일 때, $_4C_2\times_3C_3\times2^3=48$

(i), (ii), (iii)에 의하여 x^2의 계수는 $6+48+48=102$

답 ④

의 합으로 계산한다.

어두운 부분의 n행에서의 세 수의 합은

$_nC_{n-2}+_nC_{n-1}+_nC_n$

이므로 어두운 부분의 모든 수의 합은

$$\sum_{n=2}^{10}(_nC_{n-2}+_nC_{n-1}+_nC_n)$$
$$=\sum_{n=2}^{10}(_nC_2+_nC_1+1)$$
$$=\sum_{n=2}^{10}\left\{\frac{n(n-1)}{2}+n+1\right\}$$
$$=\sum_{n=2}^{10}\left(\frac{1}{2}n^2+\frac{1}{2}n+1\right)$$
$$=228$$

기출유형 03

Act① $_{n-1}C_{r-1}+_{n-1}C_r=_nC_r$, $_nC_r=_nC_{n-r}$임을 이용하여 방정식을 푼다.

$_{n-1}C_2+_{n-1}C_3=_{n-1}C_8+_{n-1}C_9$에서 $_nC_3=_nC_9$

이때 $_nC_9=_nC_{n-9}$이므로 $_nC_3=_nC_{n-9}$

$3=n-9$ ∴ $n=12$

답 ⑤

09 **Act①** $_2C_0=_3C_0$, $_{n-1}C_{r-1}+_{n-1}C_r=_nC_r$임을 이용하여 주어진 식을 간단히 한다.

$_2C_0+_3C_1+_4C_2+\cdots+_{11}C_9$

$=_3C_0+_3C_1+_4C_2+\cdots+_{11}C_9$ $(∵ _2C_0=_3C_0)$

$=_4C_1+_4C_2+\cdots+_{11}C_9$

$=_5C_2+\cdots+_{11}C_9$

$\vdots$

$=_{11}C_8+_{11}C_9$

$=_{12}C_9=_{12}C_3$

답 ⑤

10 **Act①** $_4C_4=_5C_5$, $_{n-1}C_{r-1}+_{n-1}C_r=_nC_r$임을 이용하여 주어진 식을 간단히 한다.

$_4C_4+_5C_4+_6C_4+_7C_4+\cdots+_{11}C_4$

$=_5C_5+_5C_4+_6C_4+_7C_4+\cdots+_{11}C_4$ $(∵ _4C_4=_5C_5)$

$=_6C_5+_6C_4+_7C_4+\cdots+_{11}C_4$

$=_7C_5+_7C_4+\cdots+_{11}C_4$

$\vdots$

$=_{11}C_5+_{11}C_4$

$=_{12}C_5$

답 ⑤

11 **Act①** $_nC_0=1$, $_nC_n=1$, $_{n-1}C_{r-1}+_{n-1}C_r=_nC_r$임을 이용한다.

$_2C_0+_3C_1+_4C_2+\cdots+_{10}C_8=_{11}C_8=165$ ······㉠

$_1C_0+_2C_1+_3C_2+\cdots+_{10}C_9=_{11}C_9$이므로

$_2C_1+_3C_2+\cdots+_{10}C_9=_{11}C_9-_1C_0=54$ ······㉡

$_2C_2+_3C_3+\cdots+_{10}C_{10}=9$ ······㉢

따라서 어두운 부분의 합은 ㉠+㉡+㉢이므로

$165+54+9=228$

답 ③

[다른 풀이]

구하는 합을 n에 대한 식으로 나타내어 자연수의 거듭제곱

기출유형 04

Act① $(1+x)^n=_nC_0+_nC_1x+_nC_2x^2+\cdots+_nC_nx^n$ 의 양변에 $x=2$, $n=6$을 대입한다.

이항정리에 의하여

$(1+x)^n=_nC_0+_nC_1x+_nC_2x^2+\cdots+_nC_nx^n$ ······㉠

㉠의 양변에 $x=2$, $n=6$을 대입하면

$(1+2)^6=_6C_0+2\times_6C_1+2^2\times_6C_2+\cdots+2^6\times_6C_6$

$_6C_0+2\times_6C_1+2^2\times_6C_2+\cdots+2^6\times_6C_6=3^6=729$ 답 ⑤

12 **Act①** $_nC_0+_nC_1+_nC_2+\cdots+_nC_n=2^n$임을 이용한다.

이항계수의 성질에 의하여

$_5C_0+_5C_1+_5C_2+_5C_3+_5C_4+_5C_5=(1+1)^5=2^5=32$ 답 32

13 **Act①** $_nC_0-_nC_1+_nC_2-\cdots+(-1)^n{}_nC_n=0$임을 이용한다.

이항계수의 성질에 의하여

$_{20}C_0-_{20}C_1+_{20}C_2-\cdots-_{20}C_{19}+_{20}C_{20}=0$이므로

$_{20}C_0-(_{20}C_1-_{20}C_2+\cdots+_{20}C_{19})+_{20}C_{20}=0$

∴ $_{20}C_1-_{20}C_2+_{20}C_3-_{20}C_4+\cdots+_{20}C_{19}=_{20}C_0+_{20}C_{20}$

$=1+1=2$ 답 ②

14 **Act①** $_nC_0+_nC_2+_nC_4+\cdots+_nC_n=2^{n-1}$ (단, n은 짝수)임을 이용한다.

이항계수의 성질에 의하여

$_{10}C_0+_{10}C_2+_{10}C_4+_{10}C_6+_{10}C_8+_{10}C_{10}=2^{10-1}=512$ 답 ④

[다른 풀이]

$_{10}C_0+_{10}C_2+_{10}C_4+_{10}C_6+_{10}C_8+_{10}C_{10}$

$=_9C_0+(_9C_1+_9C_2)+\cdots+(_9C_7+_9C_8)+_9C_9$

$=2^9=512$

15 **Act①** $_nC_r=_nC_{n-r}$이고 $_nC_0+_nC_1+_nC_2+\cdots+_nC_n=2^n$임을 이용한다.

$_{21}C_r=_{21}C_{21-r}$이므로

$_{21}C_0+_{21}C_1+\cdots+_{21}C_{10}=_{21}C_{21}+_{21}C_{20}+\cdots+_{21}C_{11}$

이때 $_{21}C_0+_{21}C_1+_{21}C_2+\cdots+_{21}C_{21}=2^{21}$이므로

$_{21}C_0+_{21}C_1+\cdots+_{21}C_{10}=\frac{1}{2}\times2^{21}=2^{20}$

∴ $\log_2(_{21}C_0+_{21}C_1+\cdots+_{21}C_{10})=\log_2 2^{20}=20$ 답 ⑤

01

$(x+2)^7$의 전개식의 일반항은 $_7C_r x^{7-r} 2^r$

x^5의 계수는 $r=2$인 경우이므로

$_7C_2 2^2 = 84$

답 ⑤

02

$(3x+1)^6$의 전개식의 일반항은

$_6C_r (3x)^r = _6C_r 3^r x^r$

x^3의 계수는 $r=3$인 경우이므로

$_6C_3 3^3 = 540$

답 540

03

$\left(x^2 - \dfrac{1}{x}\right)^6$의 전개식의 일반항은

$_6C_r (x^2)^{6-r} \left(-\dfrac{1}{x}\right)^r = _6C_r (-1)^r x^{12-3r}$

x^6의 계수는 $12-3r=6$, 즉 $r=2$인 경우이므로

$_6C_2 (-1)^2 = 15$

답 ④

04

$\left(ax^2 + \dfrac{2}{x}\right)^6$의 전개식의 일반항은

$_6C_r (ax^2)^{6-r} \left(\dfrac{2}{x}\right)^r = _6C_r a^{6-r} 2^r x^{12-3r}$

x^3항은 $12-3r=3$일 때이므로

$3r=9$, $r=3$

이때 x^3의 계수가 20이므로

$_6C_3 a^3 2^3 = 20$, $a^3 = \dfrac{1}{8}$

$\therefore a = \dfrac{1}{2}$

답 ①

05

다항식 $(x+a)^7$의 전개식에서 일반항은 $_7C_r x^{7-r} a^r$

x^4의 계수는 $_7C_3 a^3 = 280$

$35a^3 = 280$, $a^3 = 8$, $a=2$

따라서 x^5의 계수는

$_7C_2 2^2 = 21 \times 4 = 84$

답 84

06

$(x+a)^6$의 전개식의 일반항은 $_6C_r a^{6-r} x^r$

x^3의 계수는 $_6C_3 a^3 = 20a^3$

x^4의 계수는 $_6C_4 a^2 = _6C_2 a^2 = 15a^2$

따라서 $20a^3 = 15a^2$에서 $5a^2(4a-3) = 0$이므로

$a = \dfrac{3}{4}$ ($\because a>0$)

$\therefore 20a = 20 \times \dfrac{3}{4} = 15$

답 ①

07

$(2x-y^2)^{10}$의 전개식의 일반항은

$_{10}C_r (2x)^{10-r} (-y^2)^r = _{10}C_r 2^{10-r} (-1)^r x^{10-r} y^{2r}$

$x^3 y^{14}$의 계수는 $r=7$인 경우이므로

$_{10}C_7 2^3 (-1)^7 = -960$

답 ⑤

08

$(1+x^2)^4 (1-2x^3)^3$의 전개식에서 x^9의 계수는 다음 두 가지 경우로 나누어 구할 수 있다.

(i) $(1+x^2)^4$의 상수항과 $(1-2x^3)^3$의 x^9의 계수가 곱해지는 경우

$_4C_0 \times _3C_3 (-2)^3 = -8$

(ii) $(1+x^2)^4$의 x^6의 계수와 $(1-2x^3)^3$의 x^3의 계수가 곱해지는 경우

$_4C_3 \times _3C_1 (-2)^1 = -24$

(i), (ii)에 의하여 구하는 x^9의 계수는

$-8-24 = -32$

답 ①

09

$_{n-1}C_{r-1} + _{n-1}C_r = _nC_r$를 이용하면

$_8C_1 + _8C_2 + _9C_3 + _{10}C_4 + _{11}C_5$

$= _9C_2 + _9C_3 + _{10}C_4 + _{11}C_5$

$= _{10}C_3 + _{10}C_4 + _{11}C_5$

$= _{11}C_4 + _{11}C_5$

$= _{12}C_5$

답 ④

10

$_{n-1}C_{r-1} + _{n-1}C_r = _nC_r$를 이용하면

$_3C_0 + _3C_1 + _4C_2 + _5C_3 + _6C_4 + _7C_5 + _8C_6 + _9C_7$

$= _4C_1 + _4C_2 + _5C_3 + _6C_4 + _7C_5 + _8C_6 + _9C_7$

$= _5C_2 + _5C_3 + _6C_4 + _7C_5 + _8C_6 + _9C_7$

$\vdots$

$= _9C_6 + _9C_7$

$= _{10}C_7$

답 ②

11

$_{n-1}C_{r-1} + _{n-1}C_r = _nC_r$를 이용하면

$_4C_4 + _5C_4 + _6C_4 + \cdots + _{12}C_4$

$= _5C_5 + _5C_4 + _6C_4 + \cdots + _{12}C_4$

$= _6C_5 + _6C_4 + _7C_4 + \cdots + _{12}C_4$

$= _7C_5 + _7C_4 + \cdots + _{12}C_4$

$\vdots$

$= _{12}C_5 + _{12}C_4 = _{13}C_5$

$\therefore n = 13$

답 ③

12

$_nC_1 + _nC_2 + \cdots + _nC_n = 2^n - 1$이므로

$1000 < 2^n - 1 < 1500$, $1001 < 2^n < 1501$

$2^9 = 512$, $2^{10} = 1024$, $2^{11} = 2048$이므로 $n=10$

답 ③

II 확률

04 확률의 뜻과 덧셈정리

pp. 32~33

01. ⑤　　**02.** ④　　**03.** ①　　**04.** ④　　**05.** ②

01 $A=\{2,\ 3,\ 5\}$, $B=\{1,\ 2,\ 4\}$이므로
$A^C \cup B^C=(A \cap B)^C=\{1,\ 3,\ 4,\ 5,\ 6\}$
따라서 구하는 원소의 개수는 5이다.　　답 ⑤

02 소수가 적힌 공이 나오는 사건을 A라 하면
$A=\{2,\ 3,\ 5,\ 7,\ 11,\ 13\}$이므로 $n(A)=6$
따라서 구하는 확률은 $P(A)=\dfrac{n(A)}{n(S)}=\dfrac{6}{15}=\dfrac{2}{5}$　　답 ④

03 ㄱ. $0 \leq P(A) \leq 1$, $0 \leq P(B) \leq 1$이므로
　　$0 \leq P(A)P(B) \leq 1$ (참)
ㄴ. [반례] $S=\{1,\ 2,\ 3,\ 4,\ 5,\ 6\}$, $A=\{1,\ 2,\ 3,\ 6\}$,
　　$B=\{4,\ 5,\ 6\}$이라 하면 $A \cup B=S$이지만
　　$P(A)+P(B)=\dfrac{4}{6}+\dfrac{3}{6}=\dfrac{7}{6} \neq 1$ (거짓)
ㄷ. [반례] $S=\{1,\ 2,\ 3,\ 4,\ 5,\ 6\}$, $A=\{1,\ 2,\ 3\}$,
　　$B=\{2,\ 3,\ 4\}$라 하면 $P(A)+P(B)=\dfrac{1}{2}+\dfrac{1}{2}=1$이지
　　만 $A \cap B=\{2,\ 3\} \neq \varnothing$이므로 A와 B는 배반사건이 아
　　니다. (거짓)
따라서 옳은 것은 ㄱ뿐이다.　　답 ①

04 두 사건 A, B가 서로 배반사건이므로
$P(A \cup B)=P(A)+P(B)=\dfrac{1}{3}+\dfrac{1}{4}=\dfrac{7}{12}$　　답 ④

05

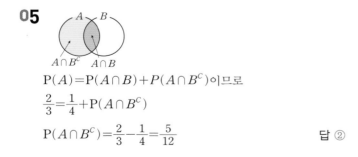

$P(A)=P(A \cap B)+P(A \cap B^C)$이므로
$\dfrac{2}{3}=\dfrac{1}{4}+P(A \cap B^C)$
$P(A \cap B^C)=\dfrac{2}{3}-\dfrac{1}{4}=\dfrac{5}{12}$　　답 ②

기출유형 01 ②	01. ①	02. ①	03. ③	04. ①
기출유형 02 ①	05. ②	06. ④	07. ⑤	08. ①
기출유형 03 ②	09. ①	10. ③	11. ②	12. ①
기출유형 04 ②	13. ②	14. ⑤	15. ②	16. ①
기출유형 05 ②	17. ⑤	18. ②	19. ②	20. ④
기출유형 06 ②	21. ①	22. ④	23. 16	24. ⑤
기출유형 07 ③	25. ⑤	26. 61	27. ⑤	28. ④
기출유형 08 ③	29. ⑤	30. ③	31. ②	32. ②
기출유형 09 ①	33. ②	34. ⑤	35. ⑤	36. ①
기출유형 10 ⑤	37. ④	38. ⑤	39. ④	40. 79

기출유형 01

Act ① 일어날 수 있는 모든 경우가 n가지이고 사건 A가 일어날 경우가 r가지이면 사건 A가 일어날 확률은 $P(A)=\dfrac{r}{n}$임을 이용한다.

두 개의 주사위 A, B를 동시에 던질 때 나올 수 있는 모든 경우의 수는 $6 \times 6=36$
이때 주사위 A의 눈의 수와 주사위 B의 눈의 수의 합이 3의 배수가 되는 경우는
(ⅰ) 합이 3이 되는 경우 $(1,\ 2)$, $(2,\ 1)$
(ⅱ) 합이 6이 되는 경우
　　$(1,\ 5)$, $(2,\ 4)$, $(3,\ 3)$, $(4,\ 2)$, $(5,\ 1)$
(ⅲ) 합이 9가 되는 경우 $(3,\ 6)$, $(6,\ 3)$
(ⅳ) 합이 12가 되는 경우 $(6,\ 6)$
(ⅰ)~(ⅳ)에서 눈의 수의 합이 3의 배수가 되는 경우의 수는
$2+5+2+1=10$
따라서 구하는 확률은
$\dfrac{10}{36}=\dfrac{5}{18}$　　답 ②

01 **Act ①** 일어날 수 있는 모든 경우가 n가지이고 사건 A가 일어날 경우가 r가지이면 사건 A가 일어날 확률은 $P(A)=\dfrac{r}{n}$임을 이용한다.

서로 다른 두 개의 주사위를 동시에 던질 때 나올 수 있는 모든 경우의 수는
$6 \times 6=36$
(ⅰ) 두 눈의 수의 합이 5인 경우
　　$(1,\ 4)$, $(2,\ 3)$, $(3,\ 2)$, $(4,\ 1)$
(ⅱ) 두 눈의 수의 합이 10인 경우
　　$(4,\ 6)$, $(5,\ 5)$, $(6,\ 4)$
(ⅰ), (ⅱ)에서 두 눈의 수의 합이 5의 배수인 경우의 수는
$4+3=7$
따라서 구하는 확률은 $\dfrac{7}{36}$　　답 ①

02 **Act ①** 일어날 수 있는 모든 경우가 n가지이고 사건 A가 일어날

경우가 r가지이면 사건 A가 일어날 확률은 $\mathrm{P}(A)=\dfrac{r}{n}$임을 이용한다.

두 개의 주사위 A, B를 동시에 던질 때 나올 수 있는 모든 경우의 수는

$6\times6=36$

$|a-b|=2$인 경우는

$(1,\,3),\,(2,\,4),\,(3,\,5),\,(4,\,6),$
$(3,\,1),\,(4,\,2),\,(5,\,3),\,(6,\,4)$

의 8가지

따라서 구하는 확률은 $\dfrac{8}{36}=\dfrac{2}{9}$　　　　　답 ①

03 Act1 일어날 수 있는 모든 경우가 n가지이고 사건 A가 일어날 경우가 r가지이면 사건 A가 일어날 확률은 $\mathrm{P}(A)=\dfrac{r}{n}$임을 이용한다.

두 개의 주사위를 동시에 던질 때 나올 수 있는 모든 경우의 수는 $6\times6=36$

이때 한 주사위가 다른 주사위의 배수가 되는 경우는

$(1,\,1),\,(1,\,2),\,(1,\,3),\,\cdots,\,(1,\,6),$
$(2,\,1),\,(3,\,1),\,\cdots,\,(6,\,1),$
$(2,\,2),\,(2,\,4),\,(2,\,6),\,(4,\,2),\,(6,\,2),$
$(3,\,3),\,(3,\,6),\,(6,\,3),$
$(4,\,4),\,(5,\,5),\,(6,\,6)$

으로 총 22가지

따라서 구하는 확률은 $\dfrac{22}{36}=\dfrac{11}{18}$　　　답 ③

04 Act1 일어날 수 있는 모든 경우가 n가지이고 사건 A가 일어날 경우가 r가지이면 사건 A가 일어날 확률은 $\mathrm{P}(A)=\dfrac{r}{n}$임을 이용한다.

a, b를 뽑는 방법의 수는 $10\times9=90$

$5\boxed{a}\boxed{b}$가 6의 배수가 되기 위해서는 짝수이면서 3의 배수가 되어야 한다.

(i) $b=0$일 때

$\quad$ $5+a+0=5+a$가 3의 배수가 되어야 하므로

$\quad$ $a=1,\,4,\,7$

(ii) $b=2$일 때

$\quad$ $5+a+2=7+a$가 3의 배수가 되어야 하므로 $a=5,\,8$

(iii) $b=4$일 때

$\quad$ $5+a+4=9+a$가 3의 배수가 되어야 하므로

$\quad$ $a=0,\,3,\,6,\,9$

(iv) $b=6$일 때

$\quad$ $5+a+6=11+a$가 3의 배수가 되어야 하므로

$\quad$ $a=1,\,4,\,7$

(v) $b=8$일 때

$\quad$ $5+a+8=13+a$가 3의 배수가 되어야 하므로

$\quad$ $a=2,\,5$

(i)~(v)에서 6의 배수가 되는 경우의 수는

$3+2+4+3+2=14$

따라서 구하는 확률은 $\dfrac{14}{90}=\dfrac{7}{45}$　　　답 ①

Act1 일렬로 세울 확률은 순열의 수를 이용하여 확률을 구한다.

5명을 일렬로 세우는 경우의 수는 $5!=120$

A, B를 양 끝에 세우고 각각의 경우에 대하여 나머지 3명을 일렬로 세우는 경우의 수는

$2!\times3!=12$

따라서 구하는 확률은 $\dfrac{12}{120}=\dfrac{1}{10}$　　　답 ①

05 Act1 일렬로 세울 확률은 순열의 수를 이용하여 확률을 구한다.

6명의 사람을 한 줄로 세우는 경우의 수는 $6!=720$

특정한 두 사람을 한 명으로 생각하여 5명을 한 줄로 세우는 경우의 수는 $5!$이고, 특정한 두 사람이 자리를 바꾸는 경우의 수는 $2!$이므로

특정한 두 사람을 이웃하게 세우는 경우의 수는

$5!\times2!=120\times2=240$

따라서 구하는 확률은 $\dfrac{240}{720}=\dfrac{1}{3}$　　　답 ②

06 Act1 일렬로 세울 확률은 순열의 수를 이용하여 확률을 구한다.

5명이 나란히 앉는 경우의 수는

$5!=120$

A와 B 사이에 2명이 앉는 경우의 수는 $_3\mathrm{P}_2=6$, 나머지 1명이 맨 바깥쪽에 앉는 경우의 수는 2이고 A, B가 자리를 바꾸어 앉는 경우의 수는 2이므로

A와 B 사이에 2명이 앉는 경우의 수는

$6\times2\times2=24$

따라서 구하는 확률은 $\dfrac{24}{120}=\dfrac{1}{5}$　　　답 ④

07 Act1 대소에 대한 확률은 순열의 수를 이용하여 확률을 구한다.

1, 2, 3, 4의 4개의 숫자를 한 번씩 사용하여 만들 수 있는 네 자리 자연수의 개수는 $4!=24$

이때 3400보다 큰 자연수는 $34\square\square$ 또는 $4\square\square\square$ 꼴이다.

(i) $34\square\square$ 꼴인 자연수의 개수는 $2!=2$

(ii) $4\square\square\square$ 꼴인 자연수의 개수는 $3!=6$

(i), (ii)에서 3400보다 큰 자연수의 개수는

$2+6=8$

따라서 구하는 확률은

$\dfrac{8}{24}=\dfrac{1}{3}$　　　답 ⑤

08 Act1 백의 자리의 수와 십의 자리의 수가 모두 짝수이거나 홀수임을 이용한다.

9개의 자연수 중에서 서로 다른 4개의 수를 택하여 만들 수 있는 네 자리의 자연수의 개수는 $_9\mathrm{P}_4$

백의 자리의 수와 십의 자리의 수의 합이 짝수인 수의 개수는 다음과 같다.

(i) 백의 자리의 수와 십의 자리의 수가 모두 짝수인 경우

$$_4P_2 \times _7P_2$$

(ii) 백의 자리의 수와 십의 자리의 수가 모두 홀수인 경우

$$_5P_2 \times _7P_2$$

따라서 구하는 확률은

$$\frac{_4P_2 \times _7P_2 + _5P_2 \times _7P_2}{_9P_4} = \frac{4\times 3\times 7\times 6 + 5\times 4\times 7\times 6}{9\times 8\times 7\times 6}$$

$$= \frac{32}{72} = \frac{4}{9}$$ 답 ①

기출유형 03

Act① 남학생을 원형으로 배열한 다음 그 사이에 여학생을 배열한다.

8명이 원탁에 둘러앉는 경우의 수는 $(8-1)!$

여학생끼리 서로 이웃하지 않게 앉는 경우의 수는 남학생 5명이 먼저 원탁에 둘러앉고 그 사이에 3명의 여학생이 앉는 경우의 수와 같으므로

$$(5-1)! \times _5P_3$$

따라서 구하는 확률은 $\dfrac{(5-1)! \times _5P_3}{(8-1)!} = \dfrac{2}{7}$ 답 ②

09 **Act①** 여학생 2명을 묶어서 한 사람으로 생각하여 원순열의 수를 구하고 여학생끼리 바꾸어 앉는 경우의 수를 곱한다.

남학생 4명과 여학생 2명이 원형의 탁자에 둘러앉는 경우의 수는

$$(6-1)! = 5! = 120$$

여학생 2명을 한 사람으로 생각하여 5명이 원형의 탁자에 둘러앉는 경우의 수는 $(5-1)! = 4! = 24$이고, 여학생 2명이 자리를 바꾸어 앉는 경우의 수는 $2!$이므로 여학생끼리 이웃하여 앉는 경우의 수는

$$4! \times 2! = 48$$

따라서 구하는 확률은 $\dfrac{48}{120} = \dfrac{2}{5}$ 답 ①

10 **Act①** 마주보는 부부 2명을 한 사람으로 생각하여 원순열의 수를 구한다.

부모를 포함한 6명이 원탁에 둘러앉는 경우의 수는

$$(6-1)! = 5! = 120$$

마주보는 부모 중 한 사람의 자리가 정해지면 나머지 한 사람의 자리도 정해지므로 5명이 원탁에 둘러앉는 경우의 수는

$$(5-1)! = 4! = 24$$

따라서 구하는 확률은 $\dfrac{24}{120} = \dfrac{1}{5}$ 답 ③

11 **Act①** 남학생을 원형으로 배열한 다음 그 사이에 여학생을 배열한다.

7명이 원탁에 둘러앉는 경우의 수는 $(7-1)! = 6! = 720$

여학생끼리는 서로 이웃하지 않게 앉는 경우의 수는 남학생 4명이 먼저 원탁에 둘러앉고 그 사이에 여학생이 앉는 경우의 수와 같으므로

$$3! \times _4P_3 = 144$$

따라서 구하는 확률은 $\dfrac{144}{720} = \dfrac{1}{5}$ 답 ②

12 **Act①** 남학생을 원형으로 배열한 다음 그 사이에 여학생을 배열한다.

8명의 학생이 원탁에 둘러앉는 경우의 수는

$$(8-1)! = 7!$$

남학생 4명이 원탁에 둘러앉는 경우의 수는 $(4-1)! = 3!$이고 여학생 4명이 남학생과 남학생 사이의 4개의 자리에 앉는 경우의 수는 $4!$이므로 남학생과 여학생이 교대로 앉는 경우의 수는

$$3! \times 4!$$

따라서 구하는 확률은 $\dfrac{3! \times 4!}{7!} = \dfrac{3\times 2\times 1}{7\times 6\times 5} = \dfrac{1}{35}$

답 ①

기출유형 04

Act① 서로 다른 n개에서 r개를 택하는 중복순열의 수는 $_n\Pi_r = n^r$임을 이용한다.

3명의 학생이 가진 공을 A, B, C, D 네 종류의 상자에 넣는 모든 경우의 수는

$$_4\Pi_3 = 4^3 = 64$$

이때 서로 다른 상자에 공을 넣는 경우의 수는

$$_4P_3 = 24$$

따라서 구하는 확률은 $\dfrac{24}{64} = \dfrac{3}{8}$ 답 ②

13 **Act①** 서로 다른 n개에서 r개를 택하는 중복순열의 수는 $_n\Pi_r = n^r$임을 이용한다.

4개의 숫자 0, 1, 2, 3으로 중복을 허용하여 만들 수 있는 세 자리 자연수의 개수는

$$3 \times _4\Pi_2 = 3 \times 4^2 = 48$$

1이 포함되지 않으려면 백의 자리에는 0, 1을 제외한 2개의 숫자가 올 수 있고, 십의 자리, 일의 자리에는 각각 1을 제외한 3개의 숫자가 중복하여 올 수 있으므로 1을 포함하지 않는 세 자리 자연수의 개수는

$$2 \times _3\Pi_2 = 2 \times 3^2 = 18$$

따라서 구하는 확률은

$$\frac{18}{48} = \frac{3}{8}$$ 답 ②

14 **Act①** 짝수이려면 일의 자리의 숫자가 짝수이어야 한다.

5개의 숫자 1, 2, 3, 4, 5로 중복을 허용하여 만들 수 있는 네 자리 자연수의 개수는

$$_5\Pi_4 = 5^4 = 625$$

짝수이려면 일의 자리에는 2, 4의 2개의 숫자가 올 수 있고, 천의 자리, 백의 자리, 십의 자리에는 각각 1, 2, 3, 4, 5의 5개의 숫자가 중복하여 올 수 있으므로 짝수의 개수는

$$2 \times _5\Pi_3 = 2 \times 5^3 = 250$$

따라서 구하는 확률은

$$\frac{250}{625}=\frac{2}{5}$$
답 ⑤

15 **Act①** 정의역의 원소의 개수가 a, 공역의 원소의 개수가 b일 때, 함수의 개수는 $_b\Pi_a$, 정의역과 공역의 원소의 개수가 모두 n개인 일대일대응의 개수는 $n!$임을 이용한다.

집합 A에서 집합 B로의 함수 f의 개수는

$_4\Pi_4=4^4=256$

이때 일대일대응의 개수는

$_4P_4=24$

따라서 구하는 확률은 $\dfrac{24}{256}=\dfrac{3}{32}$
답 ②

16 **Act①** 정의역의 원소의 개수가 a, 공역의 원소의 개수가 b일 때, 함수의 개수는 $_b\Pi_a$, 정의역과 공역의 원소의 개수가 모두 n개인 일대일대응의 개수는 $n!$임을 이용한다.

집합 X에서 집합 Y로의 함수 f의 개수는

$_3\Pi_3=3^3=27$

이때 일대일대응의 개수는

$_3P_3=6$

따라서 구하는 확률은 $\dfrac{6}{27}=\dfrac{2}{9}$
답 ①

기출유형 05

Act① T, E, R는 순서가 정해져 있으므로 모두 한 문자로 바꾸어 생각한다.

S, I, S, T, E, R의 6개의 문자를 일렬로 나열하는 경우의 수는

$$\frac{6!}{2!}=360$$

T, E, R의 순서가 정해져 있으므로 T, E, R를 모두 A로 바꾸고 S, I, S, A, A, A의 6개의 문자를 일렬로 나열한 후 첫 번째, 두 번째, 세 번째 A를 각각 T, E, R로 바꾸면 된다.

T, E, R를 이 순서대로 나열하는 경우의 수는

$$\frac{6!}{2!3!}=60$$

따라서 구하는 확률은 $\dfrac{60}{360}=\dfrac{1}{6}$
답 ②

17 **Act①** 두 개의 N은 이웃하므로 하나로 묶어서 일렬로 나열하는 경우의 수를 구한다.

B, A, N, A, N, A를 일렬로 나열하는 경우의 수는

$$\frac{6!}{3!2!}=60$$

두 개의 N이 서로 이웃해야 하므로 두 개의 N을 하나로 묶어서 일렬로 나열하는 경우의 수는

$$\frac{5!}{3!}=20$$

따라서 구하는 확률은 $\dfrac{20}{60}=\dfrac{1}{3}$
답 ⑤

18 **Act①** 양 끝에 A를 놓고 남은 4장의 카드를 일렬로 나열하는 경

우의 수를 구한다.

6장의 카드 A, A, A, B, B, C를 일렬로 나열하는 경우의 수는

$$\frac{6!}{3!2!1!}=60$$

양 끝에 A가 적힌 카드를 놓고 남은 4장의 카드 A, B, B, C를 가운데에 일렬로 나열하는 경우의 수는

$$\frac{4!}{1!2!1!}=12$$

따라서 구하는 확률은

$$\frac{12}{60}=\frac{1}{5}$$
답 ②

19 **Act①** 모음을 한문자로 생각하여 경우의 수를 구한다.

5개의 문자 G, O, O, S, E를 일렬로 나열하는 경우의 수는

$$\frac{5!}{2!}=60$$

모음 O, O, E를 한 문자로 생각하여 3개의 문자를 일렬로 나열하는 경우의 수는 $3!=6$이고, 모음 O, O, E끼리 자리를 바꾸는 경우의 수는 $\dfrac{3!}{2!}=3$이므로

모음끼리 이웃하는 경우의 수는

$6\times3=18$

따라서 구하는 확률은

$$\frac{18}{60}=\frac{3}{10}$$
답 ②

20 **Act①** 반드시 지나야 하는 C지점을 기준으로 경우를 나누어 생각한다.

A지점에서 B지점까지 최단 거리로 가는 경우의 수는

$$\frac{7!}{3!4!}=35$$

A지점에서 C지점까지 최단 거리로 가는 경우의 수는

$\dfrac{3!}{2!}=3$이고,

C지점에서 B지점까지 최단 거리로 가는 경우의 수는

$\dfrac{4!}{2!2!}=6$이므로

A지점에서 C지점을 거쳐 B지점까지 최단 거리로 가는 경우의 수는

$3\times6=18$

따라서 구하는 확률은 $\dfrac{18}{35}$
답 ④

기출유형 06

Act① 순서를 생각하지 않고 택하는 경우의 확률을 구할 때는 먼저 조합을 이용하여 경우의 수를 구한다.

9개의 구슬에서 3개의 구슬을 꺼내는 경우의 수는

$$_9C_3=\frac{9\times8\times7}{3\times2\times1}=84$$

흰 구슬 4개 중 1개를 꺼내고 검은 구슬 5개 중 2개를 꺼내는 경우의 수는

$$_4C_1\times{_5C_2}=4\times\frac{5\times4}{2}=40$$

따라서 구하는 확률은

$$\frac{40}{84}=\frac{10}{21}$$

답 ①

21 Act❶ 흰 공, 노란 공, 파란 공을 각각 1개씩 뽑는 조합의 수를 구한다.

6개의 공에서 3개의 공을 꺼내는 경우의 수는

$$_6C_3=\frac{6\times5\times4}{3\times2\times1}=20$$

3개의 공의 색깔이 모두 다른 경우의 수는

$$_2C_1\times_2C_1\times_2C_1=8$$

따라서 구하는 확률은

$$\frac{8}{20}=\frac{2}{5}$$

답 ①

22 Act❶ 같은 혈액형에서 2명을 택하는 조합의 수를 구한다.

학생 9명 중에서 2명을 뽑는 경우의 수는

$$_9C_2=\frac{9\times8}{2\times1}=36$$

2명의 혈액형이 같은 경우의 수는

$$_2C_2+_3C_2+_4C_2=1+3+\frac{4\times3}{2\times1}=10$$

따라서 구하는 확률은

$$\frac{10}{36}=\frac{5}{18}$$

답 ④

23 Act❶ 흰 공 2개를 택하는 조합의 수를 구한다.

6개의 공에서 2개의 공을 꺼내는 경우의 수는

$$_6C_2=\frac{6\times5}{2\times1}=15$$

꺼낸 2개의 공이 모두 흰 공인 경우의 수는

$$_2C_2=1$$

따라서 구하는 확률은 $\frac{1}{15}$이므로 $p=15$, $q=1$

$$\therefore p+q=16$$

답 16

24 Act❶ 근무조 A, B에서 각각 1명, 2명 또는 2명, 1명 뽑는 조합의 수를 구한다.

경찰관 9명 중에서 3명을 선택하는 경우의 수는 $_9C_3=84$

근무조 A, B에서 각각 적어도 한 명을 포함하여 총 3명을 택하는 경우는 다음과 같다.

(i) A에서 1명, B에서 2명을 택하는 경우

$$_5C_1\times_4C_2=5\times\frac{4\times3}{2}=30$$

(ii) A에서 2명, B에서 1명을 택하는 경우

$$_5C_2\times_4C_1=\frac{5\times4}{2}\times4=40$$

(i), (ii)에서 3명의 귀가도우미를 뽑는 경우의 수는

$$30+40=70$$

따라서 구하는 확률은 $\frac{70}{84}=\frac{5}{6}$

답 ⑤

Act❶ 두 사건 A, B가 서로 배반사건이면 $P(A\cup B)=P(A)+P(B)$임을 이용한다.

두 사건 A, B가 서로 배반사건이므로

$$P(A\cup B)=P(A)+P(B)$$

$$\frac{1}{2}=\frac{1}{6}+P(B)$$

$$\therefore P(B)=\frac{1}{2}-\frac{1}{6}=\frac{1}{3}$$

답 ③

25 Act❶ $P(A\cup B)=P(A)+P(B)-P(A\cap B)$임을 이용한다.

$$P(A\cup B)=P(A)+P(B)-P(A\cap B)$$

$$=\frac{7}{9}-\frac{2}{9}=\frac{5}{9}$$

답 ⑤

26 Act❶ 두 사건 A, B가 서로 배반사건이면 $P(A\cup B)=P(A)+P(B)$임을 이용한다.

두 사건 A, B가 서로 배반사건이므로

$$P(A\cup B)=P(A)+P(B)$$

$$0.85=0.24+P(B)$$

$$\therefore P(B)=0.85-0.24=0.61$$

따라서 $a=0.61$이므로 $100a=61$

답 61

27 Act❶ 두 사건 A, B가 서로 배반사건이면 $P(A\cup B)=P(A)+P(B)$임을 이용한다.

$4P(B)=1$이므로 $P(B)=\frac{1}{4}$

두 사건 A와 B가 서로 배반사건이므로

$P(A\cup B)=P(A)+P(B)$이고 $P(A\cup B)=1$이므로

$$P(A)+P(B)=1$$

$$P(A)+\frac{1}{4}=1$$

$$\therefore P(A)=\frac{3}{4}$$

답 ⑤

28 Act❶ 두 사건 A, B가 서로 배반사건이면 $P(A\cup B)=P(A)+P(B)$임을 이용한다.

$P(A)=P(B)$, $P(A)P(B)=\frac{1}{9}$이므로

$$\{P(A)\}^2=\frac{1}{9}$$

$0<P(A)<1$이므로 $P(A)=P(B)=\frac{1}{3}$

한편 두 사건 A와 B는 서로 배반사건이므로

$$P(A\cup B)=P(A)+P(B)$$

$$=\frac{1}{3}+\frac{1}{3}=\frac{2}{3}$$

답 ④

Act❶ 두 사건 A, B가 서로 배반사건이면 $P(A\cup B)=P(A)+P(B)$임을 이용한다.

공에 적힌 수의 합이 짝수인 경우는

두 공에 적힌 수가 (짝수, 짝수)인 경우 또는 (홀수, 홀수)인 경우이다.

두 공에 적힌 수가 (짝수, 짝수)인 사건을 A,
(홀수, 홀수)인 사건을 B라 하면

$$P(A) = \frac{{}_5C_2}{{}_{10}C_2} = \frac{5 \times 4}{10 \times 9} = \frac{2}{9}, \ P(B) = \frac{{}_5C_2}{{}_{10}C_2} = \frac{2}{9}$$

두 사건 A, B는 서로 배반사건이므로 구하는 확률은

$$P(A \cup B) = P(A) + P(B)$$
$$= \frac{2}{9} + \frac{2}{9} = \frac{4}{9}$$

답 ③

29 Act❶ 두 사건 A, B에 대하여
$P(A \cup B) = P(A) + P(B) - P(A \cap B)$임을 이용한다.

포도를 생산하는 농가를 고르는 사건을 A, 자두를 생산하는 농가를 고르는 사건을 B라 하면

$$P(A) = \frac{1}{2}, \ P(B) = \frac{2}{3}, \ P(A \cap B) = \frac{1}{4}$$

따라서 구하는 확률은
$$P(A \cup B) = P(A) + P(B) - P(A \cap B)$$
$$= \frac{1}{2} + \frac{2}{3} - \frac{1}{4} = \frac{11}{12}$$

답 ⑤

30 Act❶ 두 사건 A, B에 대하여
$P(A \cup B) = P(A) + P(B) - P(A \cap B)$임을 이용한다.

2장 모두 짝수가 적힌 카드를 택하는 사건을 A, 2장 모두 3의 배수가 적힌 카드를 택하는 사건을 B라 하면

$$P(A) = \frac{{}_7C_2}{{}_{15}C_2} = \frac{7 \times 6}{15 \times 14} = \frac{1}{5},$$

$$P(B) = \frac{{}_5C_2}{{}_{15}C_2} = \frac{5 \times 4}{15 \times 14} = \frac{2}{21}$$

2장 모두 6의 배수가 적힌 카드를 택할 확률은

$$P(A \cap B) = \frac{{}_2C_2}{{}_{15}C_2} = \frac{2 \times 1}{15 \times 14} = \frac{1}{105}$$

따라서 구하는 확률은
$$P(A \cup B) = P(A) + P(B) - P(A \cap B)$$
$$= \frac{1}{5} + \frac{2}{21} - \frac{1}{105} = \frac{2}{7}$$

답 ③

31 Act❶ 두 사건 A, B가 서로 배반사건이면
$P(A \cup B) = P(A) + P(B)$임을 이용한다.

뽑힌 2명이 모두 남학생인 사건을 A, 뽑힌 2명이 모두 여학생인 사건을 B라 하면

$$P(A) = \frac{{}_4C_2}{{}_{10}C_2} = \frac{4 \times 3}{10 \times 9} = \frac{2}{15},$$

$$P(B) = \frac{{}_6C_2}{{}_{10}C_2} = \frac{6 \times 5}{10 \times 9} = \frac{1}{3}$$

두 사건 A, B는 서로 배반사건이므로 구하는 확률은

$$\frac{2}{15} + \frac{1}{3} = \frac{7}{15}$$

답 ②

32 Act❶ 두 사건 A, B가 서로 배반사건이면
$P(A \cup B) = P(A) + P(B)$임을 이용한다.

꺼낸 4개의 공 중 흰 공의 개수가 3 이상일 경우는 흰 공의

개수가 3 또는 4인 경우이다.

흰 공의 개수가 3인 사건을 A, 흰 공의 개수가 4인 사건을 B라 하면

$$P(A) = \frac{{}_6C_3 \times {}_4C_1}{{}_{10}C_4} = \frac{20 \times 4}{210} = \frac{8}{21}$$

$$P(B) = \frac{{}_6C_4}{{}_{10}C_4} = \frac{15}{210} = \frac{1}{14}$$

두 사건 A, B는 서로 배반사건이므로 구하는 확률은

$$\frac{8}{21} + \frac{1}{14} = \frac{19}{42}$$

답 ②

기출유형 09

Act❶ $P((A \cup B)^c) = \frac{1}{4}$이므로 $P(A \cup B) = \frac{3}{4}$이고 두 사건 A, B가 서로 배반사건이므로 $P(A \cup B) = P(A) + P(B)$임을 이용한다.

$$P(A \cup B) = 1 - P((A \cup B)^c)$$
$$= 1 - P(A^c \cap B^c)$$
$$= 1 - \frac{1}{4} = \frac{3}{4}$$

두 사건 A, B가 서로 배반사건이므로
$$P(A \cup B) = P(A) + P(B)$$
$$\frac{3}{4} = \frac{1}{2} + P(B)$$
$$\therefore P(B) = \frac{1}{4}$$

답 ①

33 Act❶ $P(A^c \cap B) = 1 - P((A^c \cap B)^c) = 1 - P(A \cup B^c) = \frac{1}{6}$
이고 두 사건 A, B^c는 서로 배반사건이므로
$P(A \cup B^c) = P(A) + P(B^c)$임을 이용한다.

$P(A^c \cap B) = 1 - P((A^c \cap B)^c) = 1 - P(A \cup B^c) = \frac{1}{6}$이므로

$$P(A \cup B^c) = 1 - P((A^c \cap B)^c) = 1 - \frac{1}{6} = \frac{5}{6}$$

두 사건 A, B^c는 서로 배반사건이므로
$$P(A \cup B^c) = P(A) + P(B^c)$$
$$\frac{5}{6} = \frac{1}{3} + P(B^c), \ P(B^c) = \frac{1}{2}$$
$$\therefore P(B) = 1 - P(B^c) = 1 - \frac{1}{2} = \frac{1}{2}$$

답 ②

34 Act❶ A^c와 B는 서로 배반사건이므로
$P(A^c \cup B) = P(A^c) + P(B)$이고
$P(A \cap B^c) = 1 - P((A \cap B^c)^c) = 1 - P(A^c \cup B)$임을 이용한다.

$P(A) = 2P(B) = \frac{3}{5}$이므로

$$P(A^c) = 1 - \frac{3}{5} = \frac{2}{5}, \ P(B) = \frac{3}{10}$$

A^c과 B는 서로 배반사건이므로
$$P(A^c \cup B) = P(A^c) + P(B)$$
$$= \frac{2}{5} + \frac{3}{10} = \frac{7}{10}$$

$$P(A \cap B^c) = 1 - P((A \cap B^c)^c)$$

$$=1-\mathrm{P}(A^C \cup B)$$
$$=1-\frac{7}{10}=\frac{3}{10} \qquad \text{답 ②}$$

35 `Act❶` $\mathrm{P}(A)=\mathrm{P}(A \cap B)+\mathrm{P}(A \cap B^C)$임을 이용한다.

$\mathrm{P}(A)=\mathrm{P}(A \cap B)+\mathrm{P}(A \cap B^C)$

$$=\frac{1}{8}+\frac{3}{16}=\frac{5}{16} \qquad \text{답 ⑤}$$

36 `Act❶` $\mathrm{P}(A)=\mathrm{P}(A \cap B)+\mathrm{P}(A \cap B^C)$임을 이용한다.

$\mathrm{P}(A)=\mathrm{P}(A \cap B)+\mathrm{P}(A \cap B^C)$이므로

$\mathrm{P}(A \cap B)=\mathrm{P}(A)-\mathrm{P}(A \cap B^C)$

$$=\frac{3}{4}-\frac{2}{3}=\frac{1}{12} \qquad \text{답 ①}$$

기출유형 10

`Act❶` '적어도 ~일' 경우의 확률은 여사건의 확률
$\mathrm{P}(A)=1-\mathrm{P}(A^C)$를 이용한다.

꺼낸 공 2개가 모두 검은 공일 확률이 $\dfrac{_8\mathrm{C}_2}{_{10}\mathrm{C}_2}=\dfrac{28}{45}$이므로

적어도 한 개가 흰 공일 확률은

$$1-\frac{28}{45}=\frac{17}{45} \qquad \text{답 ⑤}$$

37 `Act❶` '적어도 ~일' 경우의 확률은 여사건의 확률
$\mathrm{P}(A)=1-\mathrm{P}(A^C)$를 이용한다.

당첨 제비가 하나도 뽑히지 않을 확률이 $\dfrac{_8\mathrm{C}_3}{_{10}\mathrm{C}_3}$이므로

적어도 한 개의 당첨 제비가 뽑힐 확률은

$$1-\frac{_8\mathrm{C}_3}{_{10}\mathrm{C}_3}=1-\frac{7}{15}=\frac{8}{15} \qquad \text{답 ④}$$

38 `Act❶` 주어진 사건의 확률을 계산하는 것이 복잡할 때에는 여사건의 확률을 이용한다.

A 또는 B가 뽑히는 사건의 여사건은 A, B가 모두 뽑히지 않는 사건이다.

A, B가 모두 뽑히지 않을 확률은 $\dfrac{_6\mathrm{C}_5}{_8\mathrm{C}_5}$이므로

A 또는 B가 뽑힐 확률은

$$1-\frac{6}{56}=\frac{50}{56}=\frac{25}{28} \qquad \text{답 ⑤}$$

39 `Act❶` 주어진 사건의 확률을 계산하는 것이 복잡할 때에는 여사건의 확률을 이용한다.

여학생이 2명 이상 뽑히는 사건의 여사건은 여학생이 1명 뽑히거나 모두 남학생이 뽑히는 사건이다.

(ⅰ) 여학생이 1명 뽑힐 확률은

$$\frac{_6\mathrm{C}_1 \times _4\mathrm{C}_3}{_{10}\mathrm{C}_4}=\frac{24}{210}$$

(ⅱ) 모두 남학생이 뽑힐 확률은

$$\frac{_4\mathrm{C}_4}{_{10}\mathrm{C}_4}=\frac{1}{210}$$

(ⅰ), (ⅱ)에서 여학생이 2명 미만으로 뽑힐 확률은

$$\frac{24}{210}+\frac{1}{210}=\frac{5}{42}$$

따라서 여학생이 2명 이상 뽑힐 확률은

$$1-\frac{5}{42}=\frac{37}{42} \qquad \text{답 ④}$$

40 `Act❶` 주어진 사건의 확률을 계산하는 것이 복잡할 때에는 여사건의 확률을 이용한다.

3개의 동전 금액의 합이 250원 이상인 사건의 여사건은 3개 동전 금액의 합이 250원 미만인 사건으로 50원짜리 동전 3개를 뽑는 경우와 50원짜리 동전 2개, 100원짜리 동전 1개를 뽑는 경우이다.

(ⅰ) 50원짜리 3개를 뽑을 확률은 $\dfrac{1}{_9\mathrm{C}_3}=\dfrac{1}{84}$

(ⅱ) 50원짜리 동전 2개, 100원짜리 동전 1개를 뽑을 확률은

$$\frac{_3\mathrm{C}_2 \times _3\mathrm{C}_1}{_9\mathrm{C}_3}=\frac{9}{84}$$

(ⅰ), (ⅱ)에서 3개 동전 금액의 합이 250원 미만일 확률은

$$\frac{1}{84}+\frac{9}{84}=\frac{5}{42}$$

따라서 3개의 동전 금액의 합이 250원 이상일 확률은

$1-\dfrac{5}{42}=\dfrac{37}{42}$이므로 $p+q=79$ 답 79

VIT Very Important Test   pp. 44~45

01. ④   **02.** ①   **03.** ②   **04.** ②   **05.** ④
06. ⑤   **07.** ①   **08.** ①   **09.** ①   **10.** ③
11. ④   **12.** ①

01

표본공간 $S=\{2,\ 3,\ 5,\ 6,\ 8,\ 9\}$이고,
$A=\{3,\ 6,\ 9\}, B=\{2,\ 3,\ 5\}, C=\{6,\ 8\}$

ㄱ. $A \cap B=\{3\}$이므로 사건 A는 사건 B와 배반사건이 아니다. (거짓)

ㄴ. $A \cap B=\{3\}$이므로 사건 $A \cap B$는 사건 C와 배반사건이다. (참)

ㄷ. $A \cap C=\{6\}$이므로 사건 $A \cap C$는 사건 B와 배반사건이다. (참)

따라서 옳은 것은 ㄴ, ㄷ이다.   답 ④

02

두 개의 주사위를 동시에 던질 때, 나오는 눈의 수를 순서쌍 $(a,\ b)$로 나타내면 모든 경우의 수는
$6 \times 6=36$
두 눈의 수의 차가 3인 경우는 $(1,\ 4), (2,\ 5), (3,\ 6),$
$(4,\ 1), (5,\ 2), (6,\ 3)$의 6가지
따라서 구하는 확률은 $\dfrac{6}{36}=\dfrac{1}{6}$ 답 ①

03

7개의 공 중 2개의 공을 꺼내는 경우의 수는

$$_7C_2 = \frac{7 \times 6}{2 \times 1} = 21$$

검은 공 4개 중 2개를 꺼내는 경우의 수는

$$_4C_2 = \frac{4 \times 3}{2 \times 1} = 6$$

따라서 구하는 확률은 $\dfrac{6}{21} = \dfrac{2}{7}$ 답 ②

04

10개의 공 중에서 임의로 2개의 공을 동시에 꺼내는 모든 경우의 수는

$$_{10}C_2 = 45$$

10개의 공 중에서 2개의 공이 같은 색인 경우는 다음과 같다.

(i) 빨간 공을 2개 꺼내는 경우의 수는

$$_2C_2 = 1$$

(ii) 파란 공을 2개 꺼내는 경우의 수는

$$_3C_2 = 3$$

(iii) 노란 공을 2개 꺼내는 경우의 수는

$$_4C_2 = 6$$

(i), (ii), (iii)에서 구하는 확률은

$$\frac{1+3+6}{45} = \frac{2}{9}$$ 답 ②

05

6개의 문자 A, U, R, O, R, A를 일렬로 나열하는 모든 경우의 수는

$$\frac{6!}{2! \times 2! \times 1! \times 1!} = \frac{720}{4} = 180$$

양 끝에 같은 문자가 오는 경우는

(i) 양 끝에 A가 오는 경우, 그 사이에는
U, R, O, R가 오면 되므로 그 경우의 수는

$$\frac{4!}{2! \times 1! \times 1!} = 12$$

(ii) 양 끝에 R가 오는 경우, 그 사이에는
A, U, O, A가 오면 되므로 그 경우의 수는

$$\frac{4!}{2! \times 1! \times 1!} = 12$$

(i), (ii)에서 구하는 확률은

$$\frac{12+12}{180} = \frac{2}{15}$$ 답 ④

06

두 사건 A와 B가 서로 배반사건이므로 $P(A \cap B) = 0$

$$P(A \cap B^C) = P(A) - P(A \cap B) = P(A)$$
$$P(A^C \cup B) = P((A \cap B^C)^C)$$
$$= 1 - P(A \cap B^C) = 1 - P(A) = \frac{2}{3}$$

즉 $P(A) = \dfrac{1}{3}$

$$P(A^C \cap B) = P(B) - P(A \cap B) = P(B)$$
$$P(A \cup B^C) = P((A^C \cap B)^C)$$
$$= 1 - P(A^C \cap B)$$

$$= 1 - P(B) = \frac{5}{6}$$

즉 $P(B) = \dfrac{1}{6}$

$$P(A \cup B) = P(A) + P(B) = \frac{1}{3} + \frac{1}{6} = \frac{1}{2}$$ 답 ⑤

07

$P(A \cup B) = P(A) + P(B) - P(A \cap B)$이므로

$$\frac{1}{2} = \frac{1}{4} + P(B) - \frac{1}{6}$$

$$P(B) = \frac{5}{12}$$

$$\therefore P(B^C) = 1 - P(B) = \frac{7}{12}$$ 답 ①

08

집합 A에서 집합 B로의 함수 f의 개수는 $_6\Pi_4$이고,
$f(1) \leq f(2) \leq f(3) \leq f(4)$를 만족하는 함수 f의 개수는 집합 B의
6개의 원소에서 중복을 허락하여 4개를 뽑는 중복조합의 수와
같으므로

$$_6H_4 = _{6+4-1}C_4 = _9C_4$$

따라서 구하는 확률은

$$\frac{_9C_4}{_6\Pi_4} = \frac{\frac{9 \times 8 \times 7 \times 6}{4 \times 3 \times 2 \times 1}}{6^4} = \frac{7}{72}$$ 답 ①

09

9명 중 3명을 선발하는 방법의 수는 $_9C_3 = 84$

모두 1학년을 선발하는 사건을 A라 하면

$$P(A) = \frac{_5C_3}{_9C_3} = \frac{10}{84} = \frac{5}{42}$$

모두 2학년을 선발하는 사건을 B라 하면

$$P(B) = \frac{_4C_3}{_9C_3} = \frac{4}{84} = \frac{1}{21}$$

두 사건 A, B는 서로 배반사건이므로 구하는 확률은

$$P(A \cup B) = P(A) + P(B) = \frac{5}{42} + \frac{1}{21} = \frac{1}{6}$$ 답 ①

10

남학생 수를 x명이라 하면 남학생 중 2명을 뽑는 경우의 수는
$_xC_2$이고, 여학생 중 2명을 뽑는 경우의 수는 $_{36-x}C_2$이다.
따라서 대표 2명을 뽑을 때, 2명 모두 남학생이거나 또는 2명 모두 여학생일 확률은

$$\frac{_xC_2 + _{36-x}C_2}{_{36}C_2} = \frac{1}{2}$$

이므로

$$\frac{\frac{x(x-1)}{2 \times 1} + \frac{(36-x)(35-x)}{2 \times 1}}{\frac{36 \times 35}{2 \times 1}} = \frac{1}{2}$$

$$2x^2 - 72x + 36 \times 35 = 18 \times 35$$
$$x^2 - 36x + 315 = 0$$
$$\therefore x = 21 \text{ 또는 } x = 15$$

그런데 남학생의 수가 여학생의 수보다 많으므로 남학생은 모두

21명이다. 답 ③

11

10개의 제비 중 임의로 3개의 제비를 동시에 뽑을 때, 3개 모두 당첨 제비가 뽑히지 않을 확률은 $\dfrac{_{10-k}C_3}{_{10}C_3}$이므로

$1-\dfrac{_{10-k}C_3}{_{10}C_3}=\dfrac{5}{6}$, $\dfrac{_{10-k}C_3}{_{10}C_3}=\dfrac{1}{6}$

$_{10}C_3=120$이므로

$_{10-k}C_3=\dfrac{(10-k)(9-k)(8-k)}{3\times2\times1}=20$

$(10-k)(9-k)(8-k)=120=6\times5\times4$이므로 $k=4$ 답 ④

12

7명의 학생을 모두 일렬로 세우는 경우의 수는 7!이다. 적어도 2명의 여학생이 서로 이웃하도록 세우는 사건을 A라 하면 A의 여사건 A^C는 이웃하는 여학생이 없도록 세우는 사건이다. 남학생 4명을 모두 일렬로 세우는 경우의 수는 4!이고, 가장 앞자리와 뒷자리 및 남학생 사이사이의 5자리 중 3자리에 여학생을 세우는 경우의 수는 $_5P_3$이다. 따라서 이웃하는 여학생이 없도록 세우는 경우의 수는 $4!\times_5P_3$이므로

$P(A^C)=\dfrac{4!\times_5P_3}{7!}=\dfrac{2}{7}$

$P(A)=1-P(A^C)=1-\dfrac{2}{7}=\dfrac{5}{7}$ 답 ①

05 조건부확률과 확률의 곱셈정리

pp. 46~47

01. ④	**02.** ③	**03.** ③	**04.** ①	**05.** ⑤

01 $P(B|A)=\dfrac{P(A\cap B)}{P(A)}=\dfrac{\frac{2}{5}}{\frac{2}{3}}=\dfrac{3}{5}$ 답 ④

02 임의로 뽑은 한 명이 여학생인 사건을 A, 박물관을 선택한 사건을 B라 하면

$P(B|A)=\dfrac{P(A\cap B)}{P(A)}=\dfrac{\frac{14}{60}}{\frac{32}{60}}=\dfrac{7}{16}$ 답 ③

03 $P(A\cap B)=P(A)P(B|A)$

$=\dfrac{2}{3}\times\dfrac{6}{7}=\dfrac{4}{7}$ 답 ③

04 주사위를 던져서 6의 약수의 눈이 나오는 사건을 A, 동전의 앞면이 2개 나오는 사건을 B라 하면 주사위의 눈이 6의 약수가 나오고 앞면이 2개 나올 확률은 $P(A\cap B)$이다.

6의 약수는 1, 2, 3, 6이므로

$P(A)=\dfrac{4}{6}=\dfrac{2}{3}$

동전을 2개 던져서 앞면이 2개 나올 확률은 $\dfrac{1}{4}$

따라서 구하는 확률은

$P(A\cap B)=P(A)P(B|A)=\dfrac{2}{3}\times\dfrac{1}{4}=\dfrac{1}{6}$ 답 ①

05 A상자를 택하는 사건을 A, B상자를 택하는 사건을 B, 사과 1개, 귤 1개가 나오는 사건을 E라 하면 구하는 확률은

$P(A|E)=\dfrac{P(A\cap E)}{P(E)}$이고,

$P(E)=P(A\cap E)+P(B\cap E)$이다.

$P(A\cap E)=P(A)P(E|A)=\dfrac{1}{2}\times\dfrac{_6C_1\times_4C_1}{_{10}C_2}=\dfrac{4}{15}$

$P(B\cap E)=P(B)P(E|B)=\dfrac{1}{2}\times\dfrac{_3C_1\times_7C_1}{_{10}C_2}=\dfrac{7}{30}$

$\therefore\ P(E)=P(A\cap E)+P(B\cap E)=\dfrac{4}{15}+\dfrac{7}{30}=\dfrac{1}{2}$

따라서 구하는 확률은

$P(A|E)=\dfrac{P(A\cap E)}{P(E)}=\dfrac{\frac{4}{15}}{\frac{1}{2}}=\dfrac{8}{15}$ 답 ⑤

유형따라잡기

pp. 48~52

기출유형 01 ①	**01.** ⑤	**02.** ①	**03.** ②	**04.** ④
기출유형 02 ⑤	**05.** ②	**06.** ⑤		
기출유형 03 ③	**07.** ②	**08.** ③		
기출유형 04 ①	**09.** ⑤	**10.** ④	**11.** ②	**12.** ②
기출유형 05 ③	**13.** ⑤	**14.** ④		

기출유형 01

Act① $P(B|A)=\dfrac{P(A\cap B)}{P(A)}$임을 이용한다.

$P(B|A)=\dfrac{P(A\cap B)}{P(A)}$에서

$P(A)=\dfrac{P(A\cap B)}{P(B|A)}=\dfrac{\frac{1}{9}}{\frac{1}{2}}=\dfrac{2}{9}$ 답 ①

01 **Act①** $P(A\cap B)=P(A)-P(A\cap B^C)$임을 이용한다.

$P(A\cap B)=P(A)-P(A\cap B^C)$

$=\dfrac{13}{16}-\dfrac{1}{4}=\dfrac{9}{16}$

$P(B|A)=\dfrac{P(A\cap B)}{P(A)}$

$=\dfrac{\frac{9}{16}}{\frac{13}{16}}=\dfrac{9}{13}$ 답 ⑤

02 **Act①** $P(A\cap B^C)=P(A\cup B)-P(B)$임을 이용한다.

$$P(A \cap B^c) = P(A \cup B) - P(B)$$
$$= \frac{5}{8} - \frac{1}{4} = \frac{3}{8}$$
$$P(B^c) = 1 - P(B) = \frac{3}{4}$$
$$\therefore P(A|B^c) = \frac{P(A \cap B^c)}{P(B^c)} = \frac{\frac{3}{8}}{\frac{3}{4}} = \frac{1}{2} \qquad \text{답 ①}$$

03 **Act①** $P(A \cap B^c)$의 값을 구하고
$P(A) = P(A \cap B) + P(A \cap B^c)$임을 이용한다.

$P(B^c|A) = 2P(B|A)$에서

$$\frac{P(A \cap B^c)}{P(A)} = \frac{2P(A \cap B)}{P(A)}$$
$$P(A \cap B^c) = 2P(A \cap B)$$

이때 $P(A \cap B) = \frac{1}{8}$이므로

$$P(A \cap B^c) = 2 \times \frac{1}{8} = \frac{1}{4}$$
$$\therefore P(A) = P(A \cap B) + P(A \cap B^c) = \frac{1}{8} + \frac{1}{4} = \frac{3}{8} \qquad \text{답 ②}$$

04 **Act①** $P(B)$, $P(A \cap B)$의 값을 구하고
$P(A^c \cap B) = P(B) - P(A \cap B)$임을 이용한다.

$$P(B) = 1 - P(B^c) = 1 - \frac{2}{3} = \frac{1}{3}$$

$P(B|A) = \frac{P(A \cap B)}{P(A)} = \frac{1}{6}$에서

$$P(A \cap B) = \frac{1}{6}P(A) = \frac{1}{6} \times \frac{1}{2} = \frac{1}{12}$$

$P(A^c \cap B) = P(B) - P(A \cap B)$이므로

$$P(A^c \cap B) = \frac{1}{3} - \frac{1}{12} = \frac{1}{4}$$
$$\therefore P(A^c|B) = \frac{P(A^c \cap B)}{P(B)} = \frac{\frac{1}{4}}{\frac{1}{3}} = \frac{3}{4} \qquad \text{답 ④}$$

기출유형 **02**

Act① 임의로 선택한 한 개의 공이 검은색인 사건을 전사건으로 놓고 조건부확률을 구한다.

임의로 선택한 한 개의 공이 검은색인 사건을 A, 공에 적혀 있는 수가 짝수인 사건을 B라 하면

$$P(B|A) = \frac{P(A \cap B)}{P(A)} = \frac{\frac{4}{14}}{\frac{9}{14}} = \frac{4}{9} \qquad \text{답 ⑤}$$

05 **Act①** 임의로 선택한 1명이 남학생인 사건을 전사건으로 놓고 조건부확률을 구한다.

임의로 선택한 1명이 학생이 남학생인 사건을 A, 과목 B를 선택한 학생인 사건을 B라 하면

$$P(B|A) = \frac{P(A \cap B)}{P(A)} = \frac{\frac{7}{20}}{\frac{10}{20}} = \frac{7}{10} \qquad \text{답 ②}$$

06 **Act①** 임의로 선택한 1명이 지역 A를 희망한 사건을 전사건으로 놓고 조건부확률을 구한다.

임의로 선택한 1명이 지역 A를 희망한 학생인 사건을 A, 지역 B를 희망한 학생인 사건을 B라 하면

$$P(B|A) = \frac{P(A \cap B)}{P(A)} = \frac{\frac{140}{500}}{\frac{180}{500}} = \frac{7}{9} \qquad \text{답 ⑤}$$

기출유형 **03**

Act① 주어진 조건을 표로 나타낸 후 조건부확률을 구한다.

주어진 조건을 표로 나타내면 다음과 같다.

	남학생	여학생	합계
중국어	12	(9)	(21)
일본어	(6)	7	(13)
합계	18	16	34

한 학생이 중국어 수업을 받는 사건을 A, 여학생인 사건을 B라 하면 구하는 확률은

$$P(B|A) = \frac{P(A \cap B)}{P(A)} = \frac{\frac{9}{34}}{\frac{21}{34}} = \frac{3}{7} \qquad \text{답 ③}$$

07 **Act①** 주어진 조건을 표로 나타낸 후 조건부확률을 구한다.

전체 학생은 100명이고 축구를 선택한 남학생일 확률이 $\frac{2}{5}$이므로 축구를 선택한 남학생은 40명이다. 주어진 조건을 표로 나타내면 아래와 같다.

종목 \ 성별	여학생	남학생	합계
야구	(10)	(20)	30
축구	(30)	40	70
합계	40	60	100

임의로 뽑은 1명이 야구를 선택한 사건을 A, 여학생인 사건을 B라 하면 구하는 확률은

$$P(B|A) = \frac{P(A \cap B)}{P(A)} = \frac{\frac{10}{100}}{\frac{30}{100}} = \frac{1}{3} \qquad \text{답 ②}$$

08 **Act①** 주어진 조건을 표로 나타낸 후 조건부확률을 이용한다.

체험 학습 B를 선택한 학생 중 남학생의 수를 a, 여학생의 수를 b라 하고 주어진 조건을 표로 나타내면 다음과 같다.

	남자	여자	합계
체험 학습 A	90	70	160
체험 학습 B	(a)	(b)	($a+b$)
합계			360

체험 학습 B를 선택한 사건을 B, 남학생인 사건을 M이라 하면

$$P(M|B) = \frac{n(B \cap M)}{n(B)} = \frac{a}{a+b} = \frac{2}{5}$$

이때 $a+b=360-160=200$ ······ ㉠이므로

$\dfrac{a}{200}=\dfrac{2}{5}$ $\therefore a=80$

이 값을 ㉠에 대입하면 $b=120$

따라서 이 학교의 여학생의 수는 $70+b=70+120=190$

답 ③

기출유형 04

Act 1 $\mathrm{P}(A\cap B)=\mathrm{P}(A)\mathrm{P}(B|A)$임을 이용한다.

$\mathrm{P}(A\cap B)=\mathrm{P}(A)\mathrm{P}(B|A)$

$=\dfrac{2}{5}\times\dfrac{5}{6}=\dfrac{1}{3}$

답 ①

09 **Act 1** $\mathrm{P}(A\cap B)=\mathrm{P}(A)\mathrm{P}(B|A)$임을 이용한다.

$\mathrm{P}(A\cap B)=\mathrm{P}(A)\mathrm{P}(B|A)$

$=\dfrac{3}{5}\times\dfrac{2}{3}=\dfrac{2}{5}$

답 ⑤

10 **Act 1** $\mathrm{P}(A\cap B)=\mathrm{P}(A)\mathrm{P}(B|A)$임을 이용한다.

$\mathrm{P}(A\cap B)=\mathrm{P}(A)\mathrm{P}(B|A)$

$=\dfrac{2}{3}\times\dfrac{2}{3}=\dfrac{4}{9}$

답 ④

11 **Act 1** $\mathrm{P}(A\cap B^C)=\mathrm{P}(A)\mathrm{P}(B^C|A)$임을 이용한다.

$\mathrm{P}(A\cap B^C)=\mathrm{P}(A)\mathrm{P}(B^C|A)$

$=\dfrac{4}{5}\times\dfrac{1}{4}=\dfrac{1}{5}$

답 ②

12 **Act 1** $\mathrm{P}(A\cap B)=\mathrm{P}(A)\mathrm{P}(B|A)$임을 이용한다.

$\mathrm{P}(A\cap B)=\mathrm{P}(A)\mathrm{P}(B|A)=\dfrac{1}{4}\times\dfrac{1}{3}=\dfrac{1}{12}$

$\therefore \mathrm{P}(A|B)=\dfrac{\mathrm{P}(A\cap B)}{\mathrm{P}(B)}=\dfrac{\dfrac{1}{12}}{\dfrac{1}{3}}=\dfrac{1}{4}$

답 ②

기출유형 05

Act 1 $A^C=B$일 때 $\mathrm{P}(B|E)=\dfrac{\mathrm{P}(B\cap E)}{\mathrm{P}(A\cap E)+\mathrm{P}(B\cap E)}$임을 이용한다.

주머니 A를 택하는 사건을 A, 주머니 B를 택하는 사건을 B, 2개 모두 흰 공이 나오는 사건을 E라 하면 구하는 확률은 $\mathrm{P}(B|E)=\dfrac{\mathrm{P}(B\cap E)}{\mathrm{P}(A\cap E)+\mathrm{P}(B\cap E)}$이다.

(i) 주머니 A를 택하여 2개 모두 흰 공이 나올 확률은

$\mathrm{P}(A\cap E)=\mathrm{P}(A)\mathrm{P}(E|A)=\dfrac{1}{2}\times\dfrac{_3\mathrm{C}_2}{_5\mathrm{C}_2}=\dfrac{3}{20}$

(ii) 주머니 B를 택하여 2개 모두 흰 공이 나올 확률은

$\mathrm{P}(B\cap E)=\mathrm{P}(B)\mathrm{P}(E|B)=\dfrac{1}{2}\times\dfrac{_2\mathrm{C}_2}{_5\mathrm{C}_2}=\dfrac{1}{20}$

(i), (ii)에서 2개 모두 흰 공이 나올 확률은

$\mathrm{P}(E)=\mathrm{P}(A\cap E)+\mathrm{P}(B\cap E)=\dfrac{3}{20}+\dfrac{1}{20}=\dfrac{1}{5}$

따라서 구하는 확률은

$\mathrm{P}(B|E)=\dfrac{\mathrm{P}(B\cap E)}{\mathrm{P}(E)}=\dfrac{\dfrac{1}{20}}{\dfrac{1}{5}}=\dfrac{1}{4}$

답 ③

13 **Act 1** $A^C=B$일 때 $\mathrm{P}(A|E)=\dfrac{\mathrm{P}(A\cap E)}{\mathrm{P}(A\cap E)+\mathrm{P}(B\cap E)}$임을 이용한다.

버스로 등교하는 사건을 A, 걸어서 등교하는 사건을 B, 지각하는 사건을 E라 하면 구하는 확률은

$\mathrm{P}(A|E)=\dfrac{\mathrm{P}(A\cap E)}{\mathrm{P}(A\cap E)+\mathrm{P}(B\cap E)}$이다.

(i) 버스로 등교한 학생이 지각할 확률은

$\mathrm{P}(A\cap E)=\mathrm{P}(A)\mathrm{P}(E|A)=\dfrac{6}{10}\times\dfrac{1}{20}=\dfrac{3}{100}$

(ii) 걸어서 등교한 학생이 지각할 확률은

$\mathrm{P}(B\cap E)=\mathrm{P}(B)\mathrm{P}(E|B)=\dfrac{4}{10}\times\dfrac{1}{15}=\dfrac{2}{75}$

(i), (ii)에서

$\mathrm{P}(E)=\mathrm{P}(A\cap E)+\mathrm{P}(B\cap E)$

$=\dfrac{3}{100}+\dfrac{2}{75}=\dfrac{17}{300}$

따라서 구하는 확률은

$\mathrm{P}(A|E)=\dfrac{\mathrm{P}(A\cap E)}{\mathrm{P}(E)}=\dfrac{\dfrac{3}{100}}{\dfrac{17}{300}}=\dfrac{9}{17}$

답 ⑤

14 **Act 1** $A^C=B$일 때 $\mathrm{P}(A|E)=\dfrac{\mathrm{P}(A\cap E)}{\mathrm{P}(A\cap E)+\mathrm{P}(B\cap E)}$임을 이용한다.

주머니 A에서 카드를 꺼내는 사건을 A, 주머니 B에서 카드를 꺼내는 사건을 B, 꺼낸 카드가 짝수인 사건을 E라 하면 구하는 확률은 $\mathrm{P}(A|E)=\dfrac{\mathrm{P}(A\cap E)}{\mathrm{P}(A\cap E)+\mathrm{P}(B\cap E)}$이다.

(i) 주머니 A에서 짝수가 나올 확률은 주사위가 3 또는 6이 나오고 주머니 A에서 2 또는 4의 카드를 꺼낼 확률이므로

$\mathrm{P}(A\cap E)=\mathrm{P}(A)\mathrm{P}(E|A)=\dfrac{2}{6}\times\dfrac{2}{5}=\dfrac{2}{15}$

(ii) 주머니 B에서 짝수가 나올 확률은 주사위가 1 또는 2 또는 4 또는 5가 나오고, 주머니 B에서 2 또는 4 또는 6의 카드를 꺼낼 확률이므로

$\mathrm{P}(B\cap E)=\mathrm{P}(B)\mathrm{P}(E|B)=\dfrac{4}{6}\times\dfrac{3}{6}=\dfrac{1}{3}$

(i), (ii)에서 짝수가 나올 확률은

$\mathrm{P}(E)=\mathrm{P}(A\cap E)+\mathrm{P}(B\cap E)=\dfrac{2}{15}+\dfrac{1}{3}=\dfrac{7}{15}$

따라서 구하는 확률은

$\mathrm{P}(A|E)=\dfrac{\mathrm{P}(A\cap E)}{\mathrm{P}(E)}=\dfrac{\dfrac{2}{15}}{\dfrac{7}{15}}=\dfrac{2}{7}$

답 ④

01. ④	02. ③	03. ①	04. ④	05. ④
06. ④	07. ④	08. ③	09. ②	10. ③
11. ④	12. ③	13. ③	14. ①	15. ⑤
16. ④	17. ④	18. ③		

01

$P(A \cup B) = P(A) + P(B) - P(A \cap B)$이므로

$P(A \cap B) = P(A) + P(B) - P(A \cup B)$

$$= \frac{9}{16} + \frac{1}{4} - \frac{3}{4} = \frac{1}{16}$$

$\therefore P(A|B) = \dfrac{P(A \cap B)}{P(B)} = \dfrac{\frac{1}{16}}{\frac{1}{4}} = \dfrac{1}{4}$ 답 ④

02

$P(A^C \cap B) = P(B) - P(A \cap B) = \dfrac{1}{2} - \dfrac{1}{5} = \dfrac{3}{10}$이므로

$P(A^C|B) = \dfrac{P(A^C \cap B)}{P(B)} = \dfrac{\frac{3}{10}}{\frac{1}{2}} = \dfrac{3}{5}$ 답 ③

03

$P(A) = 1 - P(A^C) = 1 - \dfrac{1}{6} = \dfrac{5}{6}$이므로

$P(A \cap B^C) = P(A)P(B^C|A)$

$$= \dfrac{5}{6} \times \dfrac{1}{3} = \dfrac{5}{18}$$ 답 ①

04

$P(A \cap B) = P(A)P(B|A) = \dfrac{2}{3} \times \dfrac{1}{4} = \dfrac{1}{6}$

$P(A \cup B) = P(A) + P(B) - P(A \cap B)$이므로

$\dfrac{5}{6} = \dfrac{2}{3} + P(B) - \dfrac{1}{6}$, $P(B) = \dfrac{1}{3}$

$\therefore P(A|B^C) = \dfrac{P(A \cap B^C)}{P(B^C)} = \dfrac{P(A) - P(A \cap B)}{P(B^C)}$

$$= \dfrac{\frac{2}{3} - \frac{1}{6}}{1 - \frac{1}{3}} = \dfrac{3}{4}$$ 답 ④

05

$P(A^C \cap B^C) = P((A \cup B)^C) = 1 - P(A \cup B) = \dfrac{1}{6}$에서

$P(A \cup B) = \dfrac{5}{6}$

$P(A \cap B) = P(A) + P(B) - P(A \cup B)$

$$= \dfrac{1}{3} + P(B) - \dfrac{5}{6} = P(B) - \dfrac{1}{2}$$

$B(A|B) = \dfrac{P(A \cap B)}{P(B)} = \dfrac{P(B) - \frac{1}{2}}{P(B)} = \dfrac{1}{5}$

$P(B) - \dfrac{1}{2} = \dfrac{1}{5}P(B)$

$\therefore P(B) = \dfrac{5}{8}$ 답 ④

06

$P(A) = \dfrac{{}_6C_2}{36} = \dfrac{5}{12}$

$A \cap B = \{(3, 1), (4, 2), (5, 1), (5, 3), (6, 2), (6, 4)\}$
이므로 $n(A \cap B) = 6$

따라서 $P(A \cap B) = \dfrac{6}{36} = \dfrac{1}{6}$이므로

$P(B|A) = \dfrac{P(A \cap B)}{P(A)} = \dfrac{\frac{1}{6}}{\frac{5}{12}} = \dfrac{2}{5}$ 답 ④

07

봉사 동아리에서 임의로 한 명을 뽑을 때, 그 학생이 여학생인 사건을 A, 2학년인 사건을 B라 하면

$P(A) = \dfrac{30}{50}$, $P(A \cap B) = \dfrac{16}{50}$

따라서 구하는 확률은

$P(B|A) = \dfrac{P(A \cap B)}{P(A)} = \dfrac{8}{15}$ 답 ④

08

당첨 고객 중에서 임의로 선택한 한 명이 여성인 사건을 A, 경품 P를 선택한 사건을 B라 하면

$P(A) = \dfrac{45}{100}$, $P(A \cap B) = \dfrac{24}{100}$

따라서 구하는 확률은

$P(B|A) = \dfrac{P(A \cap B)}{P(A)} = \dfrac{8}{15}$ 답 ③

09

홀수의 눈이 나오는 사건을 A, 3의 배수의 눈이 나오는 사건을 B라 하면

$A = \{1, 3, 5\}$, $B = \{3, 6\}$,
$A \cap B = \{3\}$
이므로

$P(A \cap B) = \dfrac{1}{6}$, $P(A) = \dfrac{1}{2}$

$\therefore P(B|A) = \dfrac{P(A \cap B)}{P(A)} = \dfrac{\frac{1}{6}}{\frac{1}{2}} = \dfrac{1}{3}$ 답 ②

10

A회사 제품인 사건을 A, 3개 중 1개가 불량품이 나오는 사건을 E라 하면 구하는 확률은 $P(A|E) = \dfrac{P(A \cap E)}{P(E)}$이다.

$P(E) = \dfrac{{}_{15}C_2 \times {}_5C_1}{{}_{20}C_3}$

$\therefore P(A|E) = \dfrac{P(A \cap E)}{P(E)}$

$$=\frac{\dfrac{_{15}C_2\times{}_2C_1}{_{20}C_3}}{\dfrac{_{15}C_2\times{}_5C_1}{_{20}C_3}}=\frac{2}{5}$$ 답 ③

11

배가 나오는 사건을 X, B상자를 택하는 사건을 Y라 하면

$$P(X)=\frac{1}{2}\times\frac{10}{30}+\frac{1}{2}\times\frac{20}{30}=\frac{1}{2}$$

$$P(X\cap Y)=\frac{1}{2}\times\frac{20}{30}=\frac{1}{3}$$

$$\therefore\ P(Y|X)=\frac{P(X\cap Y)}{P(X)}=\frac{\dfrac{1}{3}}{\dfrac{1}{2}}=\frac{2}{3}$$ 답 ④

12

같은 색의 공을 꺼낼 사건을 X, 모두 검은 공을 꺼낼 사건을 Y라 하면

$$P(X)=\frac{3}{5}\times\frac{1}{3}+\frac{2}{5}\times\frac{2}{3}=\frac{7}{15}$$

$$P(X\cap Y)=\frac{3}{5}\times\frac{1}{3}=\frac{1}{5}$$

$$\therefore\ P(Y|X)=\frac{P(X\cap Y)}{P(X)}$$

$$=\frac{\dfrac{1}{5}}{\dfrac{7}{15}}=\frac{3}{7}$$ 답 ③

13

두 공에 적힌 수의 곱이 짝수인 사건을 X, 두 공에 적힌 수가 모두 짝수인 사건을 Y라 하자.

전체 경우의 수는 25이고 두 수의 곱이 홀수인 경우의 수는 9, 두 수의 곱이 짝수인 경우는 16이므로

$$P(X)=\frac{16}{25}$$

두 공에 적힌 수가 모두 짝수일 확률은

$$P(X\cap Y)=\frac{2}{5}\times\frac{2}{5}=\frac{4}{25}$$

따라서 구하는 확률은

$$P(Y|X)=\frac{P(X\cap Y)}{P(X)}=\frac{\dfrac{4}{25}}{\dfrac{16}{25}}=\frac{1}{4}$$ 답 ③

14

첫 번째에 당첨 제비를 뽑지 않을 확률은 $\dfrac{8}{10}=\dfrac{4}{5}$

두 번째에 당첨 제비를 뽑을 확률은 $\dfrac{2}{9}$

세 번째에 당첨 제비를 뽑을 확률은 $\dfrac{1}{8}$

따라서 구하는 확률은 $\dfrac{4}{5}\times\dfrac{2}{9}\times\dfrac{1}{8}=\dfrac{1}{45}$ 답 ①

15

흰 공이 나오는 사건을 A, 검은 공이 나오는 사건을 B라 할 때, 먼저 꺼내기 시작한 사람이 흰 공을 뽑는 경우의 확률은

(i) $A:p_1=\dfrac{4}{9}$

(ii) $BBA:p_2=\dfrac{5}{9}\times\dfrac{4}{8}\times\dfrac{4}{7}=\dfrac{10}{63}$

(iii) $BBBBA:p_3=\dfrac{5}{9}\times\dfrac{4}{8}\times\dfrac{3}{7}\times\dfrac{2}{6}\times\dfrac{4}{5}$

$$=\frac{2}{63}$$

따라서 구하는 확률은

$$p_1+p_2+p_3=\frac{4}{9}+\frac{10}{63}+\frac{2}{63}$$

$$=\frac{40}{63}$$ 답 ⑤

16

빨간색 공을 꺼내는 경우를 ○, 파란색 공을 꺼내는 경우를 ×로 나타내면 예은이가 이기는 경우는 다음과 같다.

1회	2회	3회	4회
×	○		
×	×	×	○

(i) 1회에 동환이가 파란색 공을, 2회에 예은이가 빨간색 공을 꺼낼 확률을 p_1이라 하면

$$p_1=\frac{3}{5}\times\frac{2}{4}=\frac{3}{10}$$

(ii) 1회에 동환이가 파란색 공을, 2회에 예은이가 파란색 공을, 3회에 동환이가 파란색 공을, 4회에 예은이가 빨간색 공을 꺼낼 확률을 p_2라 하면

$$p_2=\frac{3}{5}\times\frac{2}{4}\times\frac{1}{3}\times\frac{2}{2}=\frac{1}{10}$$

따라서 예은이가 이길 확률은

$$p_1+p_2=\frac{3}{10}+\frac{1}{10}=\frac{2}{5}$$ 답 ④

17

상자 A에서 공을 꺼내는 사건을 A, 상자 B에서 공을 꺼내는 사건을 B라 하고, 꺼낸 공이 검은 공인 사건을 C라 하면

$$P(A\cap C)=P(A)P(C|A)=\frac{1}{2}\times\frac{_4C_2}{_7C_2}=\frac{1}{2}\times\frac{2}{7}=\frac{1}{7}$$

$$P(B\cap C)=P(B)P(C|B)=\frac{1}{2}\times\frac{_3C_2}{_7C_2}=\frac{1}{2}\times\frac{1}{7}=\frac{1}{14}$$

$$P(C)=P(A\cap C)+P(B\cap C)=\frac{1}{7}+\frac{1}{14}=\frac{3}{14}$$

따라서 구하는 확률은

$$P(A|C)=\frac{P(A\cap C)}{P(C)}=\frac{\dfrac{1}{7}}{\dfrac{3}{14}}=\frac{2}{3}$$ 답 ④

18

첫 번째에 꺼낸 공이 검은 공인 사건을 A, 두 번째에 꺼낸 공이 흰 공인 사건을 B라 하면

$$P(A\cap B)=P(A)P(B|A)=\frac{3}{8}\times\frac{5}{7}=\frac{15}{56}$$

$$P(A^c\cap B)=P(A^c)P(B|A^c)$$

$$=\frac{5}{8}\times\frac{4}{7}=\frac{5}{14}$$

$$P(B)=P(A\cap B)+P(A^c\cap B)$$

$$=\frac{15}{56}+\frac{5}{14}=\frac{35}{56}$$

따라서 구하는 확률은

$$P(A|B)=\frac{P(A\cap B)}{P(B)}$$

$$=\frac{\dfrac{15}{56}}{\dfrac{35}{56}}=\frac{3}{7}$$

답 ③

06 사건의 독립과 종속

pp. 56~57

01. ②	02. ④	03. ①	04. ③	05. ②

01 ㄱ. $P(B|A)=P(B)=\frac{3}{5}$ (참)

ㄴ. $P(A|B)=P(A)=\frac{1}{3}$ (참)

ㄷ. $P(A^c|B)=P(A^c)=1-P(A)=1-\frac{1}{3}=\frac{2}{3}$ (거짓)

답 ②

02 $A=\{2,\,4,\,6\}$, $B=\{2,\,3,\,5\}$, $C=\{1,\,2,\,3,\,6\}$이므로

$P(A)=\frac{1}{2}$, $P(B)=\frac{1}{2}$, $P(C)=\frac{2}{3}$, $P(A\cap B)=\frac{1}{6}$,

$P(A\cap C)=\frac{1}{3}$, $P(B\cap C)=\frac{1}{3}$

ㄱ. 두 사건 A와 B에서

$P(A)P(B)=\frac{1}{4}\neq P(A\cap B)=\frac{1}{6}$

따라서 두 사건 A와 B는 서로 종속이다.

ㄴ. 두 사건 B와 C에서

$P(B)P(C)=P(B\cap C)=\frac{1}{3}$

따라서 두 사건 B와 C는 서로 독립이다.

ㄷ. 두 사건 A와 C에서

$P(A)P(C)=P(A\cap C)=\frac{1}{3}$

따라서 두 사건 A와 C는 서로 독립이다. 답 ④

03 두 사건 A와 B는 독립이므로

$P(A\cap B)=P(A)P(B)$

$\frac{1}{9}=\frac{2}{3}P(B)$

$\therefore P(B)=\frac{1}{6}$

답 ①

04 야구 선수 A, B가 안타를 치는 사건을 각각 A, B라 하면 A, B는 서로 독립이므로

구하는 확률은

$$P(A\cap B)=P(A)P(B)=\frac{1}{2}\times\frac{2}{5}=\frac{1}{5}$$

답 ③

05 한 개의 동전을 한 번 던질 때, 앞면이 나올 확률은 $\frac{1}{2}$

따라서 동전을 4번 던져서 앞면이 2번 나올 확률은

$${}_4C_2\left(\frac{1}{2}\right)^2\left(\frac{1}{2}\right)^2=\frac{3}{8}$$

답 ②

유형따라잡기				pp. 58~62
기출유형 01 ④	01. ③	02. ②	03. ④	04. ④
기출유형 02 ③	05. ②	06. ③		
기출유형 03 ④	07. ④	08. ③	09. ④	10. ⑤
기출유형 04 ③	11. ①	12. ②	13. ②	14. ⑤
기출유형 05 ①	15. ②	16. ⑤	17. 43	18. ③

기출유형 01

Act① 두 사건이 서로 독립이므로 $P(A\cap B)=P(A)P(B)$임을 이용한다.

두 사건 A와 B는 서로 독립사건이므로

$P(A\cap B)=P(A)P(B)=\frac{1}{3}\times\frac{1}{4}=\frac{1}{12}$

$P(A\cup B)=P(A)+P(B)-P(A\cap B)$

$=\frac{1}{3}+\frac{1}{4}-\frac{1}{12}=\frac{1}{2}$

답 ④

01 **Act①** 두 사건이 독립이므로 $P(A\cap B)=P(A)P(B)$임을 이용한다.

두 사건 A, B가 서로 독립이므로

$P(A\cap B)=P(A)P(B)=\frac{2}{3}P(B)$

$P(A\cup B)=P(A)+P(B)-P(A\cap B)$에서

$\frac{5}{6}=\frac{2}{3}+P(B)-\frac{2}{3}P(B)$, $\frac{1}{3}P(B)=\frac{1}{6}$

$\therefore P(B)=\frac{1}{2}$

답 ③

02 **Act①** 두 사건 A, B가 서로 독립이므로 $P(A\cap B)=P(A)P(B)$임을 이용한다.

$P(A^c)=\frac{2}{3}$에서

$P(A)=1-P(A^c)=1-\frac{2}{3}=\frac{1}{3}$

두 사건 A와 B는 서로 독립이므로

$P(A\cap B)=P(A)P(B)$, $\frac{1}{12}=\frac{1}{3}P(B)$

$\therefore P(B)=\frac{1}{4}$

답 ②

03 **Act①** 두 사건이 서로 독립이므로 $P(A|B)=P(A)$임을 이용한다.

$P(B^c)=\dfrac{1}{3}$에서

$P(B)=1-P(B^c)=1-\dfrac{1}{3}=\dfrac{2}{3}$

두 사건 A와 B는 서로 독립이므로

$P(A)=P(A|B)=\dfrac{1}{2}$

$\therefore\ P(A)P(B)=\dfrac{1}{2}\times\dfrac{2}{3}=\dfrac{1}{3}$ 답 ④

04 **Act①** 두 사건이 서로 독립이므로 각각의 사건의 여사건과도 독립임을 이용한다.

$P(A^c)=\dfrac{1}{4}$에서 $P(A)=1-P(A^c)=1-\dfrac{1}{4}=\dfrac{3}{4}$

두 사건 A, B가 서로 독립이므로

$P(A\cap B)=P(A)P(B)$, $\dfrac{1}{2}=\dfrac{3}{4}P(B)$

$\therefore\ P(B)=\dfrac{2}{3}$

두 사건 A, B가 서로 독립이면 두 사건 A^c, B도 서로 독립이므로

$P(B|A^c)=P(B)=\dfrac{2}{3}$ 답 ④

기출유형 02

Act① 조건 (다)에서 $A\cup B$와 C는 배반이므로
$P(A\cup B\cup C)=P(A\cup B)+P(C)$임을 이용한다.

조건 (다)에서 사건 $A\cup B$ 와 사건 C는 서로 배반이므로 확률의 덧셈정리에서

$P(A\cup B\cup C)=P(A\cup B)+P(C)$ ……㉠

이때 조건 (나)에서 두 사건 두 사건 A, B는 서로 독립이므로

$P(A\cap B)=P(A)P(B)=\dfrac{1}{2}\times\dfrac{1}{3}=\dfrac{1}{6}>0$이다.

확률의 덧셈정리에서

$P(A\cup B)=P(A)+P(B)-P(A\cap B)$

$=\dfrac{1}{2}+\dfrac{1}{3}-\dfrac{1}{6}=\dfrac{2}{3}$

이 값을 ㉠에 대입하면

$P(A\cup B\cup C)=P(A\cup B)+P(C)$

$=\dfrac{2}{3}+\dfrac{1}{12}=\dfrac{3}{4}$ 답 ③

05 **Act①** A, B가 독립사건이면 $P(A\cap B)=P(A)P(B)>0$이고 배반사건이면 $P(A\cap B)=0$임을 이용하여 [보기]의 참, 거짓을 판단한다.

ㄱ. $P(B|A)=\dfrac{P(A\cap B)}{P(A)}=\dfrac{P(A)}{P(A)}=1$ (참)

ㄴ. A, B가 배반이면 $A\cap B=\phi$이므로

$P(B|A)=\dfrac{P(A\cap B)}{P(A)}=\dfrac{P(\phi)}{P(A)}=0$ (참)

ㄷ. A, B가 독립사건이면 $P(A\cap B)=P(A)P(B)>0$이고 A, B가 배반사건이면 $P(A\cap B)=0$이다. 즉 확률이 0이 아닌 두 사건이 서로 독립이면 두 사건은 배반

이 아니다. (거짓)   답 ②

06 **Act①** 두 사건 A와 B가 서로 독립일 때 $P(A\cap B)=P(A)$ $P(B)>0$이고 A^c와 B도 서로 독립임을 이용하여 [보기]의 참, 거짓을 판단한다.

ㄱ. 두 사건 A, B가 독립이면 사건 A^c와 B도 서로 독립이므로

$P(A^c|B)=P(A^c)=1-P(A)$ (참)

ㄴ. 공사건이 아닌 두 사건 A와 B가 서로 독립일 때
$P(A\cap B)=P(A)P(B)>0$이므로

$P(A\cup B)=P(A)+P(B)-P(A\cap B)$

$\neq P(A)+P(B)$ (거짓)

ㄷ. $P(B)=P(A\cap B)+P(A^c\cap B)$

두 사건 A, B가 독립이면 사건 A^c와 B도 서로 독립이므로

$P(B)=P(A)P(B)+P(A^c)P(B)$ (참)   답 ③

기출유형 03

Act① 두 사건이 서로 독립이면 $P(A\cap B)=P(A)P(B)$임을 이용한다.

주사위의 눈이 소수인 눈이 나오는 사건을 A, 동전의 앞면이 나오는 사건을 B라 하면 A, B는 서로 독립이므로 구하는 확률은

$P(A\cap B)=P(A)P(B)=\dfrac{3}{6}\times\dfrac{1}{2}=\dfrac{1}{4}$ 답 ④

07 **Act①** 두 사건 A, B가 독립이면 $P(A\cap B)=P(A)P(B)$이고, A^c와 B^c도 서로 독립임을 이용한다.

부품 A, B가 고장나는 사건을 각각 A, B라 하면 두 사건 A, B는 서로 독립이므로 A^c와 B^c도 서로 독립이다.

이 제품이 1년 이내에 고장이 나지 않을 확률은

$P(A^c\cap B^c)=P(A^c)P(B^c)$

$=\Big(1-\dfrac{1}{5}\Big)\Big(1-\dfrac{1}{6}\Big)$

$=\dfrac{4}{5}\times\dfrac{5}{6}=\dfrac{2}{3}$

따라서 구하는 확률은

$1-P(A^c\cap B^c)=1-\dfrac{2}{3}=\dfrac{1}{3}$ 답 ④

08 **Act①** 두 사건 A, B가 독립이면 $P(A\cap B)=P(A)P(B)$이고, A와 B^c, A^c와 B도 서로 독립임을 이용한다.

1번 타자가 안타를 치는 사건을 A, 2번 타자가 안타를 치는 사건을 B라 하면 두 사건 A, B는 서로 독립이므로 A와 B^c, A^c와 B도 서로 독립이다.

따라서 구하는 확률은

$P(A\cap B^c)+P(A^c\cap B)=P(A)P(B^c)+P(A^c)P(B)$

$=\dfrac{1}{4}\times\Big(1-\dfrac{1}{3}\Big)+\Big(1-\dfrac{1}{4}\Big)\times\dfrac{1}{3}$

$=\dfrac{5}{12}$ 답 ③

09 **Act①** 두 사건 A, B가 독립이면 $P(A \cap B) = P(A)P(B)$이고, A와 B^C, A^C와 B도 서로 독립임을 이용한다.

A가 성공하는 사건을 A, B가 성공하는 사건을 B라 하면 두 사건 A, B는 서로 독립이므로 A와 B^C, A^C와 B도 서로 독립이다.

따라서 구하는 확률은
$$P(A \cap B^C) + P(A^C \cap B) = P(A)P(B^C) + P(A^C)P(B)$$
$$= 0.6 \times (1 - 0.8) + (1 - 0.6) \times 0.8$$
$$= 0.12 + 0.32$$
$$= 0.44 \qquad \text{답 ④}$$

10 **Act①** 을이 두 번 먼저 이기는 경우를 (을, 을), (을, 갑, 을), (갑, 을, 을)로 나누어 생각한다.

갑이 이길 확률은 $\dfrac{1}{3}$, 을이 이길 확률은 $\dfrac{2}{3}$

(i) (을, 을)의 순서로 이길 확률은
$$\dfrac{2}{3} \times \dfrac{2}{3} = \dfrac{4}{9}$$

(ii) (을, 갑, 을)의 순서로 이길 확률은
$$\dfrac{2}{3} \times \dfrac{1}{3} \times \dfrac{2}{3} = \dfrac{4}{27}$$

(iii) (갑, 을, 을)의 순서로 이길 확률은
$$\dfrac{1}{3} \times \dfrac{2}{3} \times \dfrac{2}{3} = \dfrac{4}{27}$$

(i), (ii), (iii)에서 서로 배반사건이므로 구하는 확률은
$$\dfrac{4}{9} + \dfrac{4}{27} + \dfrac{4}{27} = \dfrac{20}{27} \qquad \text{답 ⑤}$$

기출유형 04

Act① n회의 독립시행에서 사건 A가 r회 일어날 확률은 ${}_nC_r p^r q^{n-r}$ (단, $q = 1 - p$)임을 이용한다.

10점 영역을 맞힐 확률이 $\dfrac{1}{3}$

따라서 10점 영역을 4번 맞힐 확률은
$${}_6C_4 \left(\dfrac{1}{3}\right)^4 \left(\dfrac{2}{3}\right)^2 = \dfrac{20}{243} \qquad \text{답 ③}$$

11 **Act①** n회의 독립시행에서 사건 A가 r회 일어날 확률은 ${}_nC_r p^r q^{n-r}$ (단, $q = 1 - p$)임을 이용한다.

한 개의 주사위를 1번 던질 때, 4의 눈이 나올 확률은 $\dfrac{1}{6}$

따라서 한 개의 주사위를 3번 던질 때, 4의 눈이 한 번만 나올 확률은
$${}_3C_1 \left(\dfrac{1}{6}\right)^1 \left(\dfrac{5}{6}\right)^2 = 3 \times \dfrac{1}{6} \times \dfrac{25}{36} = \dfrac{25}{72} \qquad \text{답 ①}$$

12 **Act①** n회의 독립시행에서 사건 A가 r회 일어날 확률은 ${}_nC_r p^r q^{n-r}$ (단, $q = 1 - p$)임을 이용한다.

한 개의 동전을 한 번 던질 때, 앞면이 나올 확률은 $\dfrac{1}{2}$

따라서 동전을 5번 던져서 앞면이 2번 나올 확률은
$${}_5C_2 \left(\dfrac{1}{2}\right)^2 \left(\dfrac{1}{2}\right)^3 = \dfrac{5}{16} \qquad \text{답 ②}$$

13 **Act①** n회의 독립시행에서 사건 A가 r회 일어날 확률은 ${}_nC_r p^r q^{n-r}$ (단, $q = 1 - p$)임을 이용한다.

한 개의 주사위를 한 번 던질 때, 홀수의 눈이 나올 확률은 $\dfrac{1}{2}$

따라서 한 개의 주사위를 6번 던질 때, 홀수의 눈이 5번 나올 확률은
$${}_6C_5 \left(\dfrac{1}{2}\right)^5 \left(\dfrac{1}{2}\right)^1 = 6 \times \dfrac{1}{64} = \dfrac{3}{32} \qquad \text{답 ②}$$

14 **Act①** n회의 독립시행에서 사건 A가 r회 일어날 확률은 ${}_nC_r p^r q^{n-r}$ (단, $q = 1 - p$)임을 이용한다.

걸이 나오는 경우는 네 개의 윷짝 중에서 한 개는 둥근 면이 나오고, 나머지 세 개는 평평한 면이 나올 때이므로 구하는 확률은
$${}_4C_1 \left(\dfrac{1}{3}\right)^1 \left(\dfrac{2}{3}\right)^3 = \dfrac{32}{81} \qquad \text{답 ⑤}$$

기출유형 05

Act① 동전의 앞면이 나오는 횟수를 a, 뒷면이 나오는 횟수를 b라 할 때, $ab = 6$을 만족하는 독립시행의 확률을 구한다.

한 개의 동전을 5번 던질 때, 앞면이 나오는 횟수를 a, 뒷면이 나오는 횟수를 b라 하자.

$ab = 6$을 만족하는 경우는 동전을 5번 던지므로 $a = 2$, $b = 3$ 또는 $a = 3$, $b = 2$일 때이다.

(i) $a = 2$, $b = 3$일 확률은
$${}_5C_2 \left(\dfrac{1}{2}\right)^2 \left(\dfrac{1}{2}\right)^3 = \dfrac{5}{16}$$

(ii) $a = 3$, $b = 2$일 확률은
$${}_5C_3 \left(\dfrac{1}{2}\right)^3 \left(\dfrac{1}{2}\right)^2 = \dfrac{5}{16}$$

(i), (ii)에서 구하는 확률은
$$\dfrac{5}{16} + \dfrac{5}{16} = \dfrac{5}{8} \qquad \text{답 ①}$$

15 **Act①** 동전의 앞면이 나오는 횟수를 a, 뒷면이 나오는 횟수를 b라 할 때, $a + b = 7$, $a - b = 3$을 만족하는 독립시행의 확률을 구한다.

앞면이 나오는 횟수를 a, 뒷면이 나오는 횟수를 b라 하면
$$\begin{cases} a + b = 7 & \cdots\cdots \text{㉠} \\ a - b = 3 & \cdots\cdots \text{㉡} \end{cases}$$
㉠, ㉡을 연립하여 풀면 $a = 5$, $b = 2$

따라서 앞면이 5번, 뒷면이 2번 나올 확률은
$${}_7C_5 \left(\dfrac{1}{2}\right)^5 \left(\dfrac{1}{2}\right)^2 = {}_7C_2 \left(\dfrac{1}{2}\right)^7 = \dfrac{21}{128} \qquad \text{답 ②}$$

16 **Act①** $a + b = 6$을 만족하는 독립시행의 확률을 구한다.

한 개의 주사위를 1번 던질 때 3의 배수인 3, 6의 눈이 나올 확률은 $\dfrac{2}{6} = \dfrac{1}{3}$

$a + b = 6$을 만족하는 경우는 A는 4번 던지고 B는 3번 던지므로 $a = 3$, $b = 3$ 또는 $a = 4$, $b = 2$일 때이다.

(i) $a=3$, $b=3$일 확률은

$$_4C_3\left(\frac{1}{3}\right)^3\left(\frac{2}{3}\right)^1\times{_3C_3}\left(\frac{1}{3}\right)^3=\frac{8}{3^7}$$

(ii) $a=4$, $b=2$일 확률은

$$_4C_4\left(\frac{1}{3}\right)^4\times{_3C_2}\left(\frac{1}{3}\right)^2\left(\frac{2}{3}\right)^1=\frac{6}{3^7}$$

(i), (ii)에서 구하는 확률은 $\dfrac{8}{3^7}+\dfrac{6}{3^7}=\dfrac{14}{3^7}$　　　　답 ⑤

17 **Act❶** 앞면이 나오는 횟수가 뒷면이 나오는 횟수보다 큰 경우를 찾고 독립시행의 확률을 구한다.

한 개의 동전을 6번 던질 때, 앞면이 나오는 횟수가 뒷면이 나오는 횟수보다 큰 경우는 앞면이 6회 또는 5회 또는 4회 나올 때이다.

앞면이 6회, 뒷면이 0회 나올 확률은 $_6C_0\left(\dfrac{1}{2}\right)^6$

앞면이 5회, 뒷면이 1회 나올 확률은 $_6C_1\left(\dfrac{1}{2}\right)^6$

앞면이 4회, 뒷면이 2회 나올 확률은 $_6C_2\left(\dfrac{1}{2}\right)^6$

따라서 구하는 확률은

$$_6C_0\left(\frac{1}{2}\right)^6+{_6C_1}\left(\frac{1}{2}\right)^6+{_6C_2}\left(\frac{1}{2}\right)^6$$
$$=({_6C_0}+{_6C_1}+{_6C_2})\times\left(\frac{1}{2}\right)^6$$
$$=(1+6+15)\times\left(\frac{1}{2}\right)^6$$
$$=\frac{22}{64}=\frac{11}{32}$$

∴ $p+q=32+11=43$　　　　답 43

18 **Act❶** 주사위 1개를 던져서 6의 약수의 눈이 나올 때와 6의 약수가 아닌 눈이 나올 때의 경우로 나누어서 독립시행의 확률을 구한다.

한 개의 주사위를 1번 던질 때 6의 약수인 1, 2, 3, 6의 눈이 나올 확률은 $\dfrac{2}{3}$

(i) 6의 약수가 나오고 동전 3개를 던질 때 앞면이 1개 나올 확률은

$$\frac{2}{3}\times{_3C_1}\left(\frac{1}{2}\right)^1\left(\frac{1}{2}\right)^2=\frac{1}{4}$$

(ii) 6의 약수가 아닌 수가 나오고 동전 2개를 던질 때 앞면이 1개 나올 확률은

$$\frac{1}{3}\times{_2C_1}\left(\frac{1}{2}\right)^1\left(\frac{1}{2}\right)^1=\frac{1}{6}$$

(i), (ii)에서 구하는 확률은

$$\frac{1}{4}+\frac{1}{6}=\frac{5}{12}$$　　　　답 ③

VIT **Very Important Test** pp. 63~65

01. ③	**02.** ①	**03.** ④	**04.** ②	**05.** ①
06. ⑤	**07.** ③	**08.** ②	**09.** ⑤	**10.** 43
11. ②	**12.** ②	**13.** ⑤	**14.** 27	**15.** ③
16. ⑤	**17.** ⑤	**18.** ③		

01

$P(B^C)=1-P(B)=\dfrac{1}{3}$에서 $P(B)=\dfrac{2}{3}$

두 사건 A, B가 서로 독립이면 A^C와 B도 독립이므로

$$P(A^C\cap B)=P(A^C)\times P(B)$$
$$=(1-P(A))\times\frac{2}{3}$$

따라서 $\dfrac{2}{3}(1-P(A))=\dfrac{1}{4}$이므로

$$P(A)=\frac{5}{8}$$　　　　답 ③

02

두 사건 A, B가 서로 독립이므로

$$P(A\cup B)=P(A)+P(B)-P(A\cap B)$$
$$=P(A)+P(B)-P(A)P(B)$$
$$=\frac{2}{3}+P(B)-\frac{2}{3}P(B)$$
$$=\frac{2}{3}+\frac{1}{3}P(B)=\frac{3}{4}$$

∴ $P(B)=\dfrac{1}{4}$　　　　답 ①

03

두 사건 A, B가 서로 독립이므로

$P(A\cap B)=P(A)P(B)$

$P(A\cup B)=P(A)+P(B)-P(A)P(B)$에서

$$\frac{1}{2}=\frac{1}{4}+P(B)-\frac{1}{4}P(B)$$

$$\frac{3}{4}P(B)=\frac{1}{4},\ P(B)=\frac{1}{3}$$

$P(A\cap B^C)=P(A)-P(A\cap B)=\dfrac{1}{4}-\dfrac{1}{4}\times\dfrac{1}{3}=\dfrac{1}{6}$　　답 ④

04

두 사건 A와 B가 서로 독립이면 A^C와 B, A와 B^C도 서로 독립이다.

즉 $P(A|B^C)=P(A)=\dfrac{2}{5}$이고,

$$P(A^C)=1-\frac{2}{5}=\frac{3}{5}$$

$$2P(A^C\cap B)-P(A\cap B^C)=P(A|B)$$에서

$$2P(A^C)P(B)-P(A)P(B^C)=P(A)$$

이때 $P(B)=x$라 하면

$$2\times\frac{3}{5}\times x-\frac{2}{5}(1-x)=\frac{2}{5}$$

$\dfrac{8}{5}x=\dfrac{4}{5}$ $\therefore x=\mathrm{P}(B)=\dfrac{1}{2}$ 답 ②

$1-\dfrac{1}{32}=\dfrac{31}{32}$ 답 ⑤

05

두 사건 A, C는 서로 독립이므로
$\mathrm{P}(A)\mathrm{P}(C)=\mathrm{P}(A\cap C)$
$\mathrm{P}(A)\times\dfrac{1}{2}=\dfrac{1}{3}$ $\therefore \mathrm{P}(A)=\dfrac{2}{3}$
두 사건 A, C는 서로 배반이므로
$\mathrm{P}(A\cap B)=0$
$\mathrm{P}(A\cup B)=\mathrm{P}(A)+\mathrm{P}(B)$이므로
$\dfrac{3}{4}=\dfrac{2}{3}+\mathrm{P}(B)$ $\therefore \mathrm{P}(B)=\dfrac{1}{12}$ 답 ①

06

$\mathrm{P}(A^C\cap B)=\mathrm{P}(A\cup B)-\mathrm{P}(A)$에서
$\dfrac{2}{5}=\dfrac{3}{5}-\mathrm{P}(A)$, $\mathrm{P}(A)=\dfrac{1}{5}$
두 사건 A, B가 서로 독립이므로
$\mathrm{P}(A\cup B)=\mathrm{P}(A)+\mathrm{P}(B)-\mathrm{P}(A)\mathrm{P}(B)$
$\dfrac{3}{5}=\dfrac{1}{5}+\mathrm{P}(B)-\dfrac{1}{5}\mathrm{P}(B)$에서
$\dfrac{4}{5}\mathrm{P}(B)=\dfrac{2}{5}$ $\therefore \mathrm{P}(B)=\dfrac{1}{2}$ 답 ⑤

07

A가 표적을 맞히는 사건을 A, B가 표적을 맞히는 사건을 B라 하면 $\mathrm{P}(A)=0.4$, $\mathrm{P}(B)=0.5$이고, 두 사건 A와 B는 서로 독립이다.
따라서 사건 A 또는 사건 B가 일어날 확률은 확률의 덧셈정리에 의하여
$\mathrm{P}(A\cup B)=\mathrm{P}(A)+\mathrm{P}(B)-\mathrm{P}(A\cap B)$
$=\mathrm{P}(A)+\mathrm{P}(B)-\mathrm{P}(A)\mathrm{P}(B)$
$=0.4+0.5-0.4\times0.5=0.7$ 답 ③

08

ㄱ. $\mathrm{P}(B|A)=\dfrac{\mathrm{P}(A\cap B)}{\mathrm{P}(A)}\geq\mathrm{P}(A\cap B)$ (거짓)
ㄴ. $\mathrm{P}(A\cup B)=\mathrm{P}(A)+\mathrm{P}(B)-\mathrm{P}(A\cap B)$
$=\mathrm{P}(A)+\mathrm{P}(B)-\mathrm{P}(A)\mathrm{P}(B)$
$\neq\mathrm{P}(A)+\mathrm{P}(B)$ (거짓)
ㄷ. $\mathrm{P}(B)=\mathrm{P}(A\cap B)+\mathrm{P}(A^C\cap B)$
$=\mathrm{P}(A)\mathrm{P}(B)+\mathrm{P}(A^C)\mathrm{P}(B)$ (참)
따라서 옳은 것은 ㄷ뿐이다.   답 ②

09

문제에 각각 임의로 ○, ×를 표기할 때, 정답일 확률은 $\dfrac{1}{2}$, 오답일 확률은 $\dfrac{1}{2}$이다.
5문제 모두 오답일 확률은 $\left(\dfrac{1}{2}\right)^5=\dfrac{1}{32}$
따라서 적어도 한 문제는 정답일 확률은

10

$_4\mathrm{C}_3\left(\dfrac{2}{3}\right)^3\left(\dfrac{1}{3}\right)+_4\mathrm{C}_4\left(\dfrac{2}{3}\right)^4=\dfrac{16}{27}$
즉 $p=27$, $q=16$이므로
$p+q=43$ 답 43

11

주사위를 한 번 던져서 4의 약수의 눈의 수가 나올 확률은
$\dfrac{3}{6}=\dfrac{1}{2}$이다.
한 개의 주사위를 5번 던질 때 4의 약수의 눈이 4번 이상 나오는 확률은 4의 약수의 눈이 4번 또는 5번 나오는 경우이므로 구하는 확률은
$_5\mathrm{C}_4\left(\dfrac{1}{2}\right)^5+_5\mathrm{C}_5\left(\dfrac{1}{2}\right)^5=\dfrac{5}{32}+\dfrac{1}{32}=\dfrac{3}{16}$ 답 ②

12

다섯 번째 세트에서 A가 우승을 하려면 4번째 세트까지 2세트를 이기고 2세트를 진 후 다섯 번째 세트에서 A가 이겨야 한다.
따라서 구하는 확률은
$_4\mathrm{C}_2\left(\dfrac{1}{3}\right)^2\left(\dfrac{2}{3}\right)^2\times\dfrac{1}{3}=\dfrac{8}{81}$ 답 ②

13

6차전에서 갑이 우승하려면 5차전까지 3번 이기고 6차전에서도 이겨야 한다. 따라서 구하는 확률은
$_5\mathrm{C}_3\left(\dfrac{1}{2}\right)^3\left(\dfrac{1}{2}\right)^2\times\dfrac{1}{2}=\dfrac{10}{64}=\dfrac{5}{32}$ 답 ⑤

14

(i) 5번째 경기에서 A선수가 우승할 확률은
$\dfrac{1}{2}\times\dfrac{1}{2}=\dfrac{1}{4}$
(ii) 6번째 경기에서 A선수가 우승할 확률은
$_2\mathrm{C}_1\left(\dfrac{1}{2}\right)^1\left(\dfrac{1}{2}\right)^1\times\dfrac{1}{2}=\dfrac{1}{4}$
(iii) 7번째 경기에서 A선수가 우승할 확률은
$_3\mathrm{C}_1\left(\dfrac{1}{2}\right)^1\left(\dfrac{1}{2}\right)^2\times\dfrac{1}{2}=\dfrac{3}{16}$
(i), (ii), (iii)에서 A선수가 우승할 확률은
$\dfrac{1}{4}+\dfrac{1}{4}+\dfrac{3}{16}=\dfrac{11}{16}$
따라서 $p=16$, $q=11$이므로
$p+q=16+11=27$ 답 27

15

빨간 볼펜이 나오는 횟수를 x, 노란 볼펜이 나오는 횟수를 y라 하면
$x+y=5$, $x+2y=7$
두 식을 연립하여 풀면 $x=3$, $y=2$
따라서 빨간 볼펜이 3번, 노란 볼펜이 2번 나오면 되므로 구하는

확률은

$$_5C_3\left(\frac{3}{7}\right)^3\left(\frac{4}{7}\right)^2$$

답 ③

16

흰 공이 나오는 횟수를 x, 검은 공이 나오는 횟수를 y라 하면

$x+y=5$, $x+2y=8$

두 식을 연립하여 풀면

$x=2$, $y=3$

따라서 흰 공이 2번, 검은 공이 3번 나오면 되므로 구하는 확률은

$$_5C_2\left(\frac{3}{7}\right)^2\left(\frac{4}{7}\right)^3=\frac{5760}{7^5}$$

$\therefore a=5760$

답 ⑤

17

주사위 한 개를 4번 던질 때 나오는 눈의 수의 곱이 3의 배수인 사건을 A라 하면 사건 A는 주사위 한 개를 4번 던질 때 나오는 눈의 수 중에서 3의 배수가 1번 이상 나오면 된다.

따라서 사건 A^C는 주사위 한 개를 4번 던질 때 나오는 눈의 수 중에서 3의 배수가 나오지 않으면 되므로 구하는 확률은

$$\mathrm{P}(A)=1-\mathrm{P}(A^C)=1-{_4C_0}\left(\frac{1}{3}\right)^0\left(\frac{2}{3}\right)^4$$

$$=1-\frac{16}{81}=\frac{65}{81}$$

답 ⑤

18

앞면이 a번, 뒷면이 b번 나왔다고 하면

$a+b=4$, $a-b=2$

두 식을 연립하여 풀면 $a=3$, $b=1$

따라서 구하는 확률은 동전을 4번 던졌을 때 3번이 앞면, 1번이 뒷면이 나올 확률이므로

$$_4C_3\left(\frac{1}{2}\right)^3\left(\frac{1}{2}\right)^1=\frac{4}{16}=\frac{1}{4}$$

답 ③

Ⅲ 통계

07 이산확률변수의 기댓값과 표준편차

pp. 66~67

01. ⑤ **02.** ③ **03.** ① **04.** ④ **05.** ④
06. ⑤

01 X가 가질 수 있는 값은 0, 1, 2, 3의 4개, Y가 가질 수 있는 값은 0, 1, 2, 3, 4의 5개, Z가 가질 수 있는 값은 1, 2, 3의 3개이다.
따라서 $a=4$, $b=5$, $c=3$이므로 $c<a<b$　　　답 ⑤

02 확률변수 X가 가질 수 있는 값은 0, 1, 2이다.
$$P(X=0)=\frac{{}_4C_0\times{}_3C_2}{{}_7C_2}=\frac{1}{7},\ P(X=1)=\frac{{}_4C_1\times{}_3C_1}{{}_7C_2}=\frac{4}{7},$$
$$P(X=2)=\frac{{}_4C_2\times{}_3C_0}{{}_7C_2}=\frac{2}{7}$$
$$P(1\le X\le2)=P(X=1)+P(X=2)=\frac{4}{7}+\frac{2}{7}=\frac{6}{7}$$
답 ③

03 확률의 총합은 1이므로
$$a+\frac{1}{6}+2a+\frac{1}{3}=1,\ 3a=\frac{1}{2}\quad\therefore a=\frac{1}{6}\qquad\text{답 ①}$$

04 $a+\frac{1}{3}+a+\frac{1}{6}=1$에서 $a=\frac{1}{4}$
따라서 확률변수 X의 평균은
$$2\times\frac{1}{4}+3\times\frac{1}{3}+4\times\frac{1}{4}+6\times\frac{1}{6}=\frac{7}{2}\qquad\text{답 ④}$$

05 $E(X)=1\times\frac{1}{3}+2\times\frac{1}{3}+3\times\frac{1}{3}=2$
$$\begin{aligned}V(X)&=E(X^2)-E(X)^2\\&=1^2\times\frac{1}{3}+2^2\times\frac{1}{3}+3^2\times\frac{1}{3}-2^2=\frac{2}{3}\end{aligned}$$
답 ④

06 $E(X)=0\times\frac{1}{6}+2\times\frac{1}{3}+4\times\frac{1}{2}=\frac{8}{3}$
$$E(6X+1)=6E(X)+1=17\qquad\text{답 ⑤}$$

기출유형 01

Act ❶ 확률의 총합이 1임을 이용하여 a의 값을 구한다.
확률의 총합은 1이므로
$$\frac{1}{4}+\frac{a}{4}+a^2+\left(a-\frac{1}{8}\right)=1\text{에서}$$
$$8a^2+10a-7=0,\ (2a-1)(4a+7)=0$$
$$\therefore a=\frac{1}{2}\ \left(\because \frac{1}{8}\le a\le1\right)$$
이때 $X^2-5X+4=0$에서 $(X-1)(X-4)=0$
$\therefore X=1$ 또는 $X=4$
$$\begin{aligned}P(X^2-5X+4=0)&=P(X=1\text{ 또는 }X=4)\\&=P(X=1)+P(X=4)\\&=\frac{1}{4}+\left(\frac{1}{2}-\frac{1}{8}\right)=\frac{5}{8}\end{aligned}$$
답 ⑤

01 **Act ❶** 확률의 총합이 1임을 이용하여 a의 값을 구한다.
확률의 총합은 1이므로
$$a+\left(a+\frac{1}{4}\right)+\left(a+\frac{1}{2}\right)=1\text{에서}$$
$$3a+\frac{3}{4}=1\quad\therefore a=\frac{1}{12}$$
$$P(X\le2)=1-P(X=3)=1-\left(\frac{1}{12}+\frac{1}{2}\right)=\frac{5}{12}$$
답 ⑤

02 **Act ❶** 확률의 총합이 1임을 이용하여 k의 값을 구한다.
확률의 총합은 1이므로
$$P(X=-2)+P(X=-1)+P(X=0)+P(X=1)$$
$$+P(X=2)=1$$
$$\left(k+\frac{2}{9}\right)+\left(k+\frac{1}{9}\right)+k+\left(k+\frac{1}{9}\right)+\left(k+\frac{2}{9}\right)=1$$
$$5k+\frac{6}{9}=1,\ 5k=\frac{1}{3}$$
$$\therefore k=\frac{1}{15}$$
답 ①

03 **Act ❶** 확률의 총합이 1임을 이용하여 k의 값을 구한다.
확률의 총합은 1이므로
$$\sum_{x=1}^{10}\frac{k}{x(x+1)}=1\text{에서}$$
$$k\sum_{x=1}^{10}\left(\frac{1}{x}-\frac{1}{x+1}\right)$$
$$=k\left\{\left(\frac{1}{1}-\frac{1}{2}\right)+\left(\frac{1}{2}-\frac{1}{3}\right)+\cdots+\left(\frac{1}{10}-\frac{1}{11}\right)\right\}$$
$$=\frac{10}{11}k=1$$

$$\therefore k=\frac{11}{10}$$
답 ③

04 **Act❶** 확률의 총합이 1임을 이용하여 c의 값을 구한다.

확률의 총합은 1이므로

$3c+3\times2c+2\times5c^2=1$에서

$10c^2+9c-1=0$, $(10c-1)(c+1)=0$

$\therefore c=\dfrac{1}{10}\ (\because c>0)$

$$P(X=x)=\begin{cases}\dfrac{1}{10} & (x=0,\ 1,\ 2)\\[2mm]\dfrac{1}{5} & (x=3,\ 4,\ 5)\\[2mm]\dfrac{1}{20} & (x=6,\ 7)\end{cases}$$

$P(B)=\dfrac{1}{5}+\dfrac{1}{5}+\dfrac{1}{5}+\dfrac{1}{20}+\dfrac{1}{20}=\dfrac{14}{20}$,

$P(A\cap B)=\dfrac{1}{20}+\dfrac{1}{20}=\dfrac{1}{10}$

$\therefore P(A|B)=\dfrac{P(A\cap B)}{P(B)}=\dfrac{1}{7}$
답 ③

기출유형 02

Act❶ 확률변수 X가 가질 수 있는 값을 구하고, X가 각 값을 가질 확률을 구한다.

흰 공을 1개 이하로 꺼낼 경우 확률변수 X가 가질 수 있는 값은 0, 1이므로

$P(X=0)=\dfrac{{}_2C_0\times{}_2C_2}{{}_4C_2}=\dfrac{1}{6}$

$P(X=1)=\dfrac{{}_2C_1\times{}_2C_1}{{}_4C_2}=\dfrac{2}{3}$

따라서 흰 공을 1개 이하로 꺼낼 확률은

$P(X\le1)=P(X=0)+P(X=1)$

$\qquad\qquad=\dfrac{1}{6}+\dfrac{2}{3}=\dfrac{5}{6}$
답 ⑤

05 **Act❶** 확률변수 X가 가질 수 있는 값을 구하고, X가 각 값을 가질 확률을 구한다.

파란 구슬을 1개 이하로 꺼낼 경우 확률변수 X가 가질 수 있는 값은 0, 1이므로

$P(X=0)=\dfrac{{}_5C_0\times{}_5C_3}{{}_{10}C_3}=\dfrac{1}{12}$

$P(X=1)=\dfrac{{}_5C_1\times{}_5C_2}{{}_{10}C_3}=\dfrac{5}{12}$

따라서 파란 구슬을 1개 이하로 꺼낼 확률은

$P(X\le1)=P(X=0)+P(X=1)$

$\qquad\qquad=\dfrac{1}{12}+\dfrac{5}{12}=\dfrac{1}{2}$
답 ③

06 **Act❶** 확률변수 X가 가질 수 있는 값을 구하고, X가 각 값을 가질 확률을 구한다.

확률변수 X가 가질 수 있는 값은 0, 1, 2, 3이다.

남학생이 적어도 2명 뽑힐 경우 확률변수 X가 가질 수 있는 값은 2, 3이므로

$P(X=2)=\dfrac{{}_4C_2\times{}_3C_1}{{}_7C_3}=\dfrac{18}{35}$

$P(X=3)=\dfrac{{}_4C_3\times{}_3C_0}{{}_7C_3}=\dfrac{4}{35}$

따라서 남학생이 적어도 2명 뽑힐 확률은

$P(X\ge2)=P(X=2)+P(X=3)$

$\qquad\qquad=\dfrac{18}{35}+\dfrac{4}{35}=\dfrac{22}{35}$
답 ③

07 **Act❶** 확률변수 X가 가질 수 있는 값을 구하고, X가 각 값을 가질 확률을 구한다.

확률변수 X가 가질 수 있는 값은 0, 1, 2, 3, 4, 5, 6이다.

이때 $X^2-3X+2\le0$에서 $(X-1)(X-2)\le0$이므로

$1\le X\le2$

주사위의 각 눈이 나올 확률은 $\dfrac{1}{6}$로 모두 같으므로

구하는 확률은

$P(1\le X\le2)=P(X=1)+P(X=2)$

$\qquad\qquad\quad=\dfrac{1}{6}+\dfrac{1}{6}=\dfrac{1}{3}$
답 ②

08 **Act❶** 확률변수 X가 가질 수 있는 값을 구하고, X가 각 값을 가질 확률을 구한다.

불량품이 1개 이하로 나올 경우 확률변수 X가 가질 수 있는 값은 0, 1이므로

$P(X=0)=\dfrac{{}_3C_0\times{}_4C_3}{{}_7C_3}=\dfrac{4}{35}$

$P(X=1)=\dfrac{{}_3C_1\times{}_4C_2}{{}_7C_3}=\dfrac{18}{35}$

따라서 불량품이 1개 이하로 나올 확률은

$P(X\le1)=P(X=0)+P(X=1)$

$\qquad\qquad=\dfrac{4}{35}+\dfrac{18}{35}=\dfrac{22}{35}$
답 ③

기출유형 03

Act❶ 확률의 총합이 1임을 이용하여 a의 값을 구한다.

$P(0\le X\le2)=\dfrac{7}{8}$이므로

$P(X=-1)=\dfrac{3-a}{8}=\dfrac{1}{8}$

$\therefore a=2$

$E(X)=-1\times\dfrac{1}{8}+0\times\dfrac{1}{8}+1\times\dfrac{5}{8}+2\times\dfrac{1}{8}=\dfrac{3}{4}$
답 ⑤

09 **Act❶** 확률의 총합이 1이고 $E(X)=5$임을 이용하여 a, b에 대한 연립방정식을 푼다.

주어진 확률분포표에서 확률의 합은 1이므로

$a+\dfrac{1}{4}+b=1$, $a+b=\dfrac{3}{4}$ ……㉠

또 확률변수 X의 평균 $E(X)=5$이므로

$1\times a+3\times\dfrac{1}{4}+7\times b=5$, $a+7b=\dfrac{17}{4}$ ……㉡

㉡-㉠을 계산하면

$$6b = \frac{14}{4} \quad \therefore b = \frac{7}{12}$$

답 ③

10 **Act①** 확률의 총합이 1이고 등비수열의 성질을 이용하여 a, b에 대한 연립방정식을 푼다.

확률의 합은 1이므로 $\frac{4}{7} + a + b = 1$ ······㉠

$\frac{4}{7}$, a, b가 이 순서로 등비수열을 이루므로

$$a^2 = \frac{4}{7}b \qquad ······㉡$$

㉠, ㉡을 연립하여 풀면

$$a = \frac{2}{7}, \ b = \frac{1}{7} \ (\because a > 0)$$

$$\mathrm{E}(X) = k\frac{4}{7} + 2ka + 4kb$$

$$= \frac{k}{7}(4 + 14a + 28b) = 24$$

$$\therefore k = 14$$

답 14

11 **Act①** 확률의 총합이 1이고 $\mathrm{E}(X) = \frac{1}{6}$임을 이용하여 a, b에 대한 연립방정식을 푼다.

주어진 확률분포표에서 확률의 합은 1이므로

$$a + \frac{1}{6} + b = 1$$

$$a + b = \frac{5}{6} \qquad ······㉠$$

$$\mathrm{E}(X) = -1 \times a + 0 \times \frac{1}{6} + 1 \times b = \frac{1}{6}$$

$$-a + b = \frac{1}{6} \qquad ······㉡$$

㉠, ㉡을 연립하여 풀면

$$a = \frac{1}{3}, \ b = \frac{1}{2}$$

$$\mathrm{V}(X) = \mathrm{E}(X^2) - \{\mathrm{E}(X)\}^2$$

$$= (-1)^2 \times \frac{1}{3} + 0^2 \times \frac{1}{6} + 1^2 \times \frac{1}{2} - \left(\frac{1}{6}\right)^2$$

$$= \frac{29}{36}$$

답 ④

12 **Act①** $\mathrm{P}(X=0) + \mathrm{P}(X=2) = 1$이므로 확률변수 X가 가질 수 있는 값은 0, 2임을 이용한다.

$\mathrm{P}(X=0) + \mathrm{P}(X=2) = 1$이므로

확률변수 X의 확률분포표는 다음과 같다.

X	0	2	합계
$\mathrm{P}(X=x)$	a	b	1

$\mathrm{E}(X) = 2b$이고 $\mathrm{E}(X^2) = 2^2b = 4b$이므로

$$\mathrm{V}(X) = \mathrm{E}(X^2) - \{\mathrm{E}(X)\}^2 = 4b - 4b^2$$

따라서 $\{\mathrm{E}(X)\}^2 = 2\mathrm{V}(X)$에서

$$4b^2 = 2 \times (4b - 4b^2), \ b = 2 - 2b, \ b = \frac{2}{3}$$

$$\therefore \mathrm{P}(X=2) = b = \frac{2}{3}$$

답 ④

Act① $X = 0$, 1, 2인 경우의 확률을 각각 구하여 확률분포표를 이용한다.

확률변수 X가 가질 수 있는 값은 0, 1, 2이다.

X가 각 값을 가질 확률은

$$\mathrm{P}(X=0) = \frac{{}_3\mathrm{C}_0 \times {}_4\mathrm{C}_2}{{}_7\mathrm{C}_2} = \frac{2}{7}, \ \mathrm{P}(X=1) = \frac{{}_3\mathrm{C}_1 \times {}_4\mathrm{C}_1}{{}_7\mathrm{C}_2} = \frac{4}{7},$$

$$\mathrm{P}(X=2) = \frac{{}_3\mathrm{C}_2 \times {}_4\mathrm{C}_0}{{}_7\mathrm{C}_2} = \frac{1}{7}$$

따라서 확률변수 X의 확률분포표는 다음과 같다.

X	0	1	2	합계
$\mathrm{P}(X=x)$	$\frac{2}{7}$	$\frac{4}{7}$	$\frac{1}{7}$	1

이때 $\mathrm{E}(X) = 0 \times \frac{2}{7} + 1 \times \frac{4}{7} + 2 \times \frac{1}{7} = \frac{6}{7}$이므로

$$\mathrm{V}(X) = \mathrm{E}(X^2) - \{\mathrm{E}(X)\}^2$$

$$= 0^2 \times \frac{2}{7} + 1^2 \times \frac{4}{7} + 2^2 \times \frac{1}{7} - \left(\frac{6}{7}\right)^2 = \frac{20}{49}$$

$$\therefore \sigma(X) = \frac{2\sqrt{5}}{7}$$

답 ④

13 **Act①** $X = 0$, 1, 2인 경우의 확률을 각각 구하여 확률분포표를 이용한다.

확률변수 X가 가질 수 있는 값은 0, 1, 2이다.

X가 각 값을 가질 확률은

$$\mathrm{P}(X=0) = \frac{{}_3\mathrm{C}_0 \times {}_3\mathrm{C}_2}{{}_6\mathrm{C}_2} = \frac{1}{5}, \ \mathrm{P}(X=1) = \frac{{}_3\mathrm{C}_1 \times {}_3\mathrm{C}_1}{{}_6\mathrm{C}_2} = \frac{3}{5},$$

$$\mathrm{P}(X=2) = \frac{{}_3\mathrm{C}_2 \times {}_3\mathrm{C}_0}{{}_6\mathrm{C}_2} = \frac{1}{5}$$

따라서 확률변수 X의 확률분포표는 다음과 같다.

X	0	1	2	합계
$\mathrm{P}(X=x)$	$\frac{1}{5}$	$\frac{3}{5}$	$\frac{1}{5}$	1

이때 $\mathrm{E}(X) = 0 \times \frac{1}{5} + 1 \times \frac{3}{5} + 2 \times \frac{1}{5} = 1$이므로

$$\mathrm{V}(X) = \mathrm{E}(X^2) - \{\mathrm{E}(X)\}^2$$

$$= 0^2 \times \frac{1}{5} + 1^2 \times \frac{3}{5} + 2^2 \times \frac{1}{5} - 1^2$$

$$= \frac{2}{5}$$

답 ②

14 **Act①** $X = 0$, 1, 2인 경우의 확률을 각각 구하여 확률분포표를 이용한다.

확률변수 X가 가질 수 있는 값은 0, 1, 2이다.

X가 각 값을 가질 확률은

$$\mathrm{P}(X=0) = \frac{{}_2\mathrm{C}_0 \times {}_3\mathrm{C}_2}{{}_5\mathrm{C}_2} = \frac{3}{10}, \ \mathrm{P}(X=1) = \frac{{}_2\mathrm{C}_1 \times {}_3\mathrm{C}_1}{{}_5\mathrm{C}_2} = \frac{3}{5},$$

$$\mathrm{P}(X=2) = \frac{{}_2\mathrm{C}_2 \times {}_3\mathrm{C}_0}{{}_5\mathrm{C}_2} = \frac{1}{10}$$

따라서 확률변수 X의 확률분포표는 다음과 같다.

X	0	1	2	합계
$\mathrm{P}(X=x)$	$\frac{3}{10}$	$\frac{3}{5}$	$\frac{1}{10}$	1

이때 $E(X)=0\times\dfrac{3}{10}+1\times\dfrac{3}{5}+2\times\dfrac{1}{10}=\dfrac{4}{5}$이므로

$$\begin{aligned}V(X)&=E(X^2)-\{E(X)\}^2\\&=0^2\times\dfrac{3}{10}+1^2\times\dfrac{3}{5}+2^2\times\dfrac{1}{10}-\left(\dfrac{4}{5}\right)^2\\&=\dfrac{9}{25}\end{aligned}$$

답 ③

15 **Act❶** $X=0$, 1, 3인 경우의 확률을 각각 구하여 확률분포표를 이용한다.

(ⅰ) (앞, 뒤, 앞) 또는 (뒤, 앞, 뒤)가 나올 확률은

$$P(X=0)=2\times\dfrac{1}{2}\times\dfrac{1}{2}\times\dfrac{1}{2}=\dfrac{1}{4}$$

(ⅱ) (앞, 앞, 뒤) 또는 (앞, 뒤, 뒤) 또는 (뒤, 뒤, 앞) 또는 (뒤, 앞, 앞)이 나올 확률은

$$P(X=1)=4\times\dfrac{1}{2}\times\dfrac{1}{2}\times\dfrac{1}{2}=\dfrac{1}{2}$$

(ⅲ) (앞, 앞, 앞) 또는 (뒤, 뒤, 뒤)가 나올 확률은

$$P(X=3)=2\times\dfrac{1}{2}\times\dfrac{1}{2}\times\dfrac{1}{2}=\dfrac{1}{4}$$

따라서 확률변수 X의 확률분포표는 다음과 같다.

X	0	1	3	합계
$P(X=x)$	$\dfrac{1}{4}$	$\dfrac{1}{2}$	$\dfrac{1}{4}$	1

이때 $E(X)=0\times\dfrac{1}{4}+1\times\dfrac{1}{2}+3\times\dfrac{1}{4}=\dfrac{5}{4}$이므로

$$\begin{aligned}V(X)&=E(X^2)-\{E(X)\}^2\\&=0^2\times\dfrac{1}{4}+1^2\times\dfrac{1}{2}+3^2\times\dfrac{1}{4}-\left(\dfrac{5}{4}\right)^2\\&=\dfrac{11}{4}-\dfrac{25}{16}\\&=\dfrac{19}{16}\end{aligned}$$

답 ②

기출유형 **05**

Act❶ $E(aX+b)=aE(X)+b$임을 이용한다.

$$\begin{aligned}E(X)&=-5\times\dfrac{1}{5}+0\times\dfrac{1}{5}+5\times\dfrac{3}{5}\\&=-1+3=2\end{aligned}$$

$$\begin{aligned}\therefore E(4X+3)&=4E(X)+3\\&=4\times2+3=11\end{aligned}$$

답 11

16 **Act❶** $E(aX+b)=aE(X)+b$임을 이용한다.

$$E(X)=-4\times\dfrac{1}{5}+0\times\dfrac{1}{10}+4\times\dfrac{1}{5}+8\times\dfrac{1}{2}=4$$

$$\therefore E(3X)=3E(X)=12$$

답 ⑤

17 **Act❶** 확률의 총합이 1임을 이용하여 a의 값을 구하고 $E(aX+b)=aE(X)+b$임을 이용한다.

확률의 총합은 1이므로

$$\dfrac{1}{4}+a+2a=1,\ 3a=\dfrac{3}{4}$$

$$\therefore a=\dfrac{1}{4}$$

$$E(X)=0\times\dfrac{1}{4}+1\times\dfrac{1}{4}+2\times\dfrac{2}{4}=\dfrac{5}{4}$$

$$\begin{aligned}\therefore E(4X+10)&=4E(X)+10\\&=4\times\dfrac{5}{4}+10\\&=15\end{aligned}$$

답 ⑤

18 **Act❶** $V(X)=E(X^2)-\{E(X)\}^2$, $V(aX+b)=a^2V(X)$임을 이용한다.

$$E(X)=0\times\dfrac{2}{7}+1\times\dfrac{3}{7}+2\times\dfrac{2}{7}=1$$

$$V(X)=0^2\times\dfrac{2}{7}+1^2\times\dfrac{3}{7}+2^2\times\dfrac{2}{7}-1^2=\dfrac{4}{7}$$

$$\therefore V(7X)=7^2V(X)=49\times\dfrac{4}{7}=28$$

답 ③

19 **Act❶** 확률의 총합이 1임을 이용하여 a의 값을 구하고 $V(X)=E(X^2)-\{E(X)\}^2$, $V(aX+b)=a^2V(X)$임을 이용한다.

$P(X=-1)+P(X=0)+P(X=1)+P(X=2)=1$에서

$$\dfrac{-a+2}{10}+\dfrac{2}{10}+\dfrac{a+2}{10}+\dfrac{2a+2}{10}=1$$

$$\dfrac{2a+8}{10}=1\quad\therefore a=1$$

X	-1	0	1	2	합계
$P(X=x)$	$\dfrac{1}{10}$	$\dfrac{2}{10}$	$\dfrac{3}{10}$	$\dfrac{4}{10}$	1

$$E(X)=-1\times\dfrac{1}{10}+0\times\dfrac{2}{10}+1\times\dfrac{3}{10}+2\times\dfrac{4}{10}=1$$

$$V(X)=(-1)^2\times\dfrac{1}{10}+0^2\times\dfrac{2}{10}+1^2\times\dfrac{3}{10}+2^2\times\dfrac{4}{10}-1^2=1$$

$$\therefore V(3X+2)=3^2V(X)=9$$

답 ①

VIT **V**ery **I**mportant **T**est　　pp. 73~75

01. ②	**02.** ⑤	**03.** ④	**04.** ②	**05.** ③
06. ⑤	**07.** ②	**08.** ⑤	**09.** ③	**10.** ④
11. ③	**12.** 8	**13.** ①	**14.** ④	**15.** ①
16. ③	**17.** 105	**18.** ④		

01

확률의 총합은 1이므로

$$a+3a+2a+a=7a=1$$

$$\therefore a=\dfrac{1}{7}$$

답 ②

02

확률의 총합은 1이므로

$$\dfrac{1}{3}+\dfrac{1}{4}+a=1$$

$$a=1-\frac{7}{12}=\frac{5}{12}$$
$$\therefore \ \mathrm{P}(X>0)=\mathrm{P}(X=2)$$
$$=\frac{5}{12}$$
답 ⑤

03

확률의 총합은 1이므로
$$a+2a+3a+4a+5a=1$$
$$15a=1, \ a=\frac{1}{15}$$
$$\therefore \ \mathrm{P}(X^2=4)=\mathrm{P}(X=-2)+\mathrm{P}(X=2)$$
$$=a+5a=6a=\frac{6}{15}=\frac{2}{5}$$
답 ④

04

확률변수 X의 확률분포를 표로 나타내면 다음과 같다.

X	1	2	3	4	합계
$\mathrm{P}(X=x)$	$\frac{1}{k}$	$\frac{2}{k}$	$\frac{3}{k}$	$\frac{4}{k}$	1

확률의 총합은 1이므로
$$\frac{1}{k}+\frac{2}{k}+\frac{3}{k}+\frac{4}{k}=1$$
$$\frac{10}{k}=1, \ k=10$$
$$\therefore \ \mathrm{P}(2\leq X\leq 3)=\mathrm{P}(X=2)+\mathrm{P}(X=3)$$
$$=\frac{2}{10}+\frac{3}{10}$$
$$=\frac{1}{2}$$
답 ②

05

확률의 총합은 1이므로
$$\frac{2}{k}+\frac{3}{k}+\frac{4}{k}+\frac{5}{k}+\frac{6}{k}=1$$
$$\frac{20}{k}=1, \ k=20$$
$$\therefore \ \mathrm{P}(X\geq 4)=\mathrm{P}(X=4)+\mathrm{P}(X=5)$$
$$=\frac{5}{20}+\frac{6}{20}=\frac{11}{20}$$
답 ③

06

확률의 총합은 1이므로
$$\frac{(-1+a)+(0+a)+(1+a)+(2+a)}{8}=1, \ a=\frac{3}{2}$$
$$\therefore \ \mathrm{P}(|X-1|\leq 1)$$
$$=\mathrm{P}(-1\leq X-1\leq 1)$$
$$=\mathrm{P}(0\leq X\leq 2)$$
$$=\mathrm{P}(X=0)+\mathrm{P}(X=1)+\mathrm{P}(X=2)$$
$$=\frac{1}{8}\left\{\left(0+\frac{3}{2}\right)+\left(1+\frac{3}{2}\right)+\left(2+\frac{3}{2}\right)\right\}$$
$$=\frac{15}{16}$$
답 ⑤

07

확률의 총합은 1이므로
$$\mathrm{P}(X=1)+\mathrm{P}(X=2)+\cdots+\mathrm{P}(X=7)$$
$$=\frac{k}{1\times 3}+\frac{k}{2\times 4}+\cdots+\frac{k}{7\times 9}$$
$$=\frac{k}{2}\left\{\left(1-\frac{1}{3}\right)+\left(\frac{1}{2}-\frac{1}{4}\right)+\left(\frac{1}{3}-\frac{1}{5}\right)+\cdots+\left(\frac{1}{7}-\frac{1}{9}\right)\right\}$$
$$=\frac{k}{2}\left(1+\frac{1}{2}-\frac{1}{8}-\frac{1}{9}\right)$$
$$=\frac{91}{144}k=1$$
$$\therefore \ k=\frac{144}{91}$$
답 ②

08

두 개의 주사위를 던져서 나오는 눈의 수의 합을 표로 나타내면 다음과 같다.

+	1	2	3	4	5	6
1	2	3	4	5	6	7
2	3	4	5	6	7	8
3	4	5	6	7	8	9
4	5	6	7	8	9	10
5	6	7	8	9	10	11
6	7	8	9	10	11	12

$$\therefore \ \mathrm{P}(5\leq X\leq 7)=\mathrm{P}(X=5)+\mathrm{P}(X=6)+\mathrm{P}(X=7)$$
$$=\frac{1}{9}+\frac{5}{36}+\frac{1}{6}=\frac{15}{36}=\frac{5}{12}$$
답 ⑤

09

확률변수 X가 가질 수 있는 값은 2, 3, 4, 5, 6이고
$$\mathrm{P}(X^2-6X+8>0)=\mathrm{P}(X<2)+\mathrm{P}(X>4)$$
$$=\mathrm{P}(X=5)+\mathrm{P}(X=6)$$
이므로
$$\mathrm{P}(X=5)=\frac{2}{{}_5\mathrm{C}_2}=\frac{1}{5},$$
$$\mathrm{P}(X=6)=\frac{1}{{}_5\mathrm{C}_2}=\frac{1}{10}$$
$$\mathrm{P}(X^2-6X+8>0)=\frac{1}{5}+\frac{1}{10}=\frac{3}{10}$$
답 ③

10

검은 공의 개수를 확률변수 X라 하면 X가 가지는 값은 0, 1, 2이고
$$\mathrm{P}(X=0)=\frac{{}_2\mathrm{C}_0\times {}_3\mathrm{C}_2}{{}_5\mathrm{C}_2}=\frac{3}{10}$$
$$\mathrm{P}(X=1)=\frac{{}_2\mathrm{C}_1\times {}_3\mathrm{C}_1}{{}_5\mathrm{C}_2}=\frac{3}{5}$$
$$\mathrm{P}(X=2)=\frac{{}_2\mathrm{C}_2\times {}_3\mathrm{C}_0}{{}_5\mathrm{C}_2}=\frac{1}{10}$$
이므로 X의 확률분포를 표로 나타내면 다음과 같다.

X	0	1	2	합계
$\mathrm{P}(X=x)$	$\frac{3}{10}$	$\frac{3}{5}$	$\frac{1}{10}$	1

따라서 검은 공의 개수의 평균은

$$E(X) = 0 \times \frac{3}{10} + 1 \times \frac{3}{5} + 2 \times \frac{1}{10} = \frac{4}{5}$$ 답 ④

11

확률의 총합은 1이므로

$a + \frac{1}{4} + b = 1$에서 $a + b = \frac{3}{4}$ ······㉠

$E(X) = 5$이므로

$1 \times a + 3 \times \frac{1}{4} + 7 \times b = 5$에서

$a + 7b = \frac{17}{4}$ ······㉡

㉠, ㉡을 연립하여 풀면 $a = \frac{1}{6}$, $b = \frac{7}{12}$

$$\therefore \frac{b}{a} = \frac{\frac{7}{12}}{\frac{1}{6}} = \frac{7}{2}$$ 답 ③

12

$E(X) = 3$이므로

$E(Y) = E(aX + b) = aE(X) + b$
  $= 3a + b = 4$ ······㉠

또, $V(X) = 2$이므로

$V(Y) = V(aX + b) = a^2 V(X) = 2a^2 = 8$

$a^2 = 4$

이때 $a < 0$이므로 $a = -2$

$a = -2$를 ㉠에 대입하면 $b = 10$

$\therefore a + b = -2 + 10 = 8$ 답 8

13

$E(X) = 4$, $V(X) = 2$이므로

$E(Y) = aE(X) + b = 4a + b = 0$ ······㉠

$V(Y) = a^2 V(X) = 2a^2 = 8$ ······㉡

㉠, ㉡을 연립하여 풀면

$a = 2$, $b = -8$ 또는 $a = -2$, $b = 8$이므로 $ab = -16$ 답 ①

14

확률의 총합은 1이므로

$a^2 + \frac{a}{2} + \frac{a^2}{2} = 1$, $3a^2 + a - 2 = 0$

$(a + 1)(3a - 2) = 0$ $\therefore a = \frac{2}{3}$ $(\because a > 0)$

$E(X) = 1 \times \frac{4}{9} + 2 \times \frac{1}{3} + 3 \times \frac{2}{9}$

  $= \frac{16}{9}$

이므로

$E(9X + 2) = 9E(X) + 2$

  $= 9 \times \frac{16}{9} + 2$

  $= 18$ 답 ④

15

$E(X) = 65$, $V(X) = 25$이므로

$E(aX + b) = aE(X) + b$
  $= 65a + b = 50$ ······㉠

$V(aX + b) = a^2 V(X) = 25a^2 = 9$ $\therefore a = \frac{3}{5}$ $(\because a > 0)$

$a = \frac{3}{5}$을 ㉠에 대입하면

$b = 50 - 39 = 11$

$\therefore a + b = \frac{3}{5} + 11 = \frac{58}{5}$ 답 ①

16

$V(X) = E(X^2) - \{E(X)\}^2 = 29 - 25 = 4$

이므로 $\sigma(X) = 2$

$\therefore \sigma(4X + 1) = |4|\sigma(X) = 8$ 답 ③

17

주어진 확률분포표에서

$E(X) = 0 \times \frac{1}{5} + 1 \times \frac{3}{10} + 2 \times \frac{3}{10} + 3 \times \frac{1}{5}$

  $= \frac{3}{2}$

이므로

$V(X) = 0^2 \times \frac{1}{5} + 1^2 \times \frac{3}{10} + 2^2 \times \frac{3}{10} + 3^2 \times \frac{1}{5} - \left(\frac{3}{2}\right)^2$

  $= \frac{33}{10} - \frac{9}{4} = \frac{21}{20}$

한편, $Y = 10X + 5$에서

$V(Y) = V(10X + 5) = 10^2 V(X)$

  $= 10^2 \times \frac{21}{20} = 105$ 답 105

18

확률변수 X는 주사위 1개를 던져서 나온 눈의 수의 양의 약수의 개수이므로 주사위의 눈의 수에 따른 X의 값은 다음과 같다.

주사위의 눈의 수가 1이면 $X = 1$

주사위의 눈의 수가 2, 3, 5이면 $X = 2$

주사위의 눈의 수가 4이면 $X = 3$

주사위의 눈의 수가 6이면 $X = 4$

따라서 확률변수 X의 확률분포를 표로 나타내면 다음과 같다.

X	1	2	3	4	합계
$P(X=x)$	$\frac{1}{6}$	$\frac{3}{6}$	$\frac{1}{6}$	$\frac{1}{6}$	1

$E(X) = 1 \times \frac{1}{6} + 2 \times \frac{3}{6} + 3 \times \frac{1}{6} + 4 \times \frac{1}{6}$

  $= \frac{7}{3}$

$V(X) = 1^2 \times \frac{1}{6} + 2^2 \times \frac{3}{6} + 3^2 \times \frac{1}{6} + 4^2 \times \frac{1}{6} - \left(\frac{7}{3}\right)^2$

  $= \frac{19}{3} - \frac{49}{9} = \frac{8}{9}$

이므로

$E(X^2) = V(X) + \{E(X)\}^2$

$$=\frac{8}{9}+\left(\frac{7}{3}\right)^2=\frac{57}{9}=\frac{19}{3}$$

$$\therefore \mathrm{E}(9X^2)=9\mathrm{E}(X^2)=57 \qquad \text{답 ④}$$

08 이항분포

01. 21   **02.** ④   **03.** ③

01 이항분포 $\mathrm{B}\left(n,\ \frac{1}{2}\right)$을 따르는 확률변수 X에 대한 확률은

$\mathrm{P}(X=r)={}_n\mathrm{C}_r\left(\frac{1}{2}\right)^r\left(\frac{1}{2}\right)^{n-r}$이므로

$${}_n\mathrm{C}_2\left(\frac{1}{2}\right)^{10}=10{}_n\mathrm{C}_1\left(\frac{1}{2}\right)^{10},\ \frac{n(n-1)}{2}=10n$$

$$\therefore n=21 \qquad \text{답 21}$$

02 확률변수 X가 이항분포 $\mathrm{B}\left(12,\ \frac{1}{3}\right)$을 따르므로

$$\mathrm{E}(X)=12\times\frac{1}{3}=4 \qquad \text{답 ④}$$

03 $\mathrm{V}(X)=n\times\frac{1}{3}\times\frac{2}{3}=20$

$$\therefore n=90 \qquad \text{답 ③}$$

유형따라잡기

기출유형 01 10	**01.** 21	**02.** ①	**03.** ④	**04.** ①
기출유형 02 ⑤	**05.** 20	**06.** 144	**07.** ①	**08.** ①
기출유형 03 5	**09.** 40	**10.** ②	**11.** 416	**12.** ⑤
기출유형 04 ①	**13.** ⑤	**14.** 80	**15.** 20	**16.** ③
기출유형 05 37	**17.** 61	**18.** 432	**19.** 30	**20.** 130

기출유형 01

Act❶ 확률변수 X가 이항분포 $\mathrm{B}(n,\ p)$를 따르므로 $\mathrm{V}(X)=np(1-p),\ \mathrm{E}(X)=np$임을 이용한다.

확률변수 X가 이항분포 $\mathrm{B}\left(n,\ \frac{1}{10}\right)$을 따르므로

$\mathrm{V}(X)=n\times\frac{1}{10}\times\frac{9}{10}=9$에서 $n=100$

$$\therefore \mathrm{E}(X)=100\times\frac{1}{10}=10 \qquad \text{답 10}$$

01 **Act❶** 확률변수 X가 이항분포 $\mathrm{B}(n,\ p)$를 따르므로 $\mathrm{E}(X)=np$임을 이용한다.

확률변수 X가 이항분포 $\mathrm{B}\left(n,\ \frac{1}{7}\right)$을 따르므로

$\mathrm{E}(X)=n\times\frac{1}{7}=3$

$$\therefore n=21 \qquad \text{답 21}$$

02 **Act❶** 확률변수 X가 이항분포 $\mathrm{B}(n,\ p)$를 따르므로 $\mathrm{E}(X)=np$, $\mathrm{V}(X)=np(1-p)$임을 이용한다.

확률변수 X가 이항분포 $\mathrm{B}(200,\ p)$를 따르므로

$\mathrm{E}(X)=200p=40$에서 $p=\frac{1}{5}$

$$\therefore \mathrm{V}(X)=200p(1-p)=200\times\frac{1}{5}\times\frac{4}{5}=32 \qquad \text{답 ①}$$

03 **Act❶** $\mathrm{E}(X)=np$, $\mathrm{V}(X)=np(1-p)$를 구해 주어진 조건식에 대입한다.

확률변수 X가 이항분포 $\mathrm{B}(9,\ p)$를 따르므로

$\mathrm{E}(X)=9p$, $\mathrm{V}(X)=9p(1-p)$

조건에서 $\{\mathrm{E}(X)\}^2=\mathrm{V}(X)$이므로

$(9p)^2=9p(1-p)$

$9p(1-10p)=0$

$0<p<1$이므로 $p=\frac{1}{10}$ $\qquad \text{답 ④}$

04 **Act❶** $\mathrm{E}(X)=np$, $\mathrm{V}(X)=np(1-p)$에서 $\mathrm{E}(X^2)$을 구해 주어진 조건식에 대입한다.

확률변수 X가 이항분포 $\mathrm{B}\left(n,\ \frac{1}{2}\right)$을 따르므로

$\mathrm{E}(X)=n\times\frac{1}{2}=\frac{n}{2}$

$\mathrm{V}(X)=n\times\frac{1}{2}\times\frac{1}{2}=\frac{n}{4}$

$\mathrm{V}(X)=\mathrm{E}(X^2)-\{\mathrm{E}(X)\}^2$이므로

$\frac{n}{4}=\mathrm{E}(X^2)-\left(\frac{n}{2}\right)^2$, $\mathrm{E}(X^2)=\frac{n}{4}+\frac{n^2}{4}$

조건에서 $\mathrm{E}(X^2)=\mathrm{V}(X)+25$이므로

$\frac{n}{4}+\frac{n^2}{4}=\frac{n}{4}+25$, $n^2=100$

$$\therefore n=10 \qquad \text{답 ①}$$

기출유형 02

Act❶ 확률변수 X가 이항분포 $\mathrm{B}(n,\ p)$를 따르므로 $\mathrm{E}(X)=np$, $\mathrm{V}(X)=np(1-p)$를 이용한다.

확률변수 X가 이항분포 $\mathrm{B}\left(10,\ \frac{1}{3}\right)$을 따르므로

$\mathrm{E}(X)=10\times\frac{1}{3}=\frac{10}{3}$

$\mathrm{V}(X)=10\times\frac{1}{3}\times\frac{2}{3}=\frac{20}{9}$

$$\therefore \mathrm{E}(X)+\mathrm{V}(X)=\frac{10}{3}+\frac{20}{9}=\frac{50}{9} \qquad \text{답 ⑤}$$

05 **Act❶** 확률변수 X가 이항분포 $\mathrm{B}(n,\ p)$를 따르므로 $\mathrm{E}(X)=np$, $\mathrm{V}(X)=np(1-p)$를 이용한다.

확률변수 X가 이항분포 $\mathrm{B}\left(36,\ \frac{1}{3}\right)$을 따르므로

$\mathrm{E}(X)=36\times\frac{1}{3}=12$

$\mathrm{V}(X)=36\times\frac{1}{3}\times\frac{2}{3}=8$

친절한 해설 • **39**

$$\therefore \mathrm{E}(X)+V(X)=12+8=20$$
답 20

06 Act① 확률변수 X가 이항분포 $\mathrm{B}(n,\,p)$를 따르므로
$\mathrm{E}(X)=np$, $V(X)=np(1-p)$를 이용한다.

확률변수 X가 이항분포 $\mathrm{B}(n,\,p)$를 따르므로
$$np=36 \qquad \cdots\cdots \text{㉠}$$
$$np(1-p)=18 \qquad \cdots\cdots \text{㉡}$$
㉠을 ㉡에 대입하면
$$1-p=\frac{1}{2} \quad \therefore p=\frac{1}{2}$$
이 값을 ㉠에 대입하면 $n=72$
$$\therefore \frac{n}{p}=\frac{72}{\frac{1}{2}}=144$$
답 144

07 Act① 확률변수 X가 이항분포 $\mathrm{B}(n,\,p)$를 따르므로
$\mathrm{E}(X)=np$, $V(X)=np(1-p)$를 이용한다.

확률변수 X는 이항분포 $\mathrm{B}(n,\,p)$를 따르므로
$$np=2 \qquad \cdots\cdots \text{㉠}$$
$$np(1-p)=\frac{7}{4} \qquad \cdots\cdots \text{㉡}$$
㉠을 ㉡에 대입하면
$$1-p=\frac{7}{8} \quad \therefore p=\frac{1}{8}$$
이 값을 ㉠에 대입하면 $n=16$
따라서 구하는 확률은
$$\mathrm{P}(X=1)={}_{16}\mathrm{C}_1\left(\frac{1}{8}\right)^1\left(\frac{7}{8}\right)^{15}$$
$$=2\left(\frac{7}{8}\right)^{15}$$
답 ①

08 Act① 확률변수 X가 이항분포 $\mathrm{B}(n,\,p)$를 따르므로
$\mathrm{E}(X)=np$, $V(X)=np(1-p)$를 이용한다.

확률변수 X는 이항분포 $\mathrm{B}(n,\,p)$를 따르므로
$$np=1 \qquad \cdots\cdots \text{㉠}$$
$$np(1-p)=\frac{9}{10} \qquad \cdots\cdots \text{㉡}$$
㉠을 ㉡에 대입하면
$$1-p=\frac{9}{10} \quad \therefore p=\frac{1}{10}$$
이 값을 ㉠에 대입하면 $n=10$
따라서 구하는 확률은
$$\mathrm{P}(X<2)=\mathrm{P}(X=0)+\mathrm{P}(X=1)$$
$$={}_{10}\mathrm{C}_0\left(\frac{1}{10}\right)^0\left(\frac{9}{10}\right)^{10}+{}_{10}\mathrm{C}_1\left(\frac{1}{10}\right)^1\left(\frac{9}{10}\right)^9$$
$$=\left(\frac{9}{10}\right)^9\left(\frac{9}{10}+10\times\frac{1}{10}\right)=\frac{19}{10}\left(\frac{9}{10}\right)^9$$
답 ①

기출유형 03

Act① 각 시행이 독립이고 그 확률이 일정하면 이항분포
$\mathrm{B}(n,\,p)$를 이용한다.

확률변수 X는 이항분포 $\mathrm{B}\left(100,\,\frac{1}{20}\right)$을 따르므로

$$\mathrm{E}(X)=100\times\frac{1}{20}=5$$
답 5

09 Act① 각 시행이 독립이고 그 확률이 일정하면 이항분포
$\mathrm{B}(n,\,p)$를 이용한다.

X는 이항분포 $\mathrm{B}\left(180,\,\frac{1}{3}\right)$을 따르므로

$$V(X)=180\times\frac{1}{3}\times\frac{2}{3}=40$$
답 40

10 Act① 확률변수 X는 이항분포를 따르고
$V(X)=\mathrm{E}(X^2)-\{\mathrm{E}(X)\}^2$임을 이용한다.

확률변수 X는 이항분포 $\mathrm{B}(100,\,0.9)$를 따르므로
$$\mathrm{E}(X)=100\times0.9=90$$
$$V(X)=100\times0.9\times0.1=9$$
따라서 $V(X)=\mathrm{E}(X^2)-\{\mathrm{E}(X)\}^2$이므로 X^2의 평균은
$$\mathrm{E}(X^2)=V(X)+\{\mathrm{E}(X)\}^2$$
$$=9+90^2=8109$$
답 ②

11 Act① 확률변수 X는 이항분포를 따르고
$V(X)=\mathrm{E}(X^2)-\{\mathrm{E}(X)\}^2$임을 이용한다.

확률변수 X는 이항분포 $\mathrm{B}(100,\,0.2)$를 따르므로
$$\mathrm{E}(X)=100\times0.2=20$$
$$V(X)=100\times0.2\times0.8=16$$
따라서 $V(X)=\mathrm{E}(X^2)-\{\mathrm{E}(X)\}^2$이므로
$$\mathrm{E}(X^2)=V(X)+\{\mathrm{E}(X)\}^2$$
$$=16+20^2=416$$
답 416

12 Act① 사건 A가 일어날 확률을 구하고 이항분포를 이용해 평균을 구한다.

사건 A가 일어나는 경우는 $m=1$ 또는 $m=2$이므로
$$\mathrm{P}(A)=\frac{2}{6}=\frac{1}{3}$$

따라서 확률변수 X는 이항분포 $\mathrm{B}\left(15,\,\frac{1}{3}\right)$을 따르므로

$$\mathrm{E}(X)=15\times\frac{1}{3}=5$$
답 ⑤

[보충]
주사위를 던져 나오는 눈의 수는 1, 2, 3, 4, 5, 6의 6가지이고, $f(1)>0$, $f(2)>0$, $f(3)=0$, $f(4)<0$, $f(5)<0$, $f(6)<0$이므로 사건 A가 일어나는 경우는 $m=1$ 또는 $m=2$이다.

기출유형 04

Act① $\sigma(X)=\sqrt{np(1-p)}$, $\sigma(aX+b)=|a|\sigma(X)$임을 이용한다.

확률변수 X가 이항분포 $\mathrm{B}\left(100,\,\frac{1}{5}\right)$을 따르므로

$$\sigma(X)=\sqrt{100\times\frac{1}{5}\times\frac{4}{5}}=\frac{20}{5}=4$$
$$\therefore \sigma(3X-4)=3\sigma(X)=3\times4=12$$
답 ①

13 `Act①` $V(X)=np(1-p)$, $V(aX+b)=a^2V(X)$임을 이용한다.

확률변수 X가 이항분포 $B\left(6, \dfrac{2}{3}\right)$를 따르므로

$V(X)=6\times\dfrac{2}{3}\times\left(1-\dfrac{2}{3}\right)=\dfrac{4}{3}$

$\therefore V(-3X+2)=(-3)^2V(X)=9\times\dfrac{4}{3}=12$ 　　답 ⑤

14 `Act①` $V(X)=np(1-p)$, $V(aX+b)=a^2V(X)$임을 이용한다.

확률변수 X가 이항분포 $B\left(10, \dfrac{1}{3}\right)$을 따르므로

$V(X)=10\times\dfrac{1}{3}\times\dfrac{2}{3}=\dfrac{20}{9}$

$V(6X)=36V(X)=36\times\dfrac{20}{9}=80$ 　　답 80

15 `Act①` $V(X)=np(1-p)$, $V(aX+b)=a^2V(X)$임을 이용한다.

확률변수 X가 이항분포 $B\left(n, \dfrac{1}{3}\right)$을 따르므로

$V(X)=n\times\dfrac{1}{3}\times\dfrac{2}{3}=\dfrac{2}{9}n$

$V(3X)=3^2V(X)=9\times\dfrac{2}{9}n=2n=40$

$\therefore n=20$ 　　답 20

16 `Act①` $E(X)=np$, $E(aX+b)=aE(X)+b$임을 이용한다.

확률변수 X가 이항분포 $B\left(n, \dfrac{1}{3}\right)$을 따르므로

$E(X)=\dfrac{n}{3}$

$E(2X+5)=2E(X)+5=2\times\dfrac{n}{3}+5=13$

$\dfrac{2}{3}n=8$ 　$\therefore n=12$ 　　답 ③

기출유형 05

`Act①` 확률변수 X가 이항분포 $B(n, p)$를 따르면 $E(X)=np$이고 $E(aX+b)=aE(X)+b$임을 이용한다.

한 개의 주사위를 1번 던져서 홀수의 눈이 나올 확률은 $\dfrac{1}{2}$이고 주사위를 36번 던지는 시행은 독립시행이므로 확률변수 X는 이항분포 $B\left(36, \dfrac{1}{2}\right)$을 따른다.

이때 $E(X)=36\times\dfrac{1}{2}=18$이므로

$E(2X+1)=2E(X)+1$
$\qquad\qquad=2\times18+1=37$ 　　답 37

17 `Act①` 확률변수 X가 이항분포 $B(n, p)$를 따르면 $E(X)=np$이고 $E(aX+b)=aE(X)+b$임을 이용한다.

이 공장에서 생산된 제품 1개가 불량품일 확률은 $\dfrac{1}{10}$이고 200개의 제품을 생산하는 것은 독립시행이므로 확률변수 X는 이항분포 $B\left(200, \dfrac{1}{10}\right)$을 따른다.

이때 $E(X)=200\times\dfrac{1}{10}=20$이므로

$E(3X+1)=3E(X)+1$
$\qquad\qquad=3\times20+1=61$ 　　답 61

18 `Act①` 확률변수 X가 이항분포 $B(n, p)$를 따르면 $V(X)=np(1-p)$, $V(aX+b)=a^2V(X)$임을 이용한다.

1명의 손님이 백반을 주문할 확률이 $\dfrac{2}{5}$이고 200명의 손님이 백반을 주문하는 것은 독립시행이므로 확률변수 X는 이항분포 $B\left(200, \dfrac{2}{5}\right)$를 따른다.

이때 $V(X)=200\times\dfrac{2}{5}\times\dfrac{3}{5}=48$이므로

$V(3X+2)=9V(X)=9\times48=432$ 　　답 432

19 `Act①` 확률변수 X가 이항분포 $B(n, p)$를 따르면 $V(X)=np(1-p)$, $V(aX+b)=a^2V(X)$임을 이용한다.

두 개의 동전이 모두 앞면이 나올 확률은 $\dfrac{1}{4}$이고 동전 2개를 동시에 던지는 시행을 10회 반복하는 것은 독립시행이므로 확률변수 X는 이항분포 $B\left(10, \dfrac{1}{4}\right)$을 따른다.

이때 $V(X)=10\times\dfrac{1}{4}\times\dfrac{3}{4}=\dfrac{15}{8}$이므로

$V(4X+1)=16V(X)=30$ 　　답 30

20 `Act①` 확률변수 X가 이항분포 $B(n, p)$를 따르면 $V(X)=np(1-p)$, $V(aX+b)=a^2V(X)$임을 이용한다.

서로 다른 2개의 주사위를 동시에 던져서 나오는 두 눈의 수의 곱이 5 이하인 경우는
$(1, 1), (1, 2), (1, 3), (1, 4), (1, 5),$
$(2, 1), (2, 2), (3, 1), (4, 1), (5, 1)$
로 10가지이다.

따라서 서로 다른 2개의 주사위를 동시에 던져서 나오는 두 눈의 수의 곱이 5 이하일 확률은

$\dfrac{10}{36}=\dfrac{5}{18}$

서로 다른 2개의 주사위를 동시에 던지는 시행을 72회 반복하는 것은 독립시행이므로 확률변수 X는 이항분포 $B\left(72, \dfrac{5}{18}\right)$를 따른다.

이때 $V(X)=72\times\dfrac{5}{18}\times\dfrac{13}{18}=\dfrac{130}{9}$이므로

$V(3X+2)=9V(X)=9\times\dfrac{130}{9}=130$ 　　답 130

VIT $\mathbf{V}$ery $\mathbf{I}$mportant $\mathbf{T}$est pp. 82~83

01. ①	**02.** ⑤	**03.** 4	**04.** ①	**05.** 10
06. ④	**07.** 11	**08.** ②	**09.** ②	**10.** 75
11. 18	**12.** ⑤			

01

확률변수 X는 이항분포 $B\left(72, \dfrac{1}{3}\right)$을 따르므로

$$V(X)=72\times\frac{1}{3}\times\frac{2}{3}=16$$

따라서 $\sigma(X)=\sqrt{V(X)}=4$ 　　　　　답 ①

02

확률변수 X는 이항분포 $B\left(60, \dfrac{1}{3}\right)$을 따르므로

$$E(X)=60\times\frac{1}{3}=20$$

$$V(X)=60\times\frac{1}{3}\times\frac{2}{3}=\frac{40}{3}$$

$\therefore E(X)+V(X)=20+\dfrac{40}{3}=\dfrac{100}{3}$ 　　답 ⑤

03

사격 선수의 명중률이 $\dfrac{4}{5}$이므로 확률변수 X는 이항분포

$B\left(100, \dfrac{4}{5}\right)$를 따른다.

$\therefore \sigma(X)=\sqrt{100\times\dfrac{4}{5}\times\dfrac{1}{5}}=4$ 　　답 4

04

한 개의 주사위를 한 번 던질 때 6의 약수인 1, 2, 3, 6의 눈이 나올 확률은 $\dfrac{2}{3}$이므로 확률변수 X는 이항분포 $B\left(n, \dfrac{2}{3}\right)$를 따른다.

이때 $\sigma(X)=\sqrt{2}$이므로

$$\sqrt{n\times\frac{2}{3}\times\frac{1}{3}}=\sqrt{2}$$

$\dfrac{2n}{9}=2$ 　　$\therefore n=9$ 　　　　　답 ①

05

$$P(X=2)={}_n C_2\left(\frac{2}{5}\right)^2\left(\frac{3}{5}\right)^{n-2}$$

$P(X=3)={}_n C_3\left(\dfrac{2}{5}\right)^3\left(\dfrac{3}{5}\right)^{n-3}$이므로

$P(X=3)=\dfrac{16}{9}P(X=2)$에서

$${}_n C_3\left(\frac{2}{5}\right)^3\left(\frac{3}{5}\right)^{n-3}=\frac{16}{9}\times{}_n C_2\left(\frac{2}{5}\right)^2\left(\frac{3}{5}\right)^{n-2}$$

따라서 $n-2=8$에서 $n=10$ 　　　　답 10

06

확률변수 X가 이항분포 $B\left(n, \dfrac{1}{4}\right)$을 따르므로

$$P(X=x)={}_n C_x\left(\frac{1}{4}\right)^x\left(\frac{3}{4}\right)^{n-x}={}_n C_x\frac{3^{n-x}}{4^n}$$

$P(X=1)=108P(X=n)$에서

$${}_n C_1\frac{3^{n-1}}{4^n}=108\times{}_n C_n\frac{1}{4^n}$$

$$n\times 3^{n-1}=108=4\times 3^3$$

이때 n은 자연수이므로 $n=4$

확률변수 X가 이항분포 $B\left(4, \dfrac{1}{4}\right)$을 따르므로

$$E(X)=4\times\frac{1}{4}=1$$

$$V(X)=4\times\frac{1}{4}\times\frac{3}{4}=\frac{3}{4}$$

$\therefore E(X)+V(X)=1+\dfrac{3}{4}=\dfrac{7}{4}$ 　　답 ④

07

확률변수 X가 이항분포 $B\left(n, \dfrac{1}{3}\right)$을 따르므로

$$V(X)=n\times\frac{1}{3}\times\frac{2}{3}=\frac{2n}{9}=2$$

$$n=9$$

$$E(X)=9\times\frac{1}{3}=3$$

이때 $V(X)=E(X^2)-\{E(X)\}^2$에서

$E(X^2)=V(X)+\{E(X)\}^2$
$\qquad\quad =2+3^2=11$ 　　　　　　　답 11

08

$E(2X)=2E(X)=32$

$\therefore E(X)=16$

확률변수 X가 이항분포 $B(144, p)$를 따르므로

$144p=16$

$p=\dfrac{16}{144}=\dfrac{1}{9}$

$\therefore V(X)=144\times\dfrac{1}{9}\times\dfrac{8}{9}$

$\qquad\quad =\dfrac{128}{9}$ 　　　　　　　　　답 ②

09

X는 이항분포 $B\left(3, \dfrac{1}{2}\right)$을 따르므로

$$V(X)=3\times\frac{1}{2}\times\frac{1}{2}=\frac{3}{4}$$

$V(4X+3)=4^2 V(X)=16\times\dfrac{3}{4}=12$ 　답 ②

10

확률변수 X가 이항분포 $B\left(n, \dfrac{1}{2}\right)$을 따르므로

$V(X)=n\times\dfrac{1}{2}\times\dfrac{1}{2}=16$에서 $n=64$

이때 $E(X)=64\times\dfrac{1}{2}=32$이므로

$E(2X+3)=2E(X)+3=67$

$\sigma(2X+3)=2\sigma(X)=8$

따라서 $2X+3$의 평균과 표준편차의 합은
$67+8=75$ 답 75

11

한 개의 주사위를 한 번 던질 때 3의 배수의 눈이 나올 확률은 $\dfrac{1}{3}$

이고 확률변수 X는 이항분포 $\mathrm{B}\Big(20, \dfrac{1}{3}\Big)$을 따르므로

$\mathrm{V}(X)=20\times\dfrac{1}{3}\times\dfrac{2}{3}=\dfrac{40}{9}$

한 개의 동전을 던질 때 앞면이 나올 확률은 $\dfrac{1}{2}$이고 확률변수 Y

는 이항분포 $\mathrm{B}\Big(n, \dfrac{1}{2}\Big)$을 따르므로

$\mathrm{V}(Y)=n\times\dfrac{1}{2}\times\dfrac{1}{2}=\dfrac{n}{4}$

$\mathrm{V}(Y)>\mathrm{V}(X)$이므로 $\dfrac{n}{4}>\dfrac{40}{9}$에서

$n>\dfrac{160}{9}=17.7\cdots$

따라서 자연수 n의 최솟값은 18이다.   답 18

12

3가지 종류의 과자 A, B, C 중 중복을 허용하여 임의로 2개를 택하는 경우의 수는
${}_3\mathrm{H}_2={}_4\mathrm{C}_2=6$
이 가게에서 판매한 선물 상자 1개를 택하였을 때, 이 상자에 모두 A과자만 들어 있을 확률은 $\dfrac{1}{6}$이다.

확률변수 X는 이항분포 $\mathrm{B}\Big(3600, \dfrac{1}{6}\Big)$을 따르므로

$\mathrm{V}(X)=3600\times\dfrac{1}{6}\times\dfrac{5}{6}=500$

$\therefore \sigma(X)=\sqrt{500}=10\sqrt{5}$ 답 ⑤

09 정규분포

pp. 84~85

| 01. 2 | 02. ② | 03. ① | 04. ② | 05. ① |

01

$f(x)=kx$의 그래프와 x축 및 직선 $x=1$로 둘러싸인 삼각형의 넓이가 1이므로 $\dfrac{1}{2}\times1\times k=1$ $\therefore k=2$ 답 2

02

세 곡선 A, B, C는 각각 직선 $x=m_1$, $x=m_2$, $x=m_3$에 대하여 대칭이므로
$m_1=m_2<m_3$
표준편차가 클수록 곡선의 가운데 부분이 낮아지면서 양쪽으로 퍼지므로 $\sigma_2>\sigma_3$

따라서 옳은 것은 ㄱ, ㄴ이다.   답 ②

03

$\begin{aligned}\mathrm{P}(Z\leq-1)&=\mathrm{P}(Z\geq1)\\&=\mathrm{P}(Z\geq0)-\mathrm{P}(0\leq Z\leq1)\\&=0.5-0.3413=0.1587\end{aligned}$ 답 ①

04

확률변수 X가 정규분포 $\mathrm{N}(10, 2^2)$을 따르므로

$Z=\dfrac{X-10}{2}$으로 놓으면 확률변수 Z는 표준정규분포 $\mathrm{N}(0, 1)$을 따른다.

$\begin{aligned}\mathrm{P}(10\leq X\leq14)&=\mathrm{P}\Big(\dfrac{10-10}{2}\leq\dfrac{X-10}{2}\leq\dfrac{14-10}{2}\Big)\\&=\mathrm{P}(0\leq Z\leq2)\\&=0.4772\end{aligned}$ 답 ②

05

확률변수 X가 이항분포 $\mathrm{B}\Big(64, \dfrac{1}{2}\Big)$을 따르고 64는 충분히 크므로 확률변수 X는 근사적으로 정규분포 $\mathrm{N}(32, 4^2)$을 따른다.

$\begin{aligned}\mathrm{P}(28\leq X\leq32)&=\mathrm{P}\Big(\dfrac{28-32}{4}\leq\dfrac{X-32}{4}\leq\dfrac{32-32}{4}\Big)\\&=\mathrm{P}(-1\leq Z\leq0)\\&=\mathrm{P}(0\leq Z\leq1)\\&=0.3413\end{aligned}$ 답 ①

유형따라잡기			pp. 86~92
기출유형 01 ③	01. ④	02. ④	03. 5	04. ④
기출유형 02 13	05. ③	06. ①	07. 125	08. ⑤
기출유형 03 ⑤	09. ④	10. ③		
기출유형 04 ④	11. ④	12. ④		
기출유형 05 155	13. ③	14. 112		
기출유형 06 ⑤	15. ③	16. ②		
기출유형 07 220	17. ③	18. 23		

기출유형 01

Act① 주어진 구간에서 확률밀도함수의 그래프와 x축으로 둘러싸인 부분의 넓이는 1임을 이용한다.

$0\leq x\leq1$에서 확률밀도함수의 그래프와 x축으로 둘러싸인 부분의 넓이가 1이므로
사다리꼴의 넓이 공식에서

$\dfrac{1}{2}\times\Big(1+\dfrac{1}{2}\Big)\times a=1$

$\dfrac{3}{4}a=1$

$\therefore a=\dfrac{4}{3}$ 답 ③

01

Act① 주어진 구간에서 확률밀도함수의 그래프와 x축으로 둘러싸인 부분의 넓이는 1임을 이용한다.

$0\leq x\leq2$에서 확률밀도함수와 x축으로 둘러싸인 부분의 넓이가 1이므로

사다리꼴의 넓이 공식에서

$$\frac{1}{2} \times \left\{ 2 + \left(a - \frac{1}{3} \right) \right\} \times \frac{3}{4} = 1$$

$$\frac{3}{8}\left(a + \frac{5}{3} \right) = 1, \quad a + \frac{5}{3} = \frac{8}{3}$$

$$\therefore a = 1$$

$$P\left(\frac{1}{3} \le X \le 1 \right) = \left(1 - \frac{1}{3} \right) \times \frac{3}{4} = \frac{1}{2}$$

답 ④

02 **Act❶** $m \le x \le 2$, $2 \le x \le 3$에서 확률밀도함수의 그래프와 x축으로 둘러싸인 부분의 넓이가 같음을 이용한다.

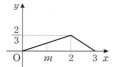

$P(2 \le X \le 3) = \frac{1}{3}$이므로 $P(m \le X \le 2) = \frac{1}{3}$

$0 \le x \le 3$에서 확률밀도함수와 x축으로 둘러싸인 부분의 넓이가 1이므로

$$P(0 \le X \le m) = \frac{1}{3}$$

$$\frac{1}{2} \times m \times \frac{1}{3}m = \frac{1}{3}$$

$$\therefore m = \sqrt{2} \ (\because m > 0)$$

답 ④

03 **Act❶** 주어진 구간에서 확률밀도함수의 그래프와 x축으로 둘러싸인 부분의 넓이는 1임을 이용한다.

$0 \le x \le 3$에서 확률밀도함수와 x축으로 둘러싸인 부분의 넓이가 1이므로

$$3k + \frac{1}{2} \times 3 \times (3k - k) = 1$$

$$3k + 3k = 1$$

$$\therefore k = \frac{1}{6}$$

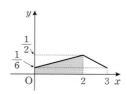

$$P(0 \le X \le 2) = \frac{1}{2}\left(\frac{1}{6} + \frac{1}{2} \right) \times 2 = \frac{2}{3}$$

따라서 $p = 3$, $q = 2$이므로 $p + q = 5$

답 5

04 **Act❶** 확률밀도함수의 그래프가 $x = 1$에 대하여 대칭임을 이용하여 a의 값을 구한다.

확률밀도함수의 그래프가 $x = 1$에 대하여 대칭이므로 주어진 확률 $P\left(a \le X \le a + \frac{1}{2} \right)$의 값이 최대가 되려면

$$\frac{a + \left(a + \frac{1}{2} \right)}{2} = 1$$이어야 한다.

$$2a + \frac{1}{2} = 2, \quad 2a = \frac{3}{2}$$

$$\therefore a = \frac{3}{4}$$

답 ④

기출유형 02

Act❶ 주어진 구간에서 확률밀도함수 $f(x)$의 그래프와 x축으로 둘러싸인 부분의 넓이는 1임을 이용한다.

확률밀도함수 $f(x)$의 그래프는 다음과 같다.

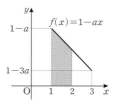

$f(x) = 1 - ax$가 확률밀도함수이므로

$$\frac{1}{2} \times (2 - 4a) \times 2 = 1, \quad a = \frac{1}{4}$$

$P(1 \le X \le 2)$는 색칠한 부분의 넓이와 같으므로

$$P(1 \le X \le 2) = \frac{1}{2} \times \frac{5}{4} \times 1 = \frac{5}{8}$$

$$\therefore p + q = 13$$

답 13

05 **Act❶** 주어진 구간에서 확률밀도함수 $f(x)$의 그래프와 x축으로 둘러싸인 부분의 넓이는 1임을 이용한다.

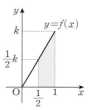

$f(x) = kx$의 그래프와 x축 및 직선 $x = 1$로 둘러싸인 삼각형의 넓이가 1이므로

$$\frac{1}{2} \times 1 \times k = 1 \quad \therefore k = 2$$

$$P\left(\frac{1}{2} \le X \le 1 \right) = \frac{1}{2} \times (1 + 2) \times \frac{1}{2} = \frac{3}{4}$$

답 ③

06 **Act❶** $f(x) = \begin{cases} g(x) & (a \le x \le c) \\ h(x) & (c \le x \le b) \end{cases}$ 꼴로 정의된 확률밀도함수는 구간에 따라 그래프를 그려 본다.

확률밀도함수 $f(x)$의 그래프는 다음과 같다.

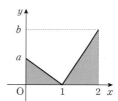

색칠한 부분의 넓이가 1이므로

$$\frac{a + b}{2} = 1, \quad a + b = 2 \qquad \cdots\cdots ㉠$$

$$P(1 \le X \le 2) = \frac{b}{2} = \frac{a}{6}, \quad a = 3b \qquad \cdots\cdots ㉡$$

$\bigcirc$, $\bigcirc$에서 $a=\dfrac{3}{2}$, $b=\dfrac{1}{2}$

$\therefore a-b=\dfrac{3}{2}-\dfrac{1}{2}=1$ 답 ①

07 Act① $f(x)=\begin{cases}g(x) & (a\le x\le c)\\ h(x) & (c\le x\le b)\end{cases}$꼴로 정의된 확률밀도함수는 구간에 따라 그래프를 그려 본다.

확률밀도함수 $f(x)$의 그래프는 다음과 같다.

$P(1\le X\le 2)=1-P(0\le X\le 1)$

$\qquad\qquad\qquad=1-\dfrac{1}{2}\times 1\times\dfrac{1}{a}=\dfrac{3}{5}$

$\dfrac{1}{2a}=\dfrac{2}{5}$이므로 $a=\dfrac{5}{4}$

$\therefore 100a=100\times\dfrac{5}{4}=125$ 답 125

08 Act① $f(x)=\begin{cases}g(x) & (a\le x\le c)\\ h(x) & (c\le x\le b)\end{cases}$꼴로 정의된 확률밀도함수는 구간에 따라 그래프를 그려 본다.

확률밀도함수 $f(x)$의 그래프는 다음과 같다.

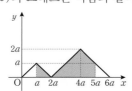

전체 넓이가 1이므로 $a=\dfrac{1}{\sqrt{5}}$

$P(a\le X\le 5a)=\dfrac{1}{2}\times 4a\times 2a=4a^2=\dfrac{4}{5}$ 답 ⑤

기출유형 03

Act① 정규분포 곡선이 직선 $x=m$에 대하여 대칭임을 이용한다.

확률변수 X는 정규분포 $N(m,\ \sigma^2)$을 따르고
$P(X<a-3)=P(X>b+2)$이므로

$\dfrac{(a-3)+(b+2)}{2}=m$

$m=\dfrac{a+b-1}{2}$ ……㉠

$Y=\dfrac{1}{3}X+1$, $E(Y)=51$이므로

$E(Y)=E\left(\dfrac{1}{3}X+1\right)=\dfrac{1}{3}m+1=51$

$m=150$ ……㉡

㉠, ㉡에 의하여 $a+b=301$

$V(Y)=V\left(\dfrac{1}{3}X+1\right)=\dfrac{1}{9}V(X)=\dfrac{4}{9}$

$V(X)=4$, $\sigma=2$

$\therefore a+b+\sigma=303$ 답 ⑤

09 Act① 정규분포곡선의 성질을 이용한다.

ㄱ. 66점 이상인 학생 수는 A고등학교가 B고등학교보다 많으므로 성적이 우수한 학생이 A고등학교에 더 많다. (참)

ㄴ. A와 B고등학교의 평균이 같으므로 평균적으로 성적이 같다고 할 수 있다. (거짓)

ㄷ. B고등학교의 성적 분포가 C고등학교보다 평균 주위에 밀집되어 있으므로 B고등학교 학생들의 성적이 더 고른 편이다. (참)

따라서 옳은 것은 ㄱ, ㄷ이다.   답 ④

10 Act① 정규분포 곡선이 직선 $x=20$에 대하여 대칭임을 이용하여 [보기]의 참, 거짓을 판별한다.

ㄱ. $f(12)=P(4\le X\le 12)$, $f(36)=P(28\le X\le 36)$

그림에서 정규분포 곡선이 직선 $x=20$에 대하여 대칭이므로 $f(12)=f(36)$ (참)

ㄴ. $f(k)$가 최대일 때는 $\dfrac{(k-8)+k}{2}=20$이므로 $k=24$ (참)

ㄷ. [반례] $k=0$일 때 $f(0)=P(-8\le X\le 0)$이고 $f(24)=P(16\le X\le 24)$이므로 $f(0)\ne f(24)$이다. (거짓)

따라서 옳은 것은 ㄱ, ㄴ이다.   답 ③

기출유형 04

Act① 확률변수 X를 표준화한다.

확률변수 X가 정규분포 $N\left(n,\ \dfrac{n^2}{4}\right)$을 따르므로

$Z=\dfrac{X-n}{\dfrac{n}{2}}$이라 하면 Z는 표준정규분포 $N(0,\ 1)$을 따른다.

$P(n\le X\le 120)=P\left(\dfrac{n-n}{\dfrac{n}{2}}\le\dfrac{X-n}{\dfrac{n}{2}}\le\dfrac{120-n}{\dfrac{n}{2}}\right)$

$\qquad\qquad\qquad=P\left(0\le Z\le\dfrac{120-n}{\dfrac{n}{2}}\right)=P(0\le Z\le 1)$

이때 $\dfrac{120-n}{\dfrac{n}{2}}=1$이므로 $120-n=\dfrac{n}{2}$

$\therefore n=80$ 답 ④

11 Act① 주어진 조건에서 평균과 표준편차를 구하고 확률변수 X를 표준화한다.

조건 (가)에서 $P(X\ge 64)=P(X\le 56)$이므로

$m=\dfrac{64+56}{2}=60$

$V(X)=E(X^2)-\{E(X)\}^2$이고 조건 (나)에서

$E(X^2)=3616$이므로

$V(X)=3616-60^2=16$ $\therefore \sigma(X)=4$

$P(X\leq 68)=P\left(Z\leq\dfrac{68-60}{4}\right)=P(Z\leq 2)$

이때 주어진 표에서

$P(m\leq X\leq m+2\sigma)=P\left(\dfrac{m-m}{\sigma}\leq Z\leq\dfrac{m+2\sigma-m}{\sigma}\right)$

$\qquad\qquad\qquad\qquad =P(0\leq Z\leq 2)=0.4772$

이므로

$P(X\leq 68)=P(Z\leq 2)=0.5+P(0\leq Z\leq 2)$

$\qquad\qquad\quad =0.5+0.4772=0.9772$　　　　　답 ④

12 **Act❶** 확률변수 X,Y를 표준화하여 [보기]의 참, 거짓을 판별한다.

확률변수 X,Y는 각각 정규분포 $N(0,\,a^2)$, $N(0,\,b^2)$을 따르므로 각각 $Z=\dfrac{X}{a}$, $Z=\dfrac{Y}{a}$로 표준화하면 모두 표준정규분포를 따른다.

ㄱ. 확률변수 X의 평균은 0이므로

$\quad P(1\leq X\leq 2)>P(2\leq X\leq 3)$ (거짓)

ㄴ. $P(-a\leq X\leq 0)=P(-1\leq Z\leq 0)=P(0\leq Z\leq 1)$

$\quad P(0\leq Y\leq b)=P(0\leq Z\leq 1)$

$\quad \therefore P(-a\leq X\leq 0)=P(0\leq Y\leq b)$ (참)

ㄷ. $P(-1\leq X\leq 1)=2P(0\leq X\leq 1)$

$\qquad\qquad\qquad\quad =2P\left(0\leq Z\leq\dfrac{1}{a}\right)$

$\quad P(-2\leq Y\leq 2)=2P(0\leq Y\leq 2)$

$\qquad\qquad\qquad\quad =2P\left(0\leq Z\leq\dfrac{2}{b}\right)$

따라서 $\dfrac{1}{a}=\dfrac{2}{b}$에서 $b=2a$이므로 $a<b$이다. (참)

이상에서 옳은 것은 ㄴ, ㄷ이다.　　　　　답 ④

기출유형 05

Act❶ 확률변수 X를 표준화한다.

확률변수 X가 정규분포 $N(m,\sigma^2)$을 따르므로

$P(X\leq 3)=P\left(\dfrac{X-m}{\sigma}\leq\dfrac{3-m}{\sigma}\right)$

$\qquad\qquad =P\left(Z\leq\dfrac{3-m}{\sigma}\right)=0.3$

즉 $0.5-P\left(0\leq Z\leq\dfrac{m-3}{\sigma}\right)=0.3$이다.

따라서 $P\left(0\leq Z\leq\dfrac{m-3}{\sigma}\right)=0.2$이므로

$\dfrac{m-3}{\sigma}=0.52$

$m=3+0.52\sigma$　　　　　……㉠

또한

$P(3\leq X\leq 80)$

$=P\left(\dfrac{3-m}{\sigma}\leq\dfrac{X-m}{\sigma}\leq\dfrac{80-m}{\sigma}\right)$

$=P\left(\dfrac{3-m}{\sigma}\leq Z\leq\dfrac{80-m}{\sigma}\right)$

$=P\left(\dfrac{3-m}{\sigma}\leq Z\leq 0\right)+P\left(0\leq Z\leq\dfrac{80-m}{\sigma}\right)$

$=0.2+P\left(0\leq Z\leq\dfrac{80-m}{\sigma}\right)$

$=0.3$

즉 $P\left(0\leq Z\leq\dfrac{80-m}{\sigma}\right)=0.1$이므로 $\dfrac{80-m}{\sigma}=0.25$

$m=80-0.25\sigma$　　　　　……㉡

㉠, ㉡을 연립하여 풀면

$3+0.52\sigma=80-0.25\sigma$, $0.77\sigma=77$, $\sigma=100$

따라서 $m=3+0.52\times 100=55$이므로

$m+\sigma=55+100=155$　　　　　답 155

13 **Act❶** 확률변수 X를 표준화한다.

확률변수 X가 정규분포 $N(m,\,\sigma^2)$을 따르므로

$P(m\leq X\leq m+12)-P(X\leq m-12)$

$=P\left(0\leq Z\leq\dfrac{12}{\sigma}\right)-P\left(Z\leq-\dfrac{12}{\sigma}\right)$

$=P\left(0\leq Z\leq\dfrac{12}{\sigma}\right)-\left\{\dfrac{1}{2}-P\left(0\leq Z\leq\dfrac{12}{\sigma}\right)\right\}$

$=2P\left(0\leq Z\leq\dfrac{12}{\sigma}\right)-0.5=0.3664$

$\therefore P\left(0\leq Z\leq\dfrac{12}{\sigma}\right)=0.4332$

따라서 $\dfrac{12}{\sigma}=1.5$이므로

$\sigma=\dfrac{12}{1.5}=8$　　　　　답 ③

14 **Act❶** 확률변수 X를 표준화한다.

확률변수 X는 정규분포 $N(m,\,8^2)$을 따르므로 확률변수 $Z=\dfrac{X-m}{8}$은 표준정규분포 $N(0,\,1)$을 따른다.

조건 ㈎를 만족시키는 정규분포의 확률밀도함수의 그래프는 오른쪽 그림과 같으므로

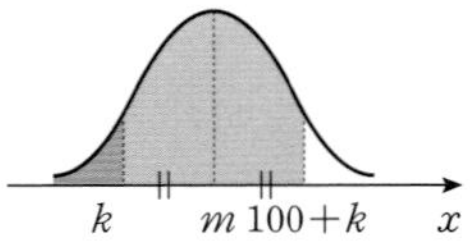

$m-k=(100+k)-m$

$\therefore k=m-50$

조건 ㈏에서

$P(X\geq 2k)=P\left(Z\geq\dfrac{2k-m}{8}\right)$

$\qquad\qquad =P\left(Z\geq\dfrac{m-100}{8}\right)$

$\qquad\qquad =0.5-P\left(0\leq Z\leq\dfrac{m-100}{8}\right)$

$\qquad\qquad =0.0668$

$\therefore P\left(0\leq Z\leq\dfrac{m-100}{8}\right)=0.4332$

따라서 $\dfrac{m-100}{8}=1.5$이므로 $m=112$　　　　　답 112

기출유형 06

Act❶ 호르몬의 양을 확률변수 X로 놓고 정규분포를 구한 다음 X를 표준화한다.

호르몬의 양을 확률변수 X라 하면 X는 정규분포 $N(30.2,\,0.6^2)$을 따르므로

$P(29.6 \leq X \leq 31.4)$

$=P\left(\dfrac{29.6-30.2}{0.6} \leq \dfrac{X-30.2}{0.6} \leq \dfrac{31.4-30.2}{0.6}\right)$

$=P(-1 \leq Z \leq 2)$

$=P(-1 \leq Z \leq 0)+P(0 \leq Z \leq 2)$

$=P(0 \leq Z \leq 1)+P(0 \leq Z \leq 2)$

$=0.3413+0.4772$

$=0.8185$ 　　　　　　　　　　　　　　　　답 ⑤

15 **Act①** 쌀의 무게를 확률변수 X로 놓고 정규분포를 구한 다음 X를 표준화한다.

쌀의 무게를 확률변수 X라 하면 X는 정규분포 $N(1.5,\ 0.2^2)$을 따르므로

$P(1.3 \leq X \leq 1.8)$

$=P\left(\dfrac{1.3-1.5}{0.2} \leq \dfrac{X-1.5}{0.2} \leq \dfrac{1.8-1.5}{0.2}\right)$

$=P(-1 \leq Z \leq 1.5)$

$=P(0 \leq Z \leq 1)+P(0 \leq Z \leq 1.5)$

$=0.3413+0.4332=0.7745$ 　　　　　　　　답 ③

16 **Act①** 토마토 줄기의 길이를 확률변수 X로 놓고 정규분포를 구한 다음 X를 표준화한다.

토마토 줄기의 길이를 확률변수 X라 하면 X는 정규분포 $N(30,\ 2^2)$을 따르므로

$P(27 \leq X \leq 32)$

$=P\left(\dfrac{27-30}{2} \leq Z \leq \dfrac{32-30}{2}\right)$

$=P(-1.5 \leq Z \leq 1)$

$=P(0 \leq Z \leq 1.5)+P(0 \leq Z \leq 1)$

$=0.4332+0.3413=0.7745$ 　　　　　　　　답 ②

기출유형 07

Act① 이항분포를 따르는 확률변수 X는 n이 충분히 크면 근사적으로 정규분포를 따르므로 X를 표준화하여 k의 값을 구한다.

확률변수 X는 이항분포 $B\left(400,\ \dfrac{1}{2}\right)$을 따르고, 시행 횟수가 충분히 크므로 X는 근사적으로 정규분포 $N(200,\ 10^2)$을 따른다.

$P(X \leq k)=P\left(Z \leq \dfrac{k-200}{10}\right)=0.9772$이고

$P(Z \leq 2)=P(Z \leq 0)+P(0 \leq Z \leq 2)$

　　　　　$=0.5+0.4772=0.9772$

이므로 $\dfrac{k-200}{10}=2$

$\therefore k=220$ 　　　　　　　　　　　　　답 220

17 **Act①** 이항분포를 따르는 확률변수 X는 n이 충분히 크면 근사적으로 정규분포를 따르므로 X를 표준화하여 확률을 구한다.

100권 중 A회사 제품의 개수를 X라 하면 X는 이항분포 $B\left(100,\ \dfrac{1}{10}\right)$을 따르고, 시행 횟수가 충분히 크므로 X는 근사적으로 정규분포 $N(10,\ 3^2)$을 따른다.

$P(X \geq 13)=P\left(Z \geq \dfrac{13-10}{3}\right)=P(Z \geq 1)$

　　　　　　$=0.5-P(0 \leq Z \leq 1)=0.5-0.3413=0.1587$

　　　　　　　　　　　　　　　　　　　답 ③

18 **Act①** 이항분포를 따르는 확률변수 X는 n이 충분히 크면 근사적으로 정규분포를 따르므로 X를 표준화하여 p의 값을 구한다.

두 수의 곱이 홀수인 경우는 (홀수)×(홀수)일 때이므로 사건 A가 일어날 확률은 $\dfrac{1}{2} \times \dfrac{1}{2}=\dfrac{1}{4}$

사건 A가 일어나는 횟수를 확률변수 X라 하면 X는 이항분포 $B\left(1200,\ \dfrac{1}{4}\right)$을 따르고, 시행 횟수가 충분히 크므로 X는 근사적으로 정규분포 $N(300,\ 15^2)$을 따른다.

$p=P(X \leq 270)$

$=P\left(Z \leq \dfrac{270-300}{15}\right)$

$=P(Z \leq -2)$

$=0.5-P(0 \leq Z \leq 2)$

$=0.5-0.477$

$=0.023$

$\therefore 1000p=23$ 　　　　　　　　　　　　답 23

VIT **V**ery **I**mportant **T**est 　　　　　pp. 93~95

01. 1	02. ③	03. ③	04. ④	05. ④
06. ③	07. ⑤	08. ④	09. ③	10. ②
11. ②	12. ④	13. ④	14. 48	15. ②
16. ⑤	17. ④	18. ⑤		

01

함수 $y=f(x)$의 그래프는 다음 그림과 같다.

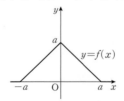

함수 $f(x)$의 그래프와 x축으로 둘러싸인 부분의 넓이는 1이므로

$\dfrac{1}{2} \times 2a \times a=1,\ a^2=1$

$\therefore a=1\ (\because a>0)$ 　　　　　　　답 1

02

함수 $f(x)$의 그래프와 x축으로 둘러싸인 부분의 넓이는 1이므로

$\dfrac{1}{2} \times 8 \times b=1,\ 4b=1$ 　　$\therefore b=\dfrac{1}{4}$

이때 $P(0 \leq X \leq a)=\dfrac{3}{4}$이므로

$$\frac{1}{2} \times a \times \frac{1}{4} = \frac{3}{4}, \ a = 6$$

$$\therefore \frac{a}{b} = \frac{6}{\frac{1}{4}} = 24 \hspace{2cm} \text{답 ③}$$

03

함수 $y=f(x)$의 그래프는 다음 그림과 같다.

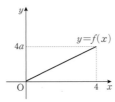

함수 $y=f(x)$의 그래프와 x축 및 직선 $x=4$로 둘러싸인 부분의 넓이는 1이므로

$$\frac{1}{2} \times 4 \times 4a = 1 \quad \therefore a = \frac{1}{8}$$

따라서 $f(x) = \frac{x}{8} \ (0 \le x \le 4)$이므로

$$P(1 \le X \le 2) = \frac{1}{2} \times \left(\frac{1}{8} + \frac{2}{8} \right) \times 1$$
$$= \frac{3}{16} \hspace{2cm} \text{답 ③}$$

04

$f(x) = ax + b$라 하면 $f(0) = 0$이므로 $b=0$

$\therefore f(x) = ax \ (0 \le x \le 3)$

함수 $y=f(x)$의 그래프와 x축 및 직선 $x=3$으로 둘러싸인 부분의 넓이는 1이므로

$$\frac{1}{2} \times 3 \times f(3) = \frac{1}{2} \times 3 \times 3a = 1, \ a = \frac{2}{9}$$

따라서 $f(x) = \frac{2}{9}x$이므로

$$P(1 \le X \le 2) = \frac{1}{2} \times \left(\frac{2}{9} + \frac{4}{9} \right) \times 1 = \frac{1}{3} \hspace{1cm} \text{답 ④}$$

05

확률변수 X가 정규분포 $N(58, 4^2)$을 따르므로

$X=66$일 때, $Z = \frac{66-58}{4} = 2$

$$\therefore P(X \le 66) = P(Z \le 2)$$
$$= 0.5 + P(0 \le Z \le 2)$$
$$= 0.5 + 0.4772 = 0.9772 \hspace{1cm} \text{답 ④}$$

06

$X^2 - 13X + 22 \le 0$에서

$(X-2)(X-11) \le 0 \quad \therefore 2 \le X \le 11$

확률변수 X가 정규분포 $N(6, 2^2)$을 따르므로 확률변수 $Z = \frac{X-6}{2}$은 표준정규분포 $N(0, 1)$을 따른다.

$$P(X^2 - 13X + 22 \le 0)$$
$$= P(2 \le X \le 11)$$
$$= P\left(\frac{2-6}{2} \le Z \le \frac{11-6}{2} \right)$$

$$= P(-2 \le Z \le 2.5)$$
$$= P(0 \le Z \le 2) + P(0 \le Z \le 2.5)$$
$$= 0.4772 + 0.4938$$
$$= 0.9710 \hspace{2cm} \text{답 ③}$$

07

$Z = \frac{X-30}{2}$으로 놓으면 확률변수 Z는 표준정규분포 $N(0, 1)$을 따르므로 $P(27 \le X \le a) = 0.7745$에서

$$P(27 \le X \le a)$$
$$= P\left(\frac{27-30}{2} \le Z \le \frac{a-30}{2} \right)$$
$$= P\left(-1.5 \le Z \le \frac{a-30}{2} \right)$$
$$= P(-1.5 \le Z \le 0) + P\left(0 \le Z \le \frac{a-30}{2} \right)$$
$$= P(0 \le Z \le 1.5) + P\left(0 \le Z \le \frac{a-30}{2} \right)$$
$$= 0.4332 + P\left(0 \le Z \le \frac{a-30}{2} \right) = 0.7745$$
$$\therefore P\left(0 \le Z \le \frac{a-30}{2} \right) = 0.3413$$

이때 $P(0 \le Z \le 1) = 0.3413$이므로

$$\frac{a-30}{2} = 1 \quad \therefore a = 32 \hspace{1.5cm} \text{답 ⑤}$$

08

동환이의 국어, 수학, 영어 성적을 표준화한 값을 각각 Z_A, Z_B, Z_C라 하면

$$Z_A : \frac{70-65}{10} = \frac{1}{2}, \ Z_B : \frac{66-56}{12} = \frac{5}{6}$$

$$Z_C : \frac{76-68}{10} = \frac{4}{5}$$

따라서 상대적으로 성적이 좋은 과목을 순서대로 나타내면 수학, 영어, 국어이다. \hspace{1cm} 답 ④

09

확률변수 X의 확률밀도함수 $y=f(x)$의 그래프는 직선 $x=8$에 대하여 대칭이므로

$P(a+4 \le X \le 2a+3)$의 값이 최대인 경우는 $a+4$와 $2a+3$의 평균이 확률변수 X의 평균인 8일 때이다.

즉 $\frac{a+4+2a+3}{2} = 8$에서

$3a+7 = 16$

$\therefore a = 3 \hspace{3cm} \text{답 ③}$

10

$f(80-x) = f(80+x)$에서 $f(x)$는 $x=80$에 대하여 대칭이므로 $m=80$

확률변수 X는 정규분포 $N(80, 6^2)$을 따르므로 확률변수 $Z = \frac{X-80}{6}$은 표준정규분포 $N(0, 1)$을 따른다.

$$\therefore P(X \le 89) = P\left(Z \le \frac{89-80}{6} \right)$$

$$=P(Z \leq 1.5)$$
$$=0.5+P(0 \leq Z \leq 1.5)$$
$$=0.5+0.4332=0.9332 \qquad \text{답 ②}$$

11

$f(50-x)=f(50+x)$에서 $f(x)$는 $x=50$에 대하여 대칭이므로 $m=50$

$P(-1 \leq Z \leq 1)=0.6826$에서

$\dfrac{54-50}{\sigma}=1$, $\sigma=4$

$$P(44 \leq X \leq 60)=P(-1.5 \leq Z \leq 2.5)$$
$$=0.9270 \qquad \text{답 ②}$$

12

$$P(|X-m| \leq a)=P(-a \leq X-m \leq a)$$
$$=P(m-a \leq X \leq m+a)$$
$$=P\left(\dfrac{m-a-m}{\sigma} \leq Z \leq \dfrac{m+a-m}{\sigma}\right)$$
$$=P\left(-\dfrac{a}{\sigma} \leq Z \leq \dfrac{a}{\sigma}\right)=2P\left(0 \leq Z \leq \dfrac{a}{\sigma}\right)=0.8904$$

$P\left(0 \leq Z \leq \dfrac{a}{\sigma}\right)=0.4452$이므로

$\dfrac{a}{\sigma}=1.6$

$$P\left(|X-m| \leq \dfrac{a}{2}\right)=P\left(\dfrac{|X-m|}{\sigma} \leq \dfrac{a}{2\sigma}\right)$$
$$=P\left(|Z| \leq \dfrac{1}{2} \times \dfrac{a}{\sigma}\right)=P(|Z| \leq 0.8)$$
$$=2P(0 \leq Z \leq 0.8)=2 \times 0.2881$$
$$=0.5762 \qquad \text{답 ④}$$

13

딸기 주스 한 잔의 양을 확률변수 X라 하면 X는 정규분포 $N(200, 3^2)$을 따르고 확률변수 $Z=\dfrac{X-200}{3}$은 표준정규분포 $N(0, 1)$을 따른다.

$$\therefore P(X \leq 203)=P\left(Z \leq \dfrac{203-200}{3}\right)$$
$$=P(Z \leq 1)$$
$$=0.5+P(0 \leq Z \leq 1)$$
$$=0.5+0.3413=0.8413 \qquad \text{답 ④}$$

14

학생들의 수학 성적을 확률변수 X라 하면 X는 정규분포 $N(65, 6^2)$을 따르므로 확률변수 $Z=\dfrac{X-65}{6}$는 표준정규분포 $N(0, 1)$을 따른다.

$$\therefore P(X \geq 71)=P\left(Z \geq \dfrac{71-65}{6}\right)$$
$$=P(Z \geq 1)$$
$$=0.5-P(0 \leq Z \leq 1)$$
$$=0.5-0.34=0.16$$

따라서 수학 성적이 71점 이상인 학생은

$$300 \times 0.16=48(\text{명}) \qquad \text{답 48}$$

15

필기시험 응시자의 점수를 확률변수 X라 하면 X는 정규분포 $N(54, 20^2)$을 따르므로 확률변수 $Z=\dfrac{X-54}{20}$는 표준정규분포 $N(0, 1)$을 따른다.

$$\therefore P(X \geq 70)=P\left(Z \geq \dfrac{70-54}{20}\right)$$
$$=P(Z \geq 0.8)=0.5-P(0 \leq Z \leq 0.8)$$
$$=0.5-0.29=0.21$$

따라서 실기시험 응시 자격이 주어지는 사람 수는 약

$$2400 \times 0.21=504(\text{명}) \qquad \text{답 ②}$$

16

3의 배수의 눈이 나오는 횟수를 확률변수 X라 하면 X는 이항분포 $B\left(288, \dfrac{1}{3}\right)$을 따른다.

이때 시행 횟수 288은 충분히 크므로 확률변수 X는 근사적으로 정규분포 $N(96, 8^2)$을 따른다.

따라서 구하는 확률은

$$P(108 \leq X \leq 116)$$
$$=P\left(\dfrac{108-96}{8} \leq Z \leq \dfrac{116-96}{8}\right)$$
$$=P(1.5 \leq Z \leq 2.5)$$
$$=P(0 \leq Z \leq 2.5)-P(0 \leq Z \leq 1.5)$$
$$=0.4938-0.4332=0.0606 \qquad \text{답 ⑤}$$

17

400명 중 인터넷 강의를 이용하는 학생 수를 확률변수 X라 하면 X는 이항분포 $B\left(400, \dfrac{1}{5}\right)$을 따르므로

$$E(X)=400 \times \dfrac{1}{5}=80, \quad V(X)=400 \times \dfrac{1}{5} \times \dfrac{4}{5}=64$$

이때 시행 횟수 400은 충분히 크므로 X는 근사적으로 정규분포 $N(80, 8^2)$을 따른다.

따라서 구하는 확률은

$$P(X \geq 72)=P\left(Z \geq \dfrac{72-80}{8}\right)=P(Z \geq -1)$$
$$=0.5+P(0 \leq Z \leq 1)$$
$$=0.5+0.3413=0.8413 \qquad \text{답 ④}$$

18

192명 중 C회사 제품을 선택하는 사람의 수를 확률변수 X라 하면 C제품을 선택할 확률이 $\dfrac{25}{100}=\dfrac{1}{4}$이므로 확률변수 X는 이항분포 $B\left(192, \dfrac{1}{4}\right)$을 따른다.

이때 시행 횟수 192는 충분히 크므로 확률변수 X는 근사적으로 정규분포 $N(48, 6^2)$을 따른다.

따라서 구하는 확률은

$$P(X \geq 42)=P\left(Z \geq \dfrac{42-48}{6}\right)$$

$$=P(Z\geq-1)$$
$$=0.5+P(0\leq Z\leq1)$$
$$=0.5+0.3413=0.8413 \qquad \text{답 ⑤}$$

10 통계적 추정

01. ②   **02.** ①   **03.** ④   **04.** ③

01 복원추출일 때, 첫 번째 꺼내는 경우의 수가 5, 그 각각에 대하여 두 번째 꺼내는 경우의 수도 5이므로
$$_5\Pi_2=5^2=25$$
비복원추출일 때, 첫 번째 꺼내는 경우의 수가 5, 그 각각에 대하여 두 번째 꺼내는 경우의 수가 4이므로
$$_5P_2=5\times4=20$$
$$\therefore a+b=25+20=45 \qquad \text{답 ②}$$

02 모집단에서 추출한 크기가 2인 표본을 (X_1, X_2)라 할 때, $\overline{X}=\dfrac{X_1+X_2}{2}=4$를 만족시키는 경우는
$(3, 5), (5, 3), (4, 4)$이므로
$$P(\overline{X}=4)=\frac{1}{2}\times\frac{1}{6}+\frac{1}{6}\times\frac{1}{2}+\frac{1}{3}\times\frac{1}{3}$$
$$=\frac{1}{12}+\frac{1}{12}+\frac{1}{9}$$
$$=\frac{5}{18} \qquad \text{답 ①}$$

03 표본평균 $\overline{X}$의 평균과 표준편차는
$$E(\overline{X})=25, \ \sigma(\overline{X})=\frac{2}{\sqrt{100}}=\frac{1}{5}$$
이므로
$$ab=25\times\frac{1}{5}=5 \qquad \text{답 ④}$$

04 크기가 100인 표본의 평균이 274, 표준편차가 45이므로 표본평균의 분포는 정규분포 $N\left(m, \left(\dfrac{45}{\sqrt{100}}\right)^2\right)$을 따른다. 따라서 모집단의 평균 m을 신뢰도 95%로 추정하면
$$274-2\frac{45}{\sqrt{100}}\leq m\leq274+2\frac{45}{\sqrt{100}}$$
$$265\leq m\leq283 \quad \therefore b=283 \qquad \text{답 ③}$$

유형따라잡기

기출유형 **01** ①	**01.** ⑤	**02.** ①	**03.** ④ **04.** ④
기출유형 **02** ①	**05.** ②	**06.** ⑤	
기출유형 **03** ②	**07.** 25	**08.** ③	
기출유형 **04** ③	**09.** ②	**10.** ④	
기출유형 **05** 385	**11.** ①	**12.** 110	

기출유형 01

Act ① 모집단의 확률분포에서 모평균, 모표준편차를 구하고 $\sigma(\overline{X})=\dfrac{\sigma}{\sqrt{n}}$임을 이용한다.
$$E(X)=-2\times\frac{1}{4}+1\times\frac{1}{2}=0$$
$$V(X)=E(X^2)-\{E(X)\}^2$$
$$=(-2)^2\times\frac{1}{4}+1^2\times\frac{1}{2}=\frac{3}{2}$$
$$\sigma(X)=\sqrt{\frac{3}{2}}=\frac{\sqrt{6}}{2}$$
$$\therefore \sigma(\overline{X})=\frac{\sigma(X)}{\sqrt{16}}=\frac{\sqrt{6}}{8} \qquad \text{답 ①}$$

01 **Act ①** $\sigma(\overline{X})=\dfrac{\sigma}{\sqrt{n}}$임을 이용하여 n의 값을 구한다.
$$\sigma(\overline{X})=\frac{\sigma}{\sqrt{n}}=\frac{14}{\sqrt{n}}=2$$
$$\sqrt{n}=7$$
$$\therefore n=49 \qquad \text{답 ⑤}$$

02 **Act ①** 모집단의 확률분포에서 모평균, 모분산을 구하고 $V(\overline{X})=\dfrac{\sigma^2}{n}$임을 이용한다.
확률의 총합은 1이므로 $a=1-\dfrac{1}{3}-\dfrac{1}{2}=\dfrac{1}{6}$
$$E(X)=(-2)\times\frac{1}{3}+0\times\frac{1}{2}+1\times\frac{1}{6}$$
$$=-\frac{1}{2}$$
$$E(X^2)=(-2)^2\times\frac{1}{3}+0^2\times\frac{1}{2}+1^2\times\frac{1}{6}$$
$$=\frac{3}{2}$$
$$V(X)=E(X^2)-\{E(X)\}^2$$
$$=\frac{3}{2}-\left(-\frac{1}{2}\right)^2=\frac{5}{4}$$
$$\therefore V(\overline{X})=\frac{V(X)}{16}=\frac{5}{64} \qquad \text{답 ①}$$

03 **Act ①** 모집단의 확률분포에서 모평균, 모분산을 구하고 $V(\overline{X})=\dfrac{\sigma^2}{n}$임을 이용한다.
확률의 총합은 1이므로
$$\frac{1}{6}+a+b=1, \ a+b=\frac{5}{6} \qquad \cdots\cdots㉠$$
$$E(X^2)=4a+16b=\frac{16}{3} \qquad \cdots\cdots㉡$$
㉠, ㉡을 연립하여 풀면 $a=\dfrac{2}{3}, \ b=\dfrac{1}{6}$
따라서 주어진 확률분포표는 다음과 같다.

X	0	2	4	합계
$P(X=x)$	$\dfrac{1}{6}$	$\dfrac{2}{3}$	$\dfrac{1}{6}$	1

50 • 참 쉬운 3점 확률과 통계

$$E(X)=0\times\frac{1}{6}+2\times\frac{2}{3}+4\times\frac{1}{6}=2$$

$$E(X^2)=\frac{16}{3}$$

$$V(X)=E(X^2)-\{E(X)\}^2$$

$$=\frac{16}{3}-2^2=\frac{4}{3}$$

$$\therefore V(\overline{X})=\frac{V(X)}{20}=\frac{4}{3}\times\frac{1}{20}=\frac{1}{15}$$ 답 ④

04 **Act①** $E(\overline{X})=E(X)=18$임을 이용하여 a의 값을 구하고 $\overline{X}=20$인 경우의 확률을 구한다.

$E(\overline{X})=E(X)=18$이므로

$$E(X)=10\times\frac{1}{2}+20a+30\left(\frac{1}{2}-a\right)=20-10a=18$$

$$\therefore a=\frac{1}{5}$$

따라서 주어진 확률분포표는 다음과 같다.

X	10	20	30	합계
$P(X=x)$	$\frac{1}{2}$	$\frac{1}{5}$	$\frac{3}{10}$	1

크기가 2인 표본을 복원추출할 때, $\overline{X}=20$인 경우는 10과 30, 20과 20, 30과 10을 추출하는 경우이므로

$$P(\overline{X}=20)$$

$$=P(X=10)\times P(X=30)+P(X=20)\times P(X=20)$$

$$+P(X=30)\times P(X=10)$$

$$=\frac{1}{2}\times\frac{3}{10}+\frac{1}{5}\times\frac{1}{5}+\frac{3}{10}\times\frac{1}{2}$$

$$=\frac{3}{20}+\frac{1}{25}+\frac{3}{20}=\frac{17}{50}$$ 답 ④

기출유형 02

Act① 표본평균 $\overline{X}$가 따르는 정규분포 $N\left(m,\frac{\sigma^2}{n}\right)$을 구하고 $Z=\dfrac{\overline{X}-m}{\frac{\sigma}{\sqrt{n}}}$으로 표준화하여 확률을 구한다.

임의추출한 탑승객 16명의 1인당 수하물 무게의 평균을 $\overline{X}$라 하면 모집단이 정규분포 $N(15,4^2)$을 따르고 표본의 크기가 16이므로 표본평균 $\overline{X}$는 정규분포 $N(15,1^2)$을 따른다.

따라서 $Z=\dfrac{\overline{X}-15}{1}$로 놓으면 확률변수 Z는 표준정규분포 $N(0,1)$을 따르므로 구하는 확률은

$$P(\overline{X}\geq17)=P\left(Z\geq\frac{17-15}{1}\right)=P(Z\geq2)$$

$$=0.5-P(0\leq Z\leq2)$$

$$=0.5-0.4772=0.0228$$ 답 ①

05 **Act①** 표본평균 $\overline{X}$가 따르는 정규분포 $N\left(m,\frac{\sigma^2}{n}\right)$을 구하고 $Z=\dfrac{\overline{X}-m}{\frac{\sigma}{\sqrt{n}}}$으로 표준화하여 확률을 구한다.

임의로 추출한 16가구의 월 식료품 구입비의 표본평균을 $\overline{X}$

라 하면 모집단이 정규분포 $N(45,8^2)$을 따르고 표본의 크기가 16이므로 표본평균 $\overline{X}$는 정규분포 $N(45,2^2)$을 따른다.

따라서 $Z=\dfrac{\overline{X}-45}{\frac{8}{\sqrt{16}}}=\dfrac{\overline{X}-45}{2}$로 놓으면 확률변수 Z는 표준정규분포 $N(0,1)$을 따르므로 구하는 확률은

$$P(44\leq\overline{X}\leq47)=P\left(\frac{44-45}{2}\leq Z\leq\frac{47-45}{2}\right)$$

$$=P(-0.5\leq Z\leq1)$$

$$=P(-0.5\leq Z\leq0)+P(0\leq Z\leq1)$$

$$=P(0\leq Z\leq0.5)+P(0\leq Z\leq1)$$

$$=0.1915+0.3413$$

$$=0.5328$$ 답 ②

06 **Act①** 표본평균 $\overline{X}$가 따르는 정규분포 $N\left(m,\frac{\sigma^2}{n}\right)$을 구하고 $Z=\dfrac{\overline{X}-m}{\frac{\sigma}{\sqrt{n}}}$으로 표준화하여 확률을 구한다.

임의추출한 9개의 화장품 내용량의 표본평균을 확률변수 $\overline{X}$라 하면 모집단이 정규분포 $N(201.5,1.8^2)$을 따르고 표본의 크기가 9이므로 $\overline{X}$는 정규분포 $N\left(201.5,\frac{1.8^2}{9}\right)$, 즉 $N(201.5,0.6^2)$을 따른다.

$Z=\dfrac{\overline{X}-201.5}{0.6}$로 놓으면 확률변수 Z는 표준정규분포 $N(0,1)$을 따르므로 구하는 확률은

$$P(\overline{X}\geq200)=P\left(Z\geq\frac{200-201.5}{0.6}\right)$$

$$=P(Z\geq-2.5)$$

$$=P(-2.5\leq Z\leq0)+P(Z\geq0)$$

$$=P(0\leq Z\leq2.5)+P(Z\geq0)$$

$$=0.4938+0.5$$

$$=0.9938$$ 답 ⑤

기출유형 03

Act① 표본평균 $\overline{X}$가 따르는 정규분포 $N\left(m,\frac{\sigma^2}{n}\right)$을 구하고 $Z=\dfrac{\overline{X}-m}{\frac{\sigma}{\sqrt{n}}}$으로 표준화하여 주어진 확률을 만족시키는 m의 값을 구한다.

모집단이 정규분포 $N(m,10^2)$을 따르고 표본의 크기가 25이므로 표본평균 $\overline{X}$는 정규분포 $N(m,2^2)$을 따른다.

따라서 $Z=\dfrac{\overline{X}-m}{2}$으로 놓으면 확률변수 Z는 표준정규분포 $N(0,1)$을 따르므로

$$P(\overline{X}\geq2000)=P\left(Z\geq\frac{2000-m}{2}\right)$$

$$=0.9772=0.5+0.4772$$

$$=0.5+P(0\leq Z\leq2)$$

$$=0.5+P(-2\leq Z\leq0)$$

$$\frac{2000-m}{2}=-2,\ 2000-m=-4\quad\therefore m=2004$$ 답 ②

07 [Act①] 표본평균 $\overline{X}$가 따르는 정규분포 $\mathrm{N}\left(m, \dfrac{\sigma^2}{n}\right)$을 구하고

$Z=\dfrac{\overline{X}-m}{\frac{\sigma}{\sqrt{n}}}$으로 표준화하여 주어진 확률을 만족시키는 n의 값

을 구한다.

모집단이 정규분포 $\mathrm{N}(8,\ 1.2^2)$을 따르고 표본의 크기가 n

이므로 표본평균 $\overline{X}$는 정규분포 $\mathrm{N}\left(8,\ \dfrac{1.2^2}{n}\right)$을 따른다.

따라서 $Z=\dfrac{\overline{X}-8}{\frac{1.2}{\sqrt{n}}}$로 놓으면 확률변수 Z는 표준정규분

포 $\mathrm{N}(0,\ 1)$을 따르므로

$$\mathrm{P}(7.76\leq\overline{X}\leq8.24)=\mathrm{P}\left(\dfrac{7.76-8}{\frac{1.2}{\sqrt{n}}}\leq Z\leq\dfrac{8.24-8}{\frac{1.2}{\sqrt{n}}}\right)$$
$$=\mathrm{P}\left(-\dfrac{\sqrt{n}}{5}\leq Z\leq\dfrac{\sqrt{n}}{5}\right)$$
$$=2\mathrm{P}\left(0\leq Z\leq\dfrac{\sqrt{n}}{5}\right)\geq0.6826$$

$$\therefore\ \mathrm{P}\left(0\leq Z\leq\dfrac{\sqrt{n}}{5}\right)\geq0.3413$$

이때 $\mathrm{P}(0\leq Z\leq1)=0.3413$이므로 $\dfrac{\sqrt{n}}{5}\geq1$ $\therefore\ n\geq25$

따라서 구하는 n의 최솟값은 25이다. 답 25

08 [Act①] 표본평균 $\overline{X}$가 따르는 정규분포 $\mathrm{N}\left(m, \dfrac{\sigma^2}{n}\right)$을 구하고

$Z=\dfrac{\overline{X}-m}{\frac{\sigma}{\sqrt{n}}}$으로 표준화하여 주어진 확률을 만족시키는 n의 값

을 구한다.

모집단이 정규분포 $\mathrm{N}(m,\ 3^2)$을 따르고 표본의 크기가 n이

므로 표본평균 $\overline{X}$는 정규분포 $\mathrm{N}\left(m,\ \dfrac{3^2}{n}\right)$을 따른다.

따라서 $Z=\dfrac{\overline{X}-m}{\frac{3}{\sqrt{n}}}$으로 놓으면 확률변수 Z는 표준정규분

포 $\mathrm{N}(0,\ 1)$을 따르므로
$$\mathrm{P}(m-0.5\leq\overline{X}\leq m+0.5)$$
$$=\mathrm{P}\left(\dfrac{(m-0.5)-m}{\frac{3}{\sqrt{n}}}\leq Z\leq\dfrac{(m+0.5)-m}{\frac{3}{\sqrt{n}}}\right)$$
$$=\mathrm{P}\left(-\dfrac{\sqrt{n}}{6}\leq Z\leq\dfrac{\sqrt{n}}{6}\right)$$
$$=2\mathrm{P}\left(0\leq Z\leq\dfrac{\sqrt{n}}{6}\right)=0.8664$$

$$\therefore\ \mathrm{P}\left(0\leq Z\leq\dfrac{\sqrt{n}}{6}\right)=0.4332$$

이때 $\mathrm{P}(0\leq Z\leq1.5)=0.4332$이므로 $\dfrac{\sqrt{n}}{6}=1.5$, $\sqrt{n}=9$

$$\therefore\ n=81$$ 답 ③

기출유형 04

[Act①] 모평균 m의 신뢰도 $\alpha\%$인 신뢰구간은

$\overline{x}-k\dfrac{\sigma}{\sqrt{n}}\leq m\leq\overline{x}+k\dfrac{\sigma}{\sqrt{n}}$ $\left(\text{단},\ \mathrm{P}(|Z|\leq k)=\dfrac{\alpha}{100}\right)$

임을 이용한다.

표본평균이 12.34, 모표준편차가 σ, 표본의 크기가 16이므

로 모평균 m에 대한 신뢰도 95%의 신뢰구간은

$12.34-1.96\dfrac{\sigma}{\sqrt{16}}\leq m\leq12.34+1.96\dfrac{\sigma}{\sqrt{16}}$

$11.36\leq m\leq a$이므로

$12.34-1.96\dfrac{\sigma}{\sqrt{16}}=11.36$에서

$0.49\sigma=0.98$ $\therefore\ \sigma=2$

또 $12.34+0.49\sigma=a$에서 $a=12.34+0.98=13.32$

$\therefore\ a+\sigma=13.32+2=15.32$ 답 ③

09 [Act①] 모평균 m의 신뢰도 $\alpha\%$인 신뢰구간은

$\overline{x}-k\dfrac{\sigma}{\sqrt{16}}\leq m\leq\overline{x}+k\dfrac{\sigma}{\sqrt{16}}$ $\left(\text{단},\ \mathrm{P}(|Z|\leq k)=\dfrac{\alpha}{100}\right)$

임을 이용한다.

모표준편차가 1.4인 모집단에서 크기가 49인 표본을 추출하

였을 때 그 표본평균을 $\overline{x}$라 하면

신뢰도 95%로 추정한 신뢰구간은

$\overline{x}-1.96\times\dfrac{1.4}{\sqrt{49}}\leq m\leq\overline{x}+1.96\times\dfrac{1.4}{\sqrt{49}}$

이때 주어진 신뢰구간이 $a\leq m\leq7.992$이므로

$7.992-a=2\times1.96\times\dfrac{1.4}{\sqrt{49}}=2\times1.96\times0.2$

$\therefore\ a=7.992-0.4\times1.96=7.992-0.784=7.208$ 답 ②

10 [Act①] 모평균 m의 신뢰도 $\alpha\%$인 신뢰구간은

$\overline{x}-k\dfrac{\sigma}{\sqrt{n}}\leq m\leq\overline{x}+k\dfrac{\sigma}{\sqrt{n}}$ $\left(\text{단},\ \mathrm{P}(|Z|\leq k)=\dfrac{\alpha}{100}\right)$

임을 이용한다.

모표준편차가 40인 모집단에서 크기가 64인 표본을 추출하

였을 때 그 표본평균을 $\overline{x}$라 하면

신뢰도 99%로 추정한 신뢰구간은

$\overline{x}-2.58\times\dfrac{40}{\sqrt{64}}\leq m\leq\overline{x}+2.58\times\dfrac{40}{\sqrt{64}}$

$\overline{x}-12.9\leq m\leq\overline{x}+12.9$

따라서 $c=12.9$이다. 답 ④

기출유형 05

[Act①] 모평균 m을 신뢰도 $\alpha\%$로 추정한 신뢰구간의 길이는

$2k\dfrac{\sigma}{\sqrt{n}}$ $\left(\text{단},\ \mathrm{P}(|Z|\leq k)=\dfrac{\alpha}{100}\right)$임을 이용한다.

$2\times1.96\times\dfrac{5}{\sqrt{n}}\leq1$

$\sqrt{n}\geq2\times1.96\times5$

$n\geq384.16$

따라서 최소 표본의 크기는 385이다. 답 385

11 [Act①] 모평균 m을 신뢰도 $\alpha\%$로 추정한 신뢰구간의 길이는

$2k\dfrac{\sigma}{\sqrt{n}}$ $\left(\text{단},\ \mathrm{P}(|Z|\leq k)=\dfrac{\alpha}{100}\right)$임을 이용한다.

95% 신뢰도로 모평균을 추정하면 신뢰구간은

$\overline{X}-1.96\dfrac{10}{\sqrt{n}}\le m\le\overline{X}+1.96\dfrac{10}{\sqrt{n}}$ 이므로

신뢰구간의 길이에서

$2\times1.96\times\dfrac{10}{\sqrt{n}}=45.92-38.08$

$\dfrac{39.2}{\sqrt{n}}=7.84,\ \sqrt{n}=\dfrac{39.2}{7.84}=5$

$\therefore\ n=25$

답 ①

12 Act❶ 모평균 m을 신뢰도 $\alpha\%$로 추정한 신뢰구간의 길이는

$2k\dfrac{\sigma}{\sqrt{n}}\left(\text{단, }P(|Z|\le k)=\dfrac{\alpha}{100}\right)$임을 이용한다.

95% 신뢰도로 모평균을 추정하면 신뢰구간은

$\overline{X}-1.96\dfrac{2}{\sqrt{n}}\le m\le\overline{X}+1.96\dfrac{2}{\sqrt{n}}$ 이므로

신뢰구간의 길이에서

$2\times1.96\times\dfrac{2}{\sqrt{n}}=10.392-9.608$

$\dfrac{7.84}{\sqrt{n}}=0.784,\ \sqrt{n}=\dfrac{7.84}{0.784}=10$

$\therefore\ n=100$

$\overline{X}-1.96\dfrac{2}{\sqrt{n}}+\overline{X}+1.96\dfrac{2}{\sqrt{n}}=9.608+10.392=20$

$2\overline{X}=20\quad\therefore\ \overline{X}=10$

따라서 $n+\overline{X}=110$

답 110

VIT　Very Important Test　　pp. 103~104

01. ⑤	02. 25	03. ④	04. 4	05. ②
06. ④	07. ②	08. ①	09. ③	10. ③
11. 64	12. ③			

01

$n=25$이므로 $V(\overline{X})=\dfrac{V(X)}{25}$

이때 $V(\overline{X})=4$이므로

$V(X)=25V(\overline{X})=100$

$\therefore\ \sigma(X)=\sqrt{V(X)}=\sqrt{100}=10$

답 ⑤

02

모표준편차가 10이고, 크기가 n인 표본의 표준편차가 2이므로

$\dfrac{10}{\sqrt{n}}=2\quad\therefore\ n=25$

답 25

03

주머니에서 꺼낸 1개의 공에 적힌 숫자를 확률변수 X라 할 때, X의 확률분포를 표로 나타내면 다음과 같다.

X	1	2	3	합계
$P(X=x)$	$\dfrac{1}{2}$	$\dfrac{1}{3}$	$\dfrac{1}{6}$	1

$E(X)=1\times\dfrac{1}{2}+2\times\dfrac{1}{3}+3\times\dfrac{1}{6}=\dfrac{5}{3}$

이므로

$E(\overline{X})=\dfrac{5}{3}$

$\therefore\ E(9\overline{X})=9E(\overline{X})=15$

답 ④

04

상자에서 꺼낸 카드에 적힌 수를 확률변수 X라 할 때, X의 확률분포를 표로 나타내면 다음과 같다.

X	10	20	30	합계
$P(X=x)$	$\dfrac{3}{10}$	$\dfrac{2}{5}$	$\dfrac{3}{10}$	1

$E(X)=10\times\dfrac{3}{10}+20\times\dfrac{2}{5}+30\times\dfrac{3}{10}=20$

$V(X)=10^2\times\dfrac{3}{10}+20^2\times\dfrac{2}{5}+30^2\times\dfrac{3}{10}-20^2$

$\quad\quad=460-400=60$

$V(\overline{X})=\dfrac{V(X)}{n}=\dfrac{60}{n}=15$

$\therefore\ n=4$

답 4

05

확률변수 X가 정규분포 $N(80,\ 6^2)$을 따르므로 크기가 4인 표본의 표본평균 $\overline{X}$는 정규분포 $N\left(80,\ \dfrac{6^2}{4}\right)$, 즉 $N(80,\ 3^2)$을 따른다.

따라서 확률변수 $Z=\dfrac{\overline{X}-80}{3}$은 표준정규분포를 따르므로 구하는 확률은

$P(\overline{X}\ge83)=P\left(Z\ge\dfrac{83-80}{3}\right)$

$\quad\quad\quad\quad=P(Z\ge1)$

$\quad\quad\quad\quad=0.5-P(0\le Z\le1)$

$\quad\quad\quad\quad=0.5-0.3413=0.1587$

답 ②

06

이 회사에서 생산되는 제품 한 개의 무게를 확률변수 X라 하면 X는 정규분포 $N(180,\ 8^2)$을 따르므로 제품 16개의 무게의 평균 $\overline{X}$는 정규분포 $N\left(180,\ \dfrac{8^2}{16}\right)$, 즉 $N(180,\ 2^2)$을 따른다.

따라서 확률변수 $Z=\dfrac{\overline{X}-180}{2}$은 표준정규분포를 따르므로 구하는 확률은

$P(178\le\overline{X}\le184)$

$=P\left(\dfrac{178-180}{2}\le Z\le\dfrac{184-180}{2}\right)$

$=P(-1\le Z\le2)$

$=P(0\le Z\le1)+P(0\le Z\le2)$

$=0.3413+0.4772=0.8185$ 답 ④

07

모집단이 정규분포 $N(250, 5^2)$을 따르고 표본의 크기가 100이
므로 표본평균 $\overline{X}$는 정규분포 $N(250, 0.5^2)$을 따른다.
$P(\overline{X} \geq a) = P(Z \geq 2a-500) = 0.9772$
$P(2a-500 \leq Z \leq 0) = 0.4772$이므로
$2a-500 = -2$, $a = 249$ 답 ②

08

모집단이 정규분포 $N(14, 1^2)$을 따르고 표본의 크기가 4이므로
표본평균을 $\overline{X}$라 하면 $\overline{X}$는 정규분포 $N\left(14, \left(\dfrac{1}{2}\right)^2\right)$을 따른다.
따라서 확률변수 $Z = \dfrac{\overline{X}-14}{\dfrac{1}{2}}$는 표준정규분포를 따르므로 구하
는 확률은
$P(4\overline{X} \leq 52) = P(\overline{X} \leq 13)$
$\qquad\qquad\quad = P\left(Z \leq \dfrac{13-14}{\dfrac{1}{2}}\right) = P(Z \leq -2)$
$\qquad\qquad\quad = 0.5 - P(0 \leq Z \leq 2)$
$\qquad\qquad\quad = 0.5 - 0.4772 = 0.0228$ 답 ①

09

$\sigma = 10$, $n = 400$이므로 모평균 m에 대한 신뢰도 99%의 신뢰구
간은
$\overline{x} - 2.58 \times \dfrac{10}{\sqrt{400}} \leq m \leq \overline{x} + 2.58 \times \dfrac{10}{\sqrt{400}}$
$\overline{x} - 1.29 \leq m \leq \overline{x} + 1.29$
이때 $a = \overline{x} - 1.29$, $b = \overline{x} + 1.29$이므로
$a + b = 2\overline{x} = 160$ $\therefore \overline{x} = 80$
$\therefore a = 80 - 1.29 = 78.71$ 답 ③

10

전체 기계의 평균 작동 시간을 m시간이라 하면
$2000 - 2\dfrac{300}{\sqrt{400}} \leq m \leq 2000 + 2\dfrac{300}{\sqrt{400}}$
$1970 \leq m \leq 2030$
따라서 $a = 1970$, $b = 2030$이므로
$b - a = 60$ 답 ③

11

$\sigma = 4$이므로 모평균 m에 대한 신뢰도 95%인 신뢰구간의 길이는
$2 \times 2 \times \dfrac{4}{\sqrt{n}} = \dfrac{16}{\sqrt{n}}$
이때 신뢰구간의 길이가 2 이하이므로
$\dfrac{16}{\sqrt{n}} \leq 2$, $\sqrt{n} \geq 8$ $\therefore n \geq 64$
따라서 구하는 표본의 크기의 최솟값은 64이다.   답 64

12

$P(|Z| \leq k) = \dfrac{\alpha}{100}$, 모표준편차를 σ라 하면
$\qquad 2k\dfrac{\sigma}{\sqrt{5}} = 20$, $k\sigma = 10\sqrt{5}$
구하는 표본의 크기를 n이라 하면 $2k\dfrac{\sigma}{\sqrt{n}} = 5$
따라서 $\sqrt{n} = 4\sqrt{5}$이므로 $n = 80$ 답 ③

memo

조금이라도 달라지고 싶다면
지금 이 순간부터 변해야 한다.
- 프레드 스미스

당신이 친구들이 보고 싶으면
친구들이 당신에게 관심을 가지게 하려 하지 말고
당신이 먼저 친구들에게 관심을 가져라.
- 데일 카네기

좋은 기회를 만나지 못한 사람은 아무도 없다.
다만 그것을 불잡지 못했을 뿐이다.
- 앤드류 카네기

memo

조금이라도 달라지고 싶다면
지금 이 순간부터 변해야 한다.
-프레드 스미스

당신이 친구들이 보고 싶으면
친구들이 당신에게 관심을 가지게 하려 하지 말고
당신이 먼저 친구들에게 관심을 가져라.
- 데일 카네기

좋은 기회를 만나지 못한 사람은 아무도 없다.
다만 그것을 붙잡지 못했을 뿐이다.
- 앤드루 카네기

참 쉬운
3점 수학